시뮬레이션 실습

여성건강간호 실무역량

문제해결형 국가시험을 위한

여성건강간호와 비판적 사고 2

김계숙　김경원　김선희　김 수　김영희　김현경　김희숙
박혜숙　배경의　송영아　이선희　정금희　한용희

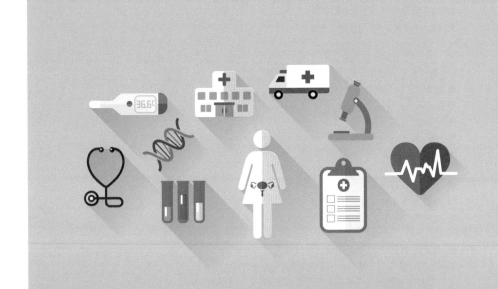

KOONJA

시뮬레이션 실습, 여성건강간호 실무역량, 문제해결형 국가시험을 위한

여성건강간호와 비판적 사고2

Women's health Nursing & Critical Thinking

첫째판 1쇄 인쇄 / 2011년 8월 25일
첫째판 1쇄 발행 / 2011년 8월 31일
둘째판 1쇄 인쇄 / 2018년 6월 28일
둘째판 1쇄 발행 / 2018년 7월 4일

지 은 이 / 김계숙·김경원·김선희·김수·김영희·김현경·김희숙·박혜숙·배경의·송영아·이선희·정금희·한용희
발 행 인 / 장주연
출 판 기 획 / 박문성
편집디자인 / 최윤경
표지디자인 / 김영민
발 행 처 / 군자출판사
등   록 / 제4-139호(1991. 6. 24)

본   사 / (10881) 경기도 파주시 회동길 338(서패동 474-1) 군자출판사 빌딩
대 표 번 호 / (031)943-1888 팩스 (031) 955-9545
홈 페 이 지 / www.koonja.co.kr

ISBN 979-11-5955-330-1

정가 25,000원

김계숙 / (전) 안산대학교

김경원 / 대구한의대학교

김선희 / 대구가톨릭대학교

김　수 / 연세대학교

김영희 / 동국대학교

김현경 / KC대학교

김희숙 / 동남보건대학교

박혜숙 / 동양대학교

배경의 / 동서대학교

송영아 / 안산대학교

이선희 / 김천대학교

정금희 / 한림대학교

한용희 / 한림성심대학교

서 문

왜 우리는 '비판적 사고'를 학습하고 훈련해야 하는 것일까? 그것은 바로 성건강간호실무 현장에서 비판적 사고기술과 태도를 간호과정에 적용할 것을 요구하기 때문이다. 간호과정은 대상자의 간호문제해결을 위해 가장 체계적이고 과학적으로 접근할 수 있는 간호실무로서 간호사의 비판적 사고능력을 향상시킬 수 있는 비판적 사고의 도구로 활용된다. 비판적 사고란 신중하고 목적이 있고 사실을 근거로 한 조직적인 인지과정이며 실제적 과정으로 일련의 통합된 능력과 태도를 말한다. 따라서 간호과정을 대상자에게 효율적으로 적용하기 위해서는 다양한 간호 상황의 맥락에서 비판적 사고를 할 수 있는 능력을 개발하고 훈련해야 한다.

간호사나 간호 대학생들이 여성건강간호현장에서 간호과정을 적용할 때에 숙련된 비판적 사고와 자기 성찰적 태도를 갖춘다면 대상자의 문제해결을 위한 간호는 훨씬 효율적일 것이다. 이 점에서 간호과정과 비판적 사고는 상호조화 및 상호동력이 되어 간호교육의 발전과 간호실무의 향상을 위해서 또는 새로운 이슈나 동향에 대해 민감하게 반응할 수 있도록 도움을 줄 것이다.

최근 간호사 면허 국가시험은 간호실무역량 지표인 지식, 기술 및 태도를 정확하게 평가하기 위해 다양한 임상간호 상황을 제시하고, 비판적 사고에 의해 답을 선택하는 문제해결형 문제로 변화되고 있다. 이 책은 간호 대학생들이 다양한 상황에서 우선순위별로 문제를 인식하고 해결해 나갈 수 있는 간호직무기반의 간호역량을 갖추고, 시뮬레이션실습과 임상실습에서 비판적 사고를 통합할 수 있는 능력을 기를 수 있도록 하였다.

본 책은 2010년 초판으로 발행된 이래로 여러 여성건강 간호 전문가들이 최근 임상간호 동향과 간호실무 역량을 평가하는 내용으로 개정하였다. 본 책의 구성은 다음과 같다.

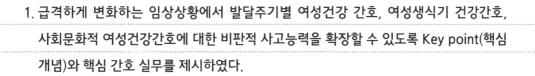

1. 급격하게 변화하는 임상상황에서 발달주기별 여성건강 간호, 여성생식기 건강간호, 사회문화적 여성건강간호에 대한 비판적 사고능력을 확장할 수 있도록 Key point(핵심 개념)와 핵심 간호 실무를 제시하였다.

2. 비판적 사고중심 학습영역은 개념적 측면을, 비판적 사고중심 간호실무 영역은 개념적 측면과 실무적 측면을 통합적으로 다루었다.

3. 간호실무능력 평가 영역에서는 여성건강간호 주제별로 문제를 제시하여 간호실무 역량을 평가하도록 하였다.

4. 주제별 관련정보 영역은 재미있고 이해가 쉬운 그림을 사용하여, key point(핵심개념)에 대한 이해를 쉽게 하도록 하였고, 다양한 정보를 제공하여 제시한 문제해결을 위한 비판적 사고능력을 확장하도록 하였다.

앞으로 본 책이 간호 대학생뿐만 아니라 새로운 정보를 필요로 하는 간호사의 계속교육을 위해 핵심 도서로 활용되어지길 기대합니다. 군자출판사와 책 내용에 대해 감수를 맡아주신 고려대학교 산부인과 홍순철 교수님께 깊은 감사를 드립니다. 군자출판사의 임직원 여러분께 깊은 감사를 드립니다.

2018년 6월

김계숙, 송영아, 김희숙

CONTENTS

PART 06 생식기 건강문제를 가진 여성간호

PART 07 사회문화적 건강문제를 가진 여성간호

부록 정답 해설

PART 5

발달주기별 건강문제를 가진 여성간호

key point

>> 청소년기는 2차 성징이 발현하는 시기로서 주요 발달과업은 새로운 신체상을 수용하여 정신적, 신체적으로 성숙하는 것이다.

>> 청소년기에는 호르몬의 변화에 따른 감각적, 감정적, 행동적인 변화를 체험하면서 이성과 교제를 하고 자신을 수용하며 자신감을 갖는다.

>> 뇌하수체 전엽에서 분비되는 호르몬 중 특히 성장호르몬은 신체 성장을 촉진하며, 난포자극호르몬, 황체화호르몬은 생식샘을 자극시킨다.

>> 청소년기에는 성선자극호르몬 방출호르몬(GNRH), 황체형성호르몬, 난포자극호르몬, 테스토스테론, 에스트로겐, 프로게스테론의 작용이 활발해진다.

>> 성 분화에 있어 생식샘은 태생 6주까지는 남녀 모두 미분화 상태이다.

비판적 사고 훈련

사례

당신은 교직이수 과정 중 남녀 합반 중학생들을 대상으로 피임과 인유두종 바이러스(HPV) 예방접종에 대한 성 건강 교육을 진행하게 되었다.

교육 중 학생들이 다음과 같이 말할 경우 각 경우에 대한 성 정체감/성적 태도 관련 이슈는 무엇이며, 바로잡아야 할 속설이나 오류는 무엇이 있는지 설명하시오.

1 "자궁경부암 백신 같은 건 남자들에겐 도움이 안 되잖아요. 그러니까 이런 자궁경부암 예방 접종이나 피임 같은 건 여자들이 책임지고 해야 하는 거 아닌가요?"

2 "성은 타고 난 것이기 때문에 남성, 여성 호르몬의 정도가 성역할이나 성태도 등을 결정한다고 생각합니다."

3 "자궁경부암 백신을 접종한 후에는 마음 놓고 성관계해도 되는 면죄부가 된다고 부모님이 꺼리는데요. 저도 찜찜해요."

4 "여자는 초경을 한다는 것부터가 문제에요. 남자로 태어났다면 훨씬 편했을 텐데…."

- 성의 개념과 성 건강의 의미를 설명한다.
- 성 건강 문제의 유형을 설명한다.
- 사춘기의 신체적, 심리적 발달 특성을 설명한다.
- 초경에 대한 태도와 반응을 설명한다.

개요

청소년기는 신체적 성 발달의 2차 단계로, 아동기와 성적 성숙기 사이의 변환기를 의미한다. 청소년기의 가장 큰 신체변화는 성기능과 생산력이며, 이런 변화 과정에서 강한 정서적인 욕구를 느낀다. 여아의 경우, 성 호르몬의 갑작스런 생산과 방출로 난소가 사춘기 1~2년 전부터 성장한다. 사춘기의 시작과 함께 유방과 둔부가 발달하면서 1년 내에 음모가 나타나며, 골반과 신장이 증가한다. 난자는 월경을 시작한 지 2년 내 생성되기 시작한다.

청소년기 여성의 성 발달

① 성 발달

인간의 성 발달은 유전학적 성과 생식샘 성에 의해 결정된다. 유전학적 결정은 수정 시에 일어난다. 배아의 생식샘 발달은 6주까지는 미분화 상태이다. 원시적 생식샘은 난소세포로 보이는 피질부와 남성 고환세포와 유사한 형태인 수질부로 이루어져 있는데, 태생기 6~7주에 남성배아의 원시적 생식샘의 수질부는 Y염색체 지시에 따라 남성호르몬을 분비하는 원시적 고환을 형성하는 반면, 두 개의 X염색체를 갖는 여성배아의 원시적 생식샘의 피질부는 난소를 형성하게 된다. 이러한 분화는 임신 12주째에 발생한다. 태아발달의 7주에는 남성의 원시생식샘인 울프관은 부고환, 수정관, 정낭으로 발달하여, 여성의 원시생식샘인 뮬러관은 나팔관, 자궁, 질상부를 형성한다.

② 성 분화 이상

성 분화 이상은 성 분화에 있어서 유전적 성, 생식샘 성, 표현형 성과의 관계에서 불일치가 있는 경우를 말한다.

- 반음양은 성 분화 이상의 일종으로, 외음부의 형태만으로는 성을 판정하기에 어려운 경우를 말한다. 반음양은 진성 반음양과 가성 반음양으로 나누어지는데, 진성 반음양이란 동일개체가 정소, 난소를 모두 가지고 있는 상태를 말하며, 가성 반음양이란 성선의 성과 외부 생식기의 성이 일치하지 않는 것을 말한다.
- 성염색체 이상은 성염색체의 구조나 수의 이상을 말한다. 염색체 이상에는 45,X인 터너증후군과 47, XXY인 클라인펠터증후군이 있다.

③ 사춘기 조발증

사춘기 조발증 혹은 성조숙증(precocious puberty)은 소녀의 경우 8세 이전에 2차 성징이 발현되는 것을 말한다. 성 조숙 발달은 성샘이나 부신의 이상, 시상하부-뇌하수체축의 이상으로 인해 발생한다. 시상하부와 뇌하수체의 조숙한 발달로 성호르몬이 분비되고 그 결과 2차 성징이 나타나는 것을 진성 성조숙증이라 하며, 80%가 원인불명이다. 성선의 발달없이 부신의 종양이나 뇌의 기질적 병변으로 2차 성징이 나타나는 경우는 가성 성조숙증이라 한다. 성조숙이 나타날 경우 신장이 크고 신체발육이 빠르며, 골연령이 생활연령보다 높아서 골단이 빨리 닫혀 왜소증이 될 가능성이 높으므로 조기 진단과 치료가 필요하다. 부모를 포함하여 소녀에 대한 심리적 지지 또한 중요하다. 조숙한 신체 크기에 맞추기보다 생활연령에 맞게 사춘기의 감정과 욕구를 이해하고 의복이나 활동을 계획하도록 지지한다.

④ 사춘기 지연증

사춘기의 지연(delayed adolescence)은 뇌하수체-생식샘-부신피질계의 발달이 늦어지면서 15세까지도 사춘기의 2차 성징이 없는 것을 말한다. 출생 당시에는 정상이지만 십대 초기에 대부분의 사춘기 소년들에서 나타나는 급격한 성장과 발육이 없으며, 골단 발육도 2~4년 정도 늦다. 그러나 특별한 내분비샘의 결함이 발견되지 않을 경우, 16~17세가 되면 성장도 빨라지고 성적으로 성숙해져 결국은 정상적인 발현이 나타난다. 특별한 치료는 없으나 사춘기의 발달과 2차 성징이 늦게 나타나기 때문에 심리적 상담과 지지가 필요하다.

청소년기에는 발달적 전환, 성 기능의 변화가 나타난다. 청소년기 여성은 성 생식 기능이 활발해지고 강한 성적 욕구를 느낄 수 있으며, 신체변화가 대부분 갑작스럽기 때문에 당황하거나 불안해할 수 있다.

성인의 성적 외형과 기능을 갖추게 되는 청소년기에는 심리적, 인지적, 사회적 문제 등이 야기될 수 있으며, 특히 성이 강하게 우상화되거나 금기되는 사회인 경우 더욱 그러할 가능성이 높아진다. 청소년기 여성은 신체적 변화가 명백하게 나타나기 이전부터 생활의 활력과 강한 성적 흥분을 경험할 수 있으며, 테스토스테론은 남녀의 성적 충동, 에스트로겐의 증가는 일시적인 체중증가와 여드름, 그리고 유방팽만(남성에게도 일시적으로 가능)을 동반한다.

사춘기가 시작되는 시기와 발달속도는 매우 다양한데, 대개 남성이 여성 보다 약 2년 정도 느리다. 남녀 사이의 이러한 차이는 자신의 신체상, 대인관계, 이성관계에 걱정과 불안을 초래하기도 한다. 성적 발달은 대개 큰 어려움 없이 진행되나 조숙 및 지연과 같은 신체적 문제가 발생할 수도 있다.

WHO는 청소년기의 성문제를 ① 성경험 시작이 빨라지고, ② 성병이 증가하는 추세이며, ③ 피임방법을 사용하지 않음으로써 원치 않는 임신과 인공임신중절 빈도가 증가하는 것 등을 꼽았다. 이는 사회가 가치와 윤리를 상황에 따라 수정, 해석하며 성을 상품화하는 데 기인한다.

청소년기는 보수적이고 단편적인 사회 및 부모세대의 가치를, 새롭게 변화·발달하고 있는 자신의 개인적 가치체계와 통합해야 하는 도전에 직면하는 때이기도 하다. 중1에서 고3까지의 청소년을 대상으로 한 2015 제11차 청소년건강행태 온라인조사에 따르면 우리나라 청소년의 첫 성관계 경험 나이는 평균 13세(중1)였으며, 성관계(이성 또는 동성) 경험이 있는 남학생은 7.0%로 여학생 2.8%보다 높았고, 고등학생(남 9.8%, 여 3.5%)이 중학생(남 3.8%, 여 1.9%)보다 높았다. 그러나 성관계 경험학생의 피임 실천율은 남학생 48.6%, 여학생은 48.8% 수준이었다. 성문제의 예방을 위해서는 성 행동으로 표출되는 청소년의 성 태도를 숙지해야 한다.

- 청소년은 성에 대해 결정할 때 사회나 부모의 기준을 고려하지 않고 자기결정의 문제로 생각한다. 이 문제는 성을 표현하는 행동에서 나타나지만 자신과 타인에게 일관되게 적용하지는 못한다. 예를 들면, 자위에 대해서는 "그럴 수 있다"는 수용적 입장이지만 개개인 청소년은 자신에게는 적용하지 않거나, "성관계 시 당연히 피임해야 한다"고 말하면서도 자신의 경우는 예외라고 생각하는 부분이다.
- 청소년은 성(섹슈얼리티)에 대한 자율적, 개방적 태도를 가진다. 금욕, 혼전 성관계에 대한 이중잣대(남성에게는 허용하나 여성에게는 질타), 동성애 등에 대해서 최근 청소년은 애정, 양성평등성, 성적 취향의 관점으로 보는 경향이 있다. 이전 세대보다 연애, 스킨십, 성관계의 경로와 선택이유 등은 다양해졌다고 하겠다.

C 비판적 사고중심 간호실무

1 간호 사정

자아 정체감 관련한 이슈는 안전, 성적 행동, 정신건강 상태, 문화적 신념, 자가간호, 관계 형성을 고려해야 하며, 특히 위험요인으로 다음 여부를 사정한다(www.nanda.org).

- 사회적 역할 변화
- 추종집단으로부터의 세뇌
- 문화적 부조화
- 발달단계에서의 전환
- 차별
- 가족과정 기능장애
- 자존감 저하
- 지각된 편견
- 상황적 위기
- 성장단계

2 간호 진단

- 자아 정체감 혼란의 위험

3 간호 중재

- 사춘기 여성에게 관심과 따뜻한 태도로 대하여 안전하다는 느낌을 갖게 한다.
- 성 정체감 관련, 또는 남녀의 역할에 대한 생각과 경험을 나눌 수 있도록 격려한다.
- 성 역할 관련 사회적 고정관념에 대한 다양한 대처방법을 설명하고 지지한다.
- 적절한 감정 표현은 자존감을 향상시킬 수 있음을 설명하고 지지한다.
- 간호사는 청소년기 여성들에게 성행위 시작을 연기하도록, 또는 성행위 시에 피임법을 사용하도록 교육 및 상담해야 한다. 성교육의 목표 및 기준은 높은 수준의 자아 존중감 및 자기 효능감, 부모와의 좋은 의사소통 기술, 능동적인 의사결정 기술, 양성평등한 역할 정립, 차별 배제, 빈곤에 대한 보호 등을 포함한다.
- 간호사는 청소년들에게 자신의 성을 통합하고 탐색하며, 책임과 의무를 다 할 수 있도록 올바른 지침, 믿을 만한 정보, 지지를 제공해야 한다.

- 성교육 시 다룰 성 관련 정보
  - 사춘기 변화
  - "나는 정상적인가?", "나는 건강한가?"와 같은 질문에 대한 정보
  - 성 선호성과 개인적인 탐닉에 대한 문제
  - 자위, 애무, 성교를 포함한 성 행위, 그리고 개인의 성 생활의 중요성
  - 임신하게 되는 방법과 시기에 대한 이해
  - 다양한 피임방법과 효과, 위험성, 유용성에 대한 정보
  - 청소년기에 부모가 됨 : 포기할 수 있는 자유 vs 얻을 수 있는 보상
  - 인공 임신중절 : 위험, 다양한 윤리적 관점, 유용성
  - 성병 : 발생률, 징후, 영향, 치료방법
  - 성에 대해 느끼는 혼란, 양가적 가치, 불안

4 간호사의 역할

- 간호사는 먼저 청소년을 성적 존재로 수용할 수 있어야 하며, 청소년의 성발달과 전반적인 성숙에 관한 지식이 있어야 한다.
- 간호사는 자신의 성에 대한 인식, 편견, 본인의 약점을 알아야 하며 청소년의 성적 가치를 탐색해야 한다.
- 간호사가 청소년의 성발달과 문제를 사정하기 위해서는 교육 및 상담기술을 가져야 한다.
- 청소년은 자신의 성적 문제와 갈등을 해결하기 위해서 의사소통, 가치명료화, 의사결정 기술과 같은 특정 기술을 습득하여야 한다.
- 청소년은 성적 주체로서, 사실을 알아야 하고 감정, 가치를 구별할 수 있도록 한다.
- 청소년에게 모든 것을 탐색하고 학습하고 통합할 수 있는 수용적인 환경을 조성해 주어야 한다.
- 간호사는 성교육 상담자로서 청소년에게 신뢰할 만한 지식과 정보를 주고, 잘못된 통념은 바로 잡아준다.
- 청소년은 성에 대해 무책임하고 자신의 행동이 미치는 결과를 예측할 수 없기 때문에, 간호사는 사실적 정보를 이해할 수 있는 수준에서 반복적으로 전달해야 한다.
- 간호사는 청소년의 감정을 인식하고, 성에 대한 사실과 가치를 감정과 구별할 수 있도록 도와주어야 한다.

5 간호사의 성 상담 기법

- 배려와 순수성이 필요하다.
- 수용적, 비판단적, 비설교적이어야 한다.
- 접근하기 쉬어야 한다.
- 비밀보장과 유지에 대한 확신감이 있어야 한다.

- 구체적이어야 한다.
- 모호한 용어는 명료화시켜야 한다.
- 용어가 명료화되면 청소년의 용어를 사용한다.
- 일단 문제에 대한 심각성을 보편화시키고 위안을 제공한다.
- 다양한 성 행위와 성 문제를 이야기할 수 있도록 경청한다.
- 청소년의 감정과 생각이 쉽게 변화될 수 있으므로 이에 대한 준비 및 대처를 한다.
- 청소년이 전문상담자에게 도움을 받을 수 있도록 격려한다.
- 청소년이 자신의 성을 탐색하고 건강한 자아개념에 성선호성을 통합하는 개별화된 방법을 발견할 수 있도록 간호사는 청소년을 수용하고 지지와 격려를 한다.
- 간호사는 부모에게도 청소년의 성 건강 요구를 이해할 수 있도록 격려한다.
- 부모와 청소년 간의 의사소통이 활발해지도록 돕는다.
- 청소년의 성 발달에 대한 감정을 표현하도록 격려한다.
- 상담을 통해 가치체계를 명료화하도록 하고, 자기 자신과 타인에 대한 책임감과 성 행위에 대한 성적 자기결정권을 갖도록 격려한다.
- 청소년의 요구와 바람에 대하여 비권위적인 입장에서 청소년에게 자아가치와 자신과 타인에 대한 책임감, 자신의 성 생활에 대한 개인적 통제, 효과적 의사소통기술, 타인의 성에 대한 존중, 건강한 성 정체성을 확립할 수 있도록 도와야 한다.

1 생식기의 발생에 대한 설명으로 옳은 것은?

① 생식샘은 태생 6주까지는 남녀 모두 공통으로 미분화 생식샘이다.

② 성의 분화에는 유전자, 생식샘, 표현형, 사회화의 4단계 과정이 있다.

③ 성염색체 이상에 따른 터너 증후군은 남아에게 저신장으로 나타난다.

④ 성염색체 이상에 따른 클라인펠터 증후군은 원발성 무월경으로 나타난다.

⑤ 남아의 경우 안드로겐의 영향을 받으며, 쿠퍼샘이 발달하여 정자를 생성한다.

2 청소년기의 성 발달 및 성적 가치관에 대한 설명으로 옳은 것은?

① 성행위를 일찍 시작하는 청소년은 인지적으로 미숙하고 책임감이 없다.

② 남성이 여성보다 빠른 성적 발달 양상을 보이며, 성적 상상도 더 많이 한다.

③ 청소년기 남성이 유방팽만을 보이는 경우 성염색체 이상을 의심해야 한다.

④ 청소년기에는 생식력 중심의 성에 관심이 많고 실험적이어서 개인적 탐닉에 빠지기 쉽다.

⑤ 청소년기에는 부모세대의 보수적 성 가치관에 갈등을 느끼며, 자기결정을 일관되게 하지 못한다.

정답   1.① 2.⑤

1. 발달주기에 따른 변화와 발육

1) 호르몬의 변화

- 여성의 일생은 성기능에 따라서 태생기, 아동기, 사춘기, 성 성숙기, 갱년기, 노년기로 나누어진다.
- 여성은 GnRH, LH, FSH, 에스트로겐, 프로게스테론의 작용으로, 특이한 life cycle을 확립한다.

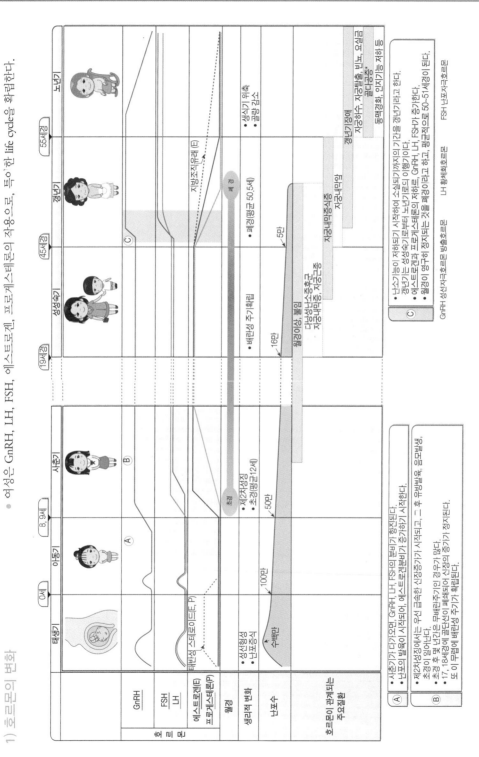

2) 사춘기의 신체발육(2차 성징)

- 2차 성징이란 사춘기에 일어나는 호르몬 변화에 따르는 신체발육을 말한다.
- 안드로겐이 음모·액모를 발생시키고, 에스트로겐이 유방의 발육, 지방의 침착, 자궁이나 질의 발육을 촉진시킨다.
- 2차 성징은 유방의 발육 → 음모의 발생 → 초경 순으로 출현하는 경우가 많다.
- 초경 후 몇 년간은 무배란주기인 경우가 많고, 높은 비율로 월경주기의 이상을 나타낸다.
- 성장함에 따라서 시상하부-뇌하수체-난소의 내분비 기능이 성숙하여, 배란이 이루어지는 정상 월경주기가 확립된다.
- 초경연령은 골형성이나 지방침착 등의 신체발육과 관련되어 있고 유전적 요인, 영양상태, 심리적·사회적 인자도 중요 요인이다. 개인차가 크다.

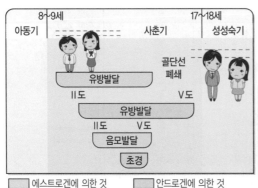

제2차성징 출현시기의 이상	
사춘기 조발증	8세 미만에 제2차성징이 나타난다.
조발월경	10세 미만에 초경을 시작한다.
사춘기 지발증	14세가 지나도 제2차성징이 나타나지 않는다.
지발월경	16세가 되어도 초경을 하지 않는다.

유방 및 치모발육의 5단계(Tanner) 분류

	유 방		치 모	
I		사춘기 전		사춘기 전
II		유륜하의 지방조직 축적 "멍울 시기"		대음순에 약간 발생
III		유방의 융기		치구(mons pubis)로 발모가 확대된다.
IV		유륜의 융기		거의 성인형이지만 범위가 좁다.
V		성인윤곽		대퇴내측의 발모도 있고, 성인형

2 성의 발생과 분화

1) 난자와 정자의 형성

인간의 생식에는 난자와 정자, 그리고 생식기의 존재가 필수적인 요소이다.

난자와 정자의 시작인 원시생식세포는 태아기 초기부터 만들어지며, 원시생식세포는 난소 또는 정소 안에서 난원세포, 정원세포가 되어, 이후에 난자와 정자로 분화된다.

난원세포는 분열을 반복하여 1차 난모세포가 되는데, 그 수는 약 700만개에 달한다. 난원세포가 제1감수분열을 시작하면 분열 도중에 일단 정지한다. 그리고 출생하기까지 약 100만개까지 감소되며, 그 후 오랜 휴지기간에 들어간다. 사춘기가 되면, 난소주기마다 1~20개의 난포가 성숙하기 시작하여 감수분열이 시작된다. 1차난모세포는 2차난모세포에서 성숙한 난자가 된다. 극체는 기능이 없는 세포이므로 곧 퇴화한다.

남성이 사춘기가 뇌년 정원세포가 분열을 하며 1차정모세포가 된다. 이것이 제1감수분열을 일으키면, 2개의 2차정모세포가 되며, 다시 2차정모세포는 제2감수분열로 4개의 정자세포가 된다. 이것이 성숙해서 결과적으로 정자가 된다.

1개의 난원세포에서는 2회의 감수분열을 거쳐서 1개의 성숙난자 (22+X)와 3개의 극체가 생기는데 반해서, 1개의 정원세포에서는 4개의 정자(22+X 또는 22+Y)가 형성하게 된다.

2) 정자와 난자의 형성

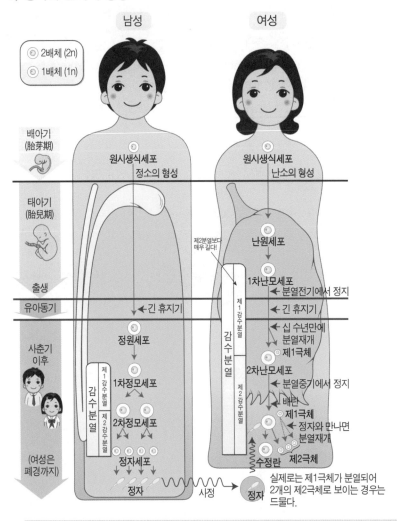

인간은 44개의 상염색체와 2개의 성염색체를 가지고 있다. 상염색체는 남녀모두 같지만, 성염색체에는 X, Y가 있어서, 남성은 상염색체 44개와 성염색체 XY의 조합, 여성은 상염색체 44개와 성염색체 XX의 조합으로 유전적 성이 결정되는 것이다. 인간의 체내에서 감수분열로 생긴 정자는 (22+X), (22+Y)의 2종류가 있고, 난자는 (22+X)의 1종류 뿐이다. 이 2종류의 정자 중, 어느 쪽이 난자와 수정하는가에 따라서 아기의 성이 유전적으로 결정된다.

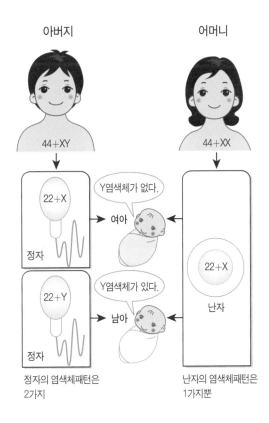

4) 생식기의 분화

유전적 성이 결정되면, 유전적 성에 따라 생식기가 분화된다. 생식기의 근원이 되는 원시생식세포가 세포분열을 반복하여 미분화생식샘이 되는데 태생 6주까지는 남녀 모두 미분화생식샘 상태이다. 미분화생식샘 내에는 울프관(중간콩팥관), 뮬러관(중간콩팥곁관)이 있다.

미분화생식샘의 발달은 Y염색체의 SRY유전자(sex-determining region Y gene) 상에 있는 정소결정인자(testisdetermining factor, TDF)가 큰 역할을 한다. 이 TDF가 작용함으로써 미분화생식샘은 정소로 분화되는 것이다. 또한 분화된 정소에서는 테스토스테론과 뮬러관억제인자(Müllerian inhibitory substance; MIS, Müllerian inhibiting factor; MIF)가 생산된다. 테스토스테론은 울프관을 정소상체·정관·정낭·사정관으로 분화시키고, 뮬러관억제물질은 뮬러관을 퇴화시킨다. 그리고 테스토스테론이 대사하여 만들어지는 DHT(dihydrotes- tosterone)는 남성의 외부생식기(전립선, 음경, 음낭)나 요도로의 분화를 유도한다.

Y염색체가 없는 경우, 미분화생식샘은 미리 난소로 분화되도록 프로그램되어 있다. 즉, Y염색체가 없어서 TDF가 작용하지 않으면 미분화생식샘은 난소로 분화되므로, 테스토스테론이나 뮬러관억제물질이 생산되지 않게 되는 것이다. 그러면 울프관은 퇴화하고, 뮬러관에서는 난관·자궁·질(상부 2/3)이 분화된다. 또한 외부생식기도 미분화생식샘과 마찬가지로 여성형이 되도록 프로그램되어 있어서, DHT가 작용하지 않는 환경에서는 질(하부 1/3), 회음, 요도가 형성되어 간다. 인간의 성 분화는 기본적으로는 '아무 작용도 하지 않으면 여성형이 되는' 구조로 되어 있다.

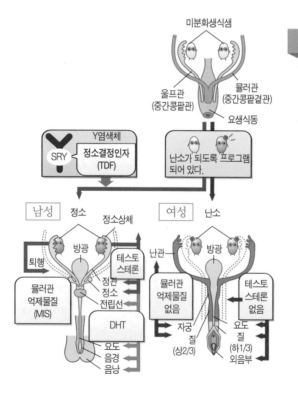

> **Tip**
>
> ● **생식기의 분화에 관한 보충**
>
> Y염색체의 SRY유전자 상에 있는 TDF가 성을 결정한다. 이로 인해 성염색체가 XY라도 염색체이상으로 TDF에 문제가 있거나 결손이 있는 경우, 생식기는 여성형으로 분화가 진행된다. 이러한 경우 염색체는 남성이지만, 외생식기는 여성형이다. 반대로 염색체는 XX지만 TDF가 어떤 이유에 의해 존재하는 경우, 외생식기는 남성형으로 분화하게 된다.

5) 생식기의 발생과정

- 성의 분화에는 유전자, 성선, 표현형의 3단계 과정이 있다.
- 유전자의 성은 성염색체의 구성으로 결정된다.
- 생식샘은 태생6주까지는 남녀 모두 공통(미분화 생식샘)이며, 미분화 생식샘은 난소로 혹은 정소로도 분화될 수 있다.
- 유전적 남성(XY)에서는 Y염색체상의 성결정유전자(SRY)의 존재로, 미분화성선은 태생 7주경에 정소로 분화된다. 유전적 여성(XX)에서는 SRY가 존재하지 않으므로, 미분화성선은 난소로 분화된다.

SRY: sex determining region Y

성염색체의 구성

(1) 내부생식기의 분화

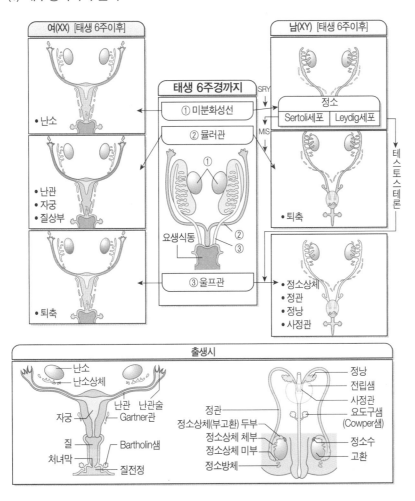

MIS : müllerian inhibiting substance

(2) 외부생식기의 발생과정

● 태생 8주경부터 성별에 따른 차이가 생기게 된다.

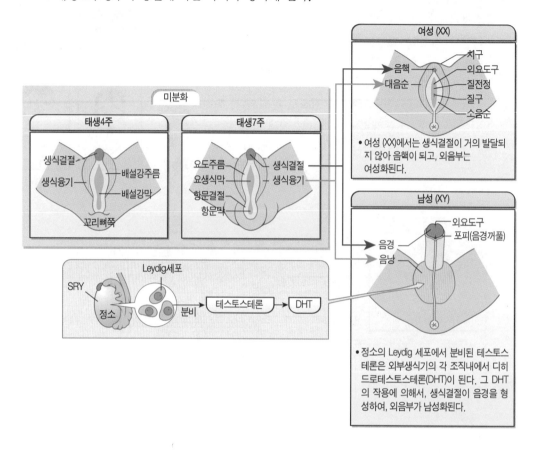

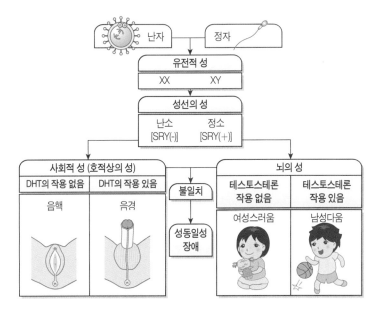

- 성별(sex)은 유전이나 생식샘만으로 결정되는 것이 아니라, 사회적으로 부여하는 측면과 뇌에서의 인식과 영향력도 관계한다.
- 사회적 성(사회적으로 부여된, 호적상의 성별)은 기본적으로 외부 생식기에 의해서 출생 시에 결정된다.
- 뇌의 성은 안드로겐(테스토스테론)의 뇌에 대한 작용 유무에 따라서 영향을 받는다. 테스토스테론의 작용이 있으면 남성적인 감각, 사고를 하는 뇌가 되고, 테스토스테론의 작용이 없으면 여성적인 감각, 사고를 하는 뇌가 된다는 학계의 견해가 있다(참고: 루엔 브리젠딘. 2007. 여자의 뇌, 여자의 발견: 여자와 남자의 99% 차이를 만드는 1%의 비밀). 반면 이것을 사회적인 편견에 의한 지나친 강조와 왜곡으로 보는 접근도 있다(참고: 코델리아 파인. 2014. 젠더, 만들어진 성: 뇌과학이 만든 섹시즘에 관한 환상과 거짓말).

3. 생식기 형태 이상

(1) 내부생식기 형태의 이상

- 뮬러관의 기형이 있으며, 아래와 같은 증례가 특히 자주 보인다.

2) 외부생식기 형태 이상

- 자궁이나 질의 선천적 기형

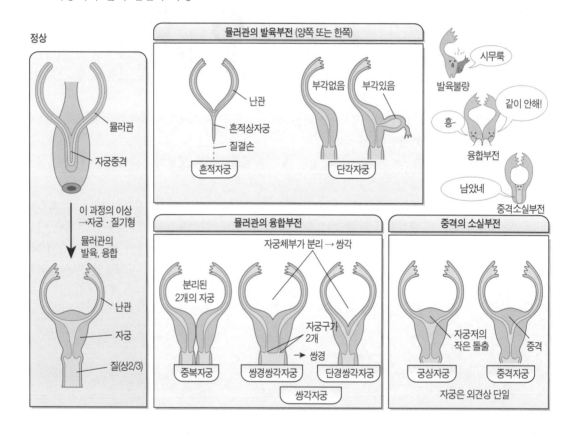

4. 성분화 이상

1) 반음양(hermaphroditism)

- 반음양이란 성분화 이상의 일종으로, 외생식기 형태만으로는 성을 판정하기 어려운 경우를 말하며 반음양은 진성 반음양과 가성 반음양으로 나누어진다.
- 진성 반음양이란 동일개체가 정소, 난소를 모두 가지고 있는 상태를 말한다.
- 가성 반음양이란 성선의 성과 외생식기의 성이 일치하지 않는 것을 말한다.
- 반음양에서 성별을 결정할 경우, 유전적 성이나 생식샘의 성이 아니라 환자의 성적 기능이 좀 더 적합한 쪽의 성을 선택하도록 한다.

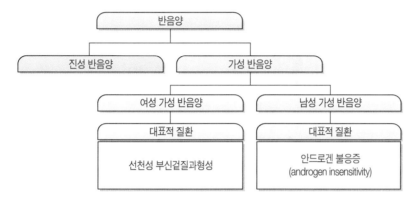

	정상여성	여성가성반음양	진성반음양	남성가성반음양	정상남성
정의	성선·외부생식기 모두 여성형	성선은 여성형 외부생식기는 남성형	동일개체내에 난소와 정소가 존재	성선은 남성형 외부생식기는 여성형	성선·외부생식기 모두 남성형
성염색체	XX	XX	여러 가지 XX (60%) XY (30%) 모자이크 (10%)	XY	XY
성선	난소	난소	여러 가지	정소	정소
외부 생식기	여성형	남성형 (여러 가지)	양성형	여성형	남성형

▲ 진성 반음양과 가성 반음양

2) 터너 증후군(Turner Syndrome)

여성의 염색체 이상으로, 성선기능부전, 익상경(webbed neck), 외반주(cubitus valgus), 저신장, 소아 같은 외부생식기를 주된 증상로 하는 증후군을 터너 증후군이라고 한다. 생식샘은 삭상성선(streak gonad)으로 2차 성징이 결여되며, 저신장 또는 원발성 무월경을 나타낸다.

(1) 터너 증후군의 신체소견

- 터너 증후군에서는 저신장, 성선기능부전, 특징적 신체증상(익상경, 외반주 등)을 나타낸다.
- 난소는 삭상성선(streak gonad)이므로, 2차 성징이 결여되어 소아 같은 체형 또는 외부생식기를 나타낸다.

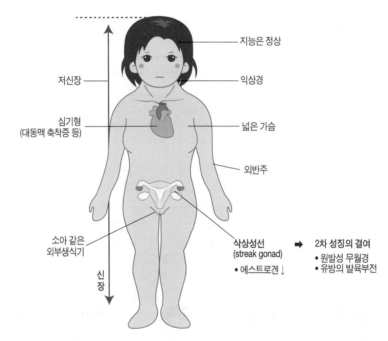

- 삭상성선(streak gonad; 흔적생식샘)
  생식세포가 존재하지 않는, 흔적상의 결합조직으로 이루어지는 생식샘을 가리킨다.

(2) 검사

- 혈액검사에서 에스트로겐↓, LH↑, FSH↑, GnRH부하시험에서 LH, FSH가 과잉반응을 나타낸 경우, 터너 증후군을 의심한다. 확정 진단은 염색체검사로 한다. 대표적인 핵형은 45,X이다.

(3) 치료

- 성장호르몬 투여 : 2차 성징, 월경유발을 위한 성 호르몬 투여 전에 키를 성장시킬 목적으로 한다.
- 성호르몬(에스트로겐) 투여 : 성 성숙의 촉진(월경 시작, 2차 성징의 시작), 골량감소의 예방을 목적으로 한다.
  ▸ 난소기능이 저하되어 자연적인 임신은 어렵지만, 월경유발은 가능하다.

(4) 보충사항

- 대표적인 핵형은 45,X이지만, 그 밖에도 45,X/46,XX 등의 모자이크 염색체가 있다.
- 46,XY나 46,XX로 정상임에도 불구하고, 터너 증후군과 같은 신체특징을 나타내는 것을 Noonan 증후군이라고 한다. Noonan 증후군에서는 심기형(폐동맥협착증, 심방중격결손증)을 나타내는 경우가 많으며, 또한 지능장애를 보이는 수가 있다(30%).
- 성적 성숙, 골다공증 예방을 위해 에스트로겐을 투여하는데, 에스트로겐은 골단선의 폐쇄를 촉진해 버린다. 이러한 이유로 인해 에스트로겐 투여 전에 성장호르몬 투여가 필요하다.

Tip

- **모자이크 염색체**

  수정란에서는 하나의 유전자형밖에 없음에도 불구하고, 유사분열 과정에서 염색체 구성이 2종류 이상이 되는 것을 말한다.

---

3) 클라인펠터 증후군(Klinefelter Syndrome)

남성의 성염색체 이상으로, 남성불임(정자형성부전, 무정자증 등), 특징적 신체소견 등의 증상을 나타내는 증후군으로, 남성 생식샘기능부전 중 가장 높은 비율을 차지한다. 출생남아에서의 발생 빈도는 1/1,000이다.

(1) 클라인펠터 증후군의 신체소견

- 클라인펠터 증후군에서는 손발이 긴 큰 신장, 여성화 유방, 고환 위축 등의 특징적인 신체소견을 나타낸다.
- 보통 2차 성징은 정상으로 일어나지만, 2차 성징이 일어나지 않는 증례도 있다.
- 신장이 크고 손발이 이상하게 길어져서, 양팔 사이 길이(양팔간격)가 신장보다도 커진다.
- 정상 남성과 같은 신체소견을 나타내는 증례도 있다.

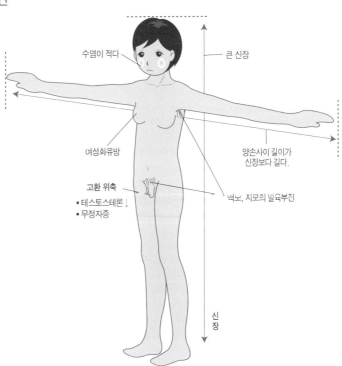

수염이 적다

큰 신장

여성화유방

양손사이 길이가 신장보다 길다.

고환 위축
- 테스토스테론↓
- 무정자증

액모, 치모의 발육부진

신장

(2) 검사

- 남성이 난임을 주호소로 내원했을 때, 고환 위축, 손발이 긴 큰 신장, 여성화유방 등을 나타내며, 혈액검사에서 테스토스테론↓, LH↑, FSH↑가 확인될 경우, 클라인펠터 증후군을 의심한다. 확정 진단은 염색체검사에 의한다. 대표적인 핵형은 47,XXY이다.

(3) 치료

- 남성호르몬 보충요법 : 남성화를 촉진하기 위해서 한다.
  - 조정기능에 대한 치료법은 없다.

(4) 보충사항

- 불임커플 파트너가 산부인과를 방문하여 발견되는 경우가 많다.
- 핵형은 47,XXY가 가장 많지만, 48,XXXY 혹은 46,XY/47,XXY 등의 모자이크 염색체를 나타내는 것도 있다.
- 지능은 일반적으로 정상이지만, 경도의 정신발달지체를 수반하기도 한다. X염색체 수가 증가할수록 정신발달지체의 정도가 높아진다.

Tip

● **양팔간격**

양측 견관절을 90°외전위로 팔꿈치 · 손 · 손가락을 펼친 채 양 상지를 벌린 자세에서 좌우 손가락 끝 사이의 거리의 신장에 대한 비는 10세 이하의 소아에서 0.96, 성인에서는 거의 1이다.

MEMO

결혼기 여성 간호

key point

>> 결혼기 여성은 가족형성기와 자녀 출생기의 발달과업을 경험하게 된다.

>> 구체적인 발달과업은 가족생활 유지, 성관계, 생식기의 건강관리, 임신 결정, 자녀 양육 등이다.

>> 가족계획이란 가족의 건강한 삶(well-being)을 다루는 개념으로 부부의 개인적인 결정이며, 결혼 전에 미리 계획해야 한다.

>> 과거 출산정책이 산아제한에 초점을 맞추었다면, 현재는 자녀출산을 장려하는 데에 있다.

>> 결혼기 가족의 발달과업에 따라 성·생식 건강과 개인, 사회적으로 임신과 출산, 자녀 양육에 대해 긍정적 가치를 가져야 하며, 가족계획에 대한 자율성이 극대화되어야 한다.

사례 1

지난달에 결혼한 여성 26세, 남성 29세 신혼부부는 예비부모로서 자녀를 갖고자 하며, 건강검진과 예비부모 교육을 받고자 병원을 방문하였다.

1 부부의 자녀계획에 대해 간호사는 어떤 내용을 점검해 보아야 하는가?

2 결혼기 예비부모에게 부모교육 내용으로 포함되어야 할 것은 무엇인가?

사례 2

38세 기혼여성으로 산과력은 G5-T3-P0-A2-L3, 월경력은 규칙적이고 28~30일 간격이라고 한다. 출산조절 피임방법에 대한 상담을 간호사에게 요청했다. 간호사는 임신조절 방법에 대한 정보를 제공하고자 한다.

1 가족계획을 위해서 고려할 점은 무엇인가?

2 위 여성에게 임신조절방법으로 어떤 방법을 어떻게 권유할 수 있을지 논의해 보시오.

25세 결혼 2년차로 직업이 전기기술자인 남성이 헤르니아 봉합술 후 회복단계에 있으며, 아내와의 성생활에 대해 간호사에게 다음과 같이 상담해 왔다.

"퇴원하면 아내는 이번 수술이 부부관계를 악화시키는 것이 아닌가 걱정합니다. 아내는 성행위하는 것을 좋아했어요. 물론 저도 마찬가지였지만, 평소 아내는 제가 너무 빨리 마친다고 불평하면서 좀 천천히 하라지만 저는 조절이 되지 않아서 서두르라고 말하죠. 처음 결혼했을 때는 너무 좋았다고 아내는 그랬는데, 최근에는 상태가 안 좋아서, 제가 도와줄 것이 아무 것도 없어요. 대화도 하고, 노력도 했지만 제가 안 되는 상태이고 아내는 당황해해요. 그래서 당분간 성관계를 포기하기로 했는데 그 후로 상황은 더 악화되어 가고 있어요. 아내는 같이 성 치료를 받자고 하는데 이게 도움이나 될지. 간호사님은 어떻게 생각하세요?"

1 부부의 성 건강에 문제점에 대해 어떤 자료를 추가로 수집해야 하는가?

2 수집된 자료에서 부부의 성 건강을 위협하는 문제는 무엇인가?

3 부부의 성건강 문제에 대한 간호진단은 무엇인가?

4 설정된 진단에 따라 간호계획과 중재안을 계획해 보시오.

학습목표

- 결혼의 의미를 설명한다.
- 결혼생활과 건강과의 관계를 설명한다.
- 가족의 개념과 형태를 설명한다.
- 가족계획의 의미를 설명한다.
- 피임의 원리와 종류별 피임방법을 설명한다.
- 성기능 장애의 정의와 종류를 설명한다.

개요

① 결혼기 발달과업

1) 가족생활 유지하기

결혼한 부부 두 사람이 가족생활 및 성생활을 하는 방법을 습득해 나가면서 가족생활의 틀을 형성한다.

2) 성관계하기

결혼의 시기와 형태는 다양하지만 결혼으로 성생활을 하며, 성관계는 성생식기능, 성적 즐거움, 친밀한 관계 등이 성적 욕구에 의해 강화된다. 성생활에서 성기능 장애가 발생하면 성상담 및 치료를 받는다.

3) 생식기의 건강관리

여성은 자궁경부암 선별검사(pap smear)를 정기적으로 받아야 하며 남성, 여성 모두 성적으로 전파되는 질병에 주의한다.

4) 임신 결정하기

모든 자녀는 부모들이 원하는 상황에서 출생하여 부모의 사랑 가운데 양육, 보호될 권리가 있으므로 가족계획을 실천한다.

5) 자녀 출생기

자녀의 건강한 출생을 위해 산전관리를 받아야 하며 안전하게 출산할 수 있어야 한다. 출산 후 산모는 어머니로서의 새로운 역할을 습득해야 하며 부모는 자녀의 성장발달에 따른 올바른 이해를 통해 자녀와의 원만한 관계를 이룬다.

② 성기능 장애

성기능 장애란 여성이 파트너와의 성관계에서 욕구, 흥분, 흥분지속, 오르가즘 등의 과정이 자연스럽게 이루어지지 않거나 통증을 호소하는 상태를 말한다. 즉 성반응 주기를 통하여 순조롭고 잘 조화된 형태의 신경·생리적 능력을 갖지 못하여 성적으로 불만족한 상태이다. 우리나라 여성의 성기능장애 중 가장 흔한 장애는 성적흥분장애와 오르가즘장애이다.

③ 성건강 증진

성건강 증진이란 건강전문가의 합법적인 역할이고 본질적인 간호기능이다. 대상자들은 건강전문가에게 성과 관련된 정보와 상담과 치료를 기대한다. 간호사는 대상자의 성 관련 정보를 수집하는 방법으로 성적 기능과 요구에 대한 사정과 대상자가 경험하는 성기능 장애에 대해 간호중재를 제공해야 한다. 간호사는 여성이 경험하는 실제적이고 잠재적인 성건강 문제에 대해 성건강 간호와 상담을 제공함으로써 성건강 증진을 도모한다.

> **Tip** 성관련 간호력을 수집하기 전에 알아야 할 정보와 책임

- 간호사는 먼저 정상과 비정상을 확인하고 성행동에 대한 정상과 비정상을 어떤 준거에 의해 구별하는지 알아야 한다.
- 간호사는 성 건강을 위협하는 요소를 확인한다.
  ① 생물학적 요소 : 해부학적 구조문제에 따른 성반응의 변화, 생리적 기능변화로 오는 성 반응 능력의 변화, 질병, 상해, 외상과 관련된 성 반응 문제, 성기능을 변화시키는 치료 즉, 당뇨병, 심장병, 척수손상, 심근경색증, 시각·청각 손상, 지체장애인, 신체상의 변화, 월경통, 임신, 폐경, 노화와 관련된 성문제, 기질적 장애를 교정하기 위한 치료, 항고혈압제, 해부학적 통합성의 장애, 보형물 삽입, 비처방약 등은 성문제를 야기시킬 수 있다.
  ② 심리적 요소 : 무의식적인 갈등, 죄의식, 불안, 우울, 분노, 실패에 대한 두려움은 심리적 성기능에 영향을 미친다. 종종 지식에 대한 결함, 비효과적인 의사소통도 성문제를 유발한다.
  ③ 사회적 요소 : 환경적 영향요소는 개인적 능력, 개인적 기회와 연관된다. 사적 분위기 결함, 사내 대장부와 같은 남성성이나 수동적이고 의존적인 여성성과 같은 문화적 통념은 성적 표현을 방해한다.
- 간호사는 성적으로 건강한 사람이 형성하는 주요 특성을 확인한다.
  ① 성적 현상에 대한 지식
  ② 긍정적인 신체상
  ③ 성적 태도에 대한 자아인식
  ④ 성적 감정에 대한 자아인식과 평가
  ⑤ 성행동 결정 시 이용할 수 있는 건전한 가치 체계
  ⑥ 남성과 여성 간의 효과적인 대인관계를 창출하는 능력
  ⑦ 성행동과 관련된 정서적 편안감, 상호의존성, 안전성

- 간호사는 모든 개인이 성적 자율권을 성취하도록 도와줄 책임이 있다. 성적 자율권은 다음을 포함한다.
  ① 성적 존재로서 자신을 표현할 권리
  ② 성과 관련된 자기 신뢰와 자기 지향에 대한 권리
  ③ 자신이 되고 싶은 사람이 되는 권리
  ④ 동성이나 이성에 구애받음 없이 자신의 성적 파트너를 선택할 권리
  ⑤ 성에 미치는 영향요소를 인식할 수 있는 권리
  ⑥ 동료를 성적 존재로서 기능하도록 격려할 수 있는 권리
  ⑦ 타인의 성적 태도와 선호성에 대한 수용과 관용에 대한 권리
  ⑧ 모든 연령의 남성, 여성이 성을 인성의 통합부분으로 인정하도록 도와줄 권리

- 간호사는 성 건강을 지지할 수 있는 환경을 창조하여야 한다.
  대상자가 그들의 성적 사고나 태도, 감정 표현에 장애를 줄 수 있는 죄의식감, 불안을 최소화할 수 있는 환경을 제공해야 한다. 그 후에 대상자는 문제의 해결을 시도할 수 있고, 그들의 행동을 객관적으로 볼 수 있고, 실제의 환경구조 내에서 결과들을 인식할 수 있다.

- 성상담과 간호를 제공하기 위해 준비해야 할 지식, 기술, 태도를 지녀야 한다.
  간호사는 자신의 성에 대해 편안함을 가져야 한다. 이를 위해서는 자신의 성에 대한 수용과 편견이 무엇인지를 인식할 수 있어야 한다.
  ① 나는 나의 성적 자아와 신체를 긍정적으로 수용한다.
  ② 나에게 적합하고 만족한 성생활 방식을 선택한다.
  ③ 나는 성적으로 주장적이다.
  ④ 나는 나 자신의 남성적, 여성적 측면을 자유롭게 표현한다.
  ⑤ 나는 성적으로 유능하고, 책임감이 있다.

- 간호사는 최근 성 건강과 성에 관련된 질병과 치료 및 그 효과에 대해 정확한 지식을 가지고 있어야 한다.
  간호사의 지식은 성 치료사, 책, 팜플렛, 필름 및 교육 자료와 같은 자원뿐만 아니라 문제에 대한 이해, 문제를 다루는 중재기술 등을 모두 포함한 것이어야 한다.

- 간호사는 치료적 의사소통 기술을 사용해야 한다.
  대상자들은 간호사에게 공감, 온정, 보살핌, 진실성, 수용, 격려, 숙련성, 신뢰감, 편안함을 주는 의사소통을 원하며 돕고자 하는 욕망이 있기를 원한다. 대상자가 상담에 긍정적으로 참여할 수 있도록 간호사는 대상자의 목표나 신념 등을 수용하고 인정해 주며 조절해 주는 것이 필요하다. 간호사는 성건강과 문제들에 대해 상담을 시도해야 한다. 여성 대상자의 성적 문제를 유도하기 위한 질문은 다음과 같다.
  ① 당신은 성적으로 건강합니까?
  ② 당신은 어떤 성적 문제를 가지고 있습니까? 등이다.

- 간호사는 성 건강을 증진할 때 대상자의 성행동, 감정, 태도에 대해 편견을 가져서는 안 된다.
  간호사는 수용적이고 무비판적인 태도로 대상자와 효율적인 의사소통을 할 수 있는 성적 용어를 사용하도록 한다.

비판적 사고중심 간호실무

> **피임**

❶ 간호 사정

피임에 관한 여성의 지식과 파트너의 신념을 사정한다. 특히 그들의 미신을 확인하고, 종교적·문화적 요인을 사정한다. 성교빈도, 성 파트너의 수, 성행위 시 피임빈도, 구체적 피임방법에 대한 여성과 그 파트너의 거부감 등에 대한 자료를 수집한다. 이용 가능한 다양한 피임방법을 들을 때 여성이 나타내는 언어적·비언어적 반응을 주의 깊게 살핀다. 개인력(월경력, 피임력, 그리고 산과력을 포함), 신체검진(골반 검진 포함), 임상병리검사들은 중요한 사정자료이다. 다음은 간호사정을 위한 질문들이다.

- 아기를 더 낳을 계획입니까?
- 성생활을 계속하고 있습니까?
- 지금 파트너가 여럿입니까?
- 과거에 파트너가 여럿이었습니까?
- 현재 피임/출산조절을 하고 있습니까?
- 피임약 · 콘돔 · 다이어프램 · 자궁내장치(IUD)
- 살정제 · 주기법 · 이식 또는 주사
- 이 방법을 얼마 동안 사용하였습니까?
- 이 방법을 좋아합니까?
- 사용을 왜 중단하였습니까?
- 다른 방법으로 바꾸길 원합니까?
- 난관 결찰술을 받았나요?
- 정관 절제술을 받았나요?

❷ 간호 진단

- 피임방법 적용과 관련된 지식부족
- 성적 만족감 저하와 관련된 피임법 불이행
- 피임법 불이행과 관련된 임신의 위험성
- 임신관련 생식과정과 관련된 지식부족

❸ 간호 중재

피임은 임신이라는 생리적 과정을 이해할 때 가능하다. 임신의 과정은 성세포의 생산, 성세포의 수송(배란 및 사정), 성세포의 수정, 수정란의 착상의 4단계를 거쳐야 한다.

간호사는 환자에게 제공한 정보를 문서화하고 그 정보를 환자들이 이해하도록 할 책임이 있다. BRAID라는 머리글자를 이용하는 것이 도움이 될 것이다.

- B(Benefits) − 이점 : 장점과 성공률에 관한 정보
- R(Risks) − 위험 : 단점과 실패율에 관한 정보
- A(Alternative) − 대안 : 다른 이용 가능한 방법에 관한 정보
- I(Inquiries) − 조사 : 질문을 할 기회
- D(Decisions) − 결정 : 결정을 하거나 마음을 바꿀 기회

간호사는 최근의 피임방법에 관한 정확한 정보를 제공하여, 여성이 원하는 피임방법을 찾을 수 있도록 도와준다.

성 건강 증진

❶ 간호 사정

성 건강 사정은 성 건강 증진을 위해 필수적이다. 간호사는 대상자에게 편안감과 신뢰감을 제공하며 충분한 시간을 통해 성문제의 잠재적 근원이 되는 성 정보를 수집한다. 간호사는 성 관련한 정보를 노출해서는 안 되며 사전에 충분히 비밀이 유지되고 간호중재와 간호진단을 위한 자료임을 설명해야 한다.

다음은 성 건강 사정을 위한 성 정보 수집과정에 필요한 질문내용과 주의사항이다. 현재 성생활을 하고 있는지, 하고 있다면 몇 명의 상대자를 가지고 있는지, 최근에 상대자가 바뀌지는 않았는지를 알아야 한다.

- 성적 행동 양식과 술, 담배, 마약류를 포함한 약물 복용 여부를 확인하고 대상자의 생활 방식과 성병을 포함한 병력에 대해 정확히 알아야 한다. 환자가 이해할 수 있는 과학적 용어로 질문을 하되, 명확하고 개방적인 질문으로 객관성을 유지한다.
- 사신의 가치관에 따른 가정은 배제한다.
- 결혼한 사람이라고 해서 성 상대자가 한 명뿐이거나 꼭 이성애인 것은 아니다. 혼외 성 상대자에 대한 물음을 꼭 해볼 필요가 있다.
- 직업(매춘부)이나 동성애자 또는 성 전환자에 대한 선입견을 갖지 않는다.
- 콘돔의 사용 등 안전한 성을 위한 기본 상식에 대해 확인한다.
- 현재 성병을 앓고 있는지 더 나아가서 에이즈 등에 대한 가능성을 확인한다. 성 상대자에 대해서도 확인해야 한다. 즉 상대자가 약물 복용자인지 상대자가 성병을 가지고 있는지, 상대자 성 행동 양식은 어떠한지 상대자를 만날 필요가 있으며 만나는 것을 어떻게 생각하는지를 파악하여야 한다.
- 상기의 질문 시에는 명확하고 직접적인 단어를 사용하는 것이 좋다.

② 간호 중재

문제 상황에 있는 대상자들은 종종 사기가 저하되어 있고 패배감을 경험한다. 간호사가 대상자의 문제 상황과 가능성을 인정하고, 과거보다는 미래에 대해 관심의 초점을 두고, 내담자들의 유능함과 자원들에 대하여 신뢰하며, 상담과정 그 자체가 지니고 있는 잠재력을 신뢰할 수 있을 때 문제 상황에 있는 대상자들에게 희망을 제공할 수 있다.

1) 성교육

성교육자로서 간호사는 적합한 정보를 제공하고 성과 관련된 잘못된 통념을 추방하고, 잘못된 정보를 교정해야 한다.

제공된 정보의 정도는 문제와 관심에 대한 대상자의 수준에 적합해야 한다. 종종 특별한 주제에 대한 제한된 정보의 제공이 많은 성적 주제에 대한 정보 제공보다도 더 도움이 될 수 있다.

2) 성상담

상담과정은 대상자가 만족감에 도달할 수 있도록 도와주는 것이다. 성전문 상담간호사는 치료적 상담을 제공한다. 성상담이란 성에 대한 내담자의 내면세계의 특성을 건강하게 변화시켜 주는 것이다. 즉 인간의 성과 관련된 자신의 생각이나 감정 및 행동양식 등의 특성을 이해하고 수용할 수 있도록 도와주어 스스로 올바르게 생각하고, 적절한 정서 상태를 유지하고, 건전한 행동양식을 발전시킬 수 있도록 조력하는 방법이다.

성상담을 위해 우선적으로 대상자가 호소하는 문제가 무엇이고, 어떤 도움을 받기를 원하는지를 명확하게 이해해야 한다. 이는 호소하는 문제가 정보나 지식을 필요로 하는 것인지, 성에 대한 태도나 가치관의 문제인지, 정서상태나 사회적 기술의 부족인지, 지적 장애가 원인인지를 파악해야 하기 때문이다. 복합적 성기능장애를 갖는 대상자들은 성기능 부전에 대한 특별한 중재 접근을 해야 하는 심리치료가 요구된다. 간호사들은 자문을 위해 상담자로서 역할을 해야 한다.

성상담을 위한 가장 일반적인 접근은 PLISSIT Model이다. 이 전형적 모델에서 머리글자인 PLISSIT는 성상담의 네 수준을 나타낸다. 즉 허용, 한정적 정보, 특별한 제안, 집중치료이다. 첫 단계는 매우 간단하나 점차 단계가 올라갈수록 어려워지며 집중치료단계가 되면 고도의 기술과 지식을 필요로 하기 때문에 특별한 훈련을 받은 성건강 전문상담가가 다루도록 추천된다. 반면 허용(P), 한정적 정보(LI), 특수 제안(SS)은 성상담의 간결요법으로 일반 간호사도 활용할 수 있다.

(1) 제1단계 : 허용(P - permission)

허용단계란 간호사가 대상자에게 성문제에 대해 이야기하도록 격려하고, 대상자가 성적으로 기능할 수 있도록 전문적인 허용을 제공하는 것이다. 대상자의 요구를 그대로 수용하고 허용하면 대상자들은 지금까지 문제라고 생각했던 성관련 행동을 계속할 것이고, 때문에 정상이 아니라고 생각했던 문제에 대해 불안을 경감할 수 있을 것이다.

허용단계는 상담자가 대상자의 행동의 변화 또는 언어에 대한 불안감에 대해 변화를 기대하는 것이 아니고 지금까지의 행동을 계속해도 좋다는 허용을 의미하는 것으로 불안으로 나타났던 성적 문제의 심각성을 예방하는데 초점을 둔다.

(2) 제2단계 : 한정적 정보(LI – limited information)

한정적 정보란 상담자가 내담자에게 필요로 하는 특정의 정보를 제공하고, 대상자의 걱정, 불안을 경감시키는 것이다. 성에 관해서 정확하고 적절한 정보를 갖고 있지 않은 경우 또는 틀린 정보를 갖고 있는 경우에 불안과 걱정의 원인이 된다. 이 한정적 정보의 제공도 허용과 마찬가지로 어떠한 장소에서도 간단히 상담할 수 있는 단계이다.

간호사는 대상자의 언어적, 비언어적 표현에 대해 한정적 정보를 제공한다. 간호사는 임상적인 지식을 토대로 대상자의 표현에 국한하여 대상자가 알고자 하는 특별한 문제 또는 관심사를 이해하면서 질문한다. 즉 간호사는 노인대상자에게 성과 노화에 대한 잘못된 통념을 바꾸도록 정보를 줄 수 있다. 이 단계는 직접적으로 대상자의 문제에 직면하여 사실을 제공하는 것이고 특별한 문제에 대해 정보를 줌으로써 불안을 경감시키고자 하는 것이다.

(3) 제3단계 : 특별한 제안(SS – specific suggestion)

특별한 제안이란 특정의 성적 문제를 가지고 있는 사람들에게 어떻게 해결하면 좋은가를 제안하는 것이다. 대상자의 문제가 될 수 있는 태도 혹은 행동을 변화시킬 수 있도록 돕는다. 1, 2단계보다 더욱 난해한 지식과 기능이 상담자에게 요구된다. 특별한 제안단계는 독방 또는 상담실을 필요로 하며 단기 성상담 방법이 제공된다.

상담자가 먼저 해야 할 것은 문제에 대한 인식이고, 문제의 득성에 대한 이해이다. 이를 위해 다음과 같은 내용을 포함한다. 상담자는 먼저 대상자가 현재 걱정하고 있는 문제는 무엇인가, 그 발생기점은 언제, 어떠한 상황이었던가, 자신이 생각하는 문제의 원인, 지금까지의 문제해결 노력과 그 결과, 상담을 통해 무엇을 기대하는지, 기대목적이 무엇인지를 알아야 한다. 문제의 정의가 내려지면 그 문제의 해결을 위해 도움을 주는 단계로 대상자가 표명한 목적에 도달하도록 대상자의 행동을 변화시키는 기술이다.

이 단계에서 간호사는 대상자의 독특한 문제에 초점을 둔다. 성기능장애의 기질적 원인, 즉 질병, 약물, 수술, 손상, 노령으로 인한 장애 등을 상담할 수 있다. 즉 간호사는 만성 폐쇄성 폐질병 대상자에게 에너지가 적게 드는 특별한 성적 체위를 제안할 수 있고, 성교 후 저혈당증을 경험할 수 있는 당뇨병 환자에게 성교의 시간변경, 식이요법으로 간호에 성관련 특별한 제안을 통합하여 도움을 줄 수 있다.

(4) 제4단계 : 집중치료(IT – intensive therapy)

이 수준의 중재는 성과 성치료, 혹은 특별한 치료에 대해 상담 및 훈련이 습득되어야 한다. 집중치료는 성기능부전 대상자, 고도의 성적 상담 및 치료가 요구되는 사람, 성과 관련된 심리적 기능장애, 친밀한 인간관계상의 갈등 등을 다룬다. 고도의 기술과 지식을 필요로 하고 특별한 성치료전문가 훈련을 받아야 실시할 수 있는 단계이다. 간호사는 대상자를 사정하여 집중치료가 요구되는 대상자라면 집중치료를 할 수 있는 성건강 전문상담가에게 의뢰할 수 있다.

1 결혼 초기 임신 이전의 부부에게 적절한 부모교육 내용은?
① 부부간 주도권 획득
② 분만 및 산욕기 적응
③ 부부 친밀감, 의사소통
④ 가족의 경제적 목표 설정
⑤ 성역할 고정관념에 따른 부부역할 규정

2 결혼 후 임신기 예비부모에게 제공하는 부모교육 내용은?
① 부부간 성역할 조정
② 터울 조절을 위한 피임법 교육
③ 친정 부모님과 공동육아를 위한 준비
④ 혼전순결과 성관계 유무의 비밀유지
⑤ 신체적, 심리적 부모됨을 준비하는 교육

3 출산 간격 조절을 위한 피임방법을 선택할 때 필요한 조건은?
① 비가역적이어야 한다.
② 부작용이 적고 자연스러워야 한다.
③ 터울조절을 위해서는 낙태도 피임방법의 하나이다.
④ 반드시 파트너의 동의가 있어야 사용할 수 있다.
⑤ 한 가지 방법을 지속적으로 사용할 수 있어야 한다.

4 20대 여대생이 자신은 임신을 원치 않으나 파트너가 콘돔사용을 꺼린다고 걱정한다. 성상담 과정에서 간호사의 첫 상담단계에서 고려해야 할 것은?
① 피임계획 상담은 의사를 추천하는 것이 우선이다.
② 여성의 근심과 느낌은 사생활이므로 모르는 척해야 한다.
③ 간호사가 피임에 대해 이야기를 할 때 편안함을 느껴야 한다.
④ 피임에 있어서 간호사의 개인적인 경험과 선택에 대한 이야기해준다.
⑤ 특정한 방법에 대해 찬성하거나 반대하는 전문가 입장을 소개한다.

5 미레나(mirena)는 자궁경부를 통과해서 시술되기 때문에 일반적으로 출산을 경험한 여성이 사용하는 것이 좋은 피임 방법이다. 다음 중 구체적인 적응증은?

① 당뇨병이 있는 여성

② 자궁내막염이 있는 여성

③ 월경과소의 치료를 원하는 여성

④ 장기간의 확실한 피임을 원하는 여성

⑤ 성적 파트너가 일정하지 않은 미혼 여성

관련정보

1. 피임

1) 피임법의 종류

경구피임제(OC)는 피임효과가 높지만, 성전파성감염(STI)을 예방할 수는 없다. 한편 콘돔은 STI의 예방효과는 높지만 피임효과는 OC보다 떨어진다. 이 때문에 임신과 STI 모두를 예방하기 위해서는 OC와 콘돔의 병용이 이상적이다.

(1) 저용량 OC

피임효과를 유지하면서 부작용을 최소한으로 하기 위해, 함유 호르몬량을 줄여서 개발된 OC. 에스트로겐의 함유량이 50µg 미만인 것을 말한다.

(2) 프로게스토겐(progestogene)

난소의 황체에서 분비되는 황체호르몬 작용이 있는 물질의 총칭으로, 천연 프로게스토겐으로 프로게스테론(황체호르몬)이 있다. 동의어로서 프로게스틴, 프로게스타겐, 게스타겐이 있다.

(3) 자궁 내 장치(IUD)

자궁 내에 기구를 삽입함으로써 자궁내막에 염증성 변화를 일으켜서 착상을 예방하는 방법이다. 현재 호르몬이 함유된 미레나가 가장 보편적으로 사용된다.

(4) 응급피임법

고용량의 OC pill이 사용된다. 기본적으로 착상 장애를 일으켜서 임신을 방해한다. 출산이 끝난 여성에게는 copper IUD를 응급피임방법으로 사용하기도 한다.

	피임수술 (남성)	경구피임제 (OC : 저용량 피임)	피임수술 (여성)	자궁내장치 (IUD)	콘돔	살정제	응급피임법
효과·방법	수술로 정관을 결찰·절단 한다.	에스트로겐과 프로게스테론(프로게스트론), 2종류의 호르몬으로 이루어지는 저용량 경구피임제(OC)를 매일 1정씩 복용한다.	수술로 난관을 결찰·절단 한다.	특수한 기구를 자궁 내에 삽입하여, 수정란이 자궁내막에 착상하는 것을 방지한다.	남성이 발기된 음경에 씌워서, 정자의 질내로의 진입을 막는다.	성교 전에 정자를 죽이는 약품(살정제)을 질내에 넣는다.	피임을 하지 않은 성교 후라도, 72시간이내에 고용량 OC제를 복용함으로써 임신율을 75% 정도로 감소시킬 수 있다.
장 점	한번 하면 효과가 영구적이다.	• 여성주체로 피임이 가능하다. • 정확하게 복용하면 피임효과가 확실하다. • 피임 외의 이점이 있다.	한번 하면 효과가 영구적이다.	• 제거하면 다시 임신능력이 회복될 수 있다. • 수유부에게 영향을 미치지 않으므로, 출산직후부터 사용할 수 있다. • 비교적 저렴하게 실시할 수 있다.	• STD를 예방할 수 있다. • 남성이 피임참가가 가능	• 약국에서 저렴하게 구입할 수 있다. • 여성이 바로 사용할 수 있다.	피임을 하지 않거나 피임에 실패한 성교나 강간 등에 의한 임신을 예방하는 긴급수단이지 통상적인 피임방법이 아니다.
단 점	• 수술에 수반되는 침습이 있다. • 정관복원술을 해도 임신능력이 회복되지 않는 경우가 있다.	• 복용개시 1~2주 정도까지 오심, 소량의 부정출혈이 있는 경우가 있다. • 혈전증, 심근경색 등이 있을 수반하기도 한다.	• 수술에 수반되는 침습이 있다. • 난관복원술을 해도, 임신능력이 회복되지 않는 경우가 있다.	• 부정출혈, 동통을 초래하기도 한다.	• 여성 주체로 피임이 불가능하다. • 파손이나 탈락, 정액누출 등이 있다.	• 성교 몇 분 전에 삽입해야 한다. • 피임효과가 떨어지므로, 그다지 보급되지 않는다.	• 오심·구토 등의 부작용이 빈도가 높다. • 배란지연을 초래할 때에는 계 복용 후의 성교로 인한 임신을 할 가능성이 있다.

2) 경구피임법

(1) 경구피임법의 종류

- 저용량 OC에는 주로 왼쪽과 같은 종류가 있다.
- 프로게스테론, 에스트로겐이 함유되어 있는 것은 3주분(21정)이다.
- 4주째 휴약기간(또는 위약 복용중)에 호르몬 감소에 의한 소퇴성 출혈이 일어난다.

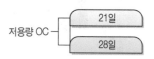

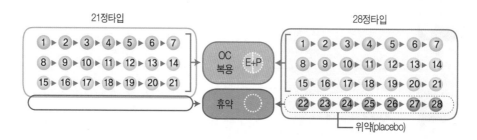

- 28정타입에는 복약습관을 지속시키기(복용을 잊는 것을 방지) 위해서 7일분의 위약(placebo)이 포함되어 있다.

(2) 경구피임제 복용을 빼먹은 경우(WHO 기준)

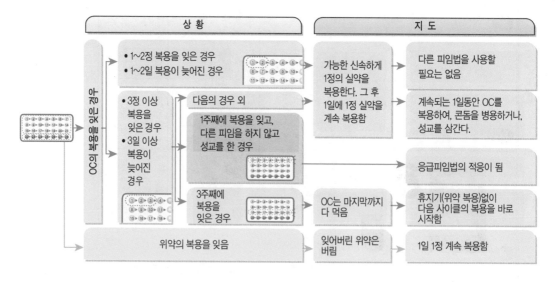

(3) 경구피임기전

경구피임제는 에스트로겐과 프로게스테론의 복합제이다. OC의 복용으로 FSH, LH의 분비가 억제되어, 임신을 예방하는 다양한 효과를 볼 수 있다.

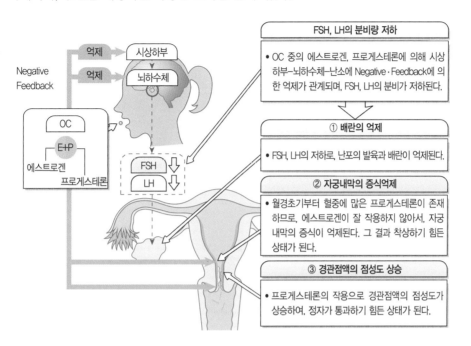

(4) 경구피임의 위험요인과 장점

- OC(저용량 pill)에 함유된 에스트로겐과 프로게스테론의 작용으로, 다음과 같은 질환의 위험이 증가하는 한편, 피임 외의 여러가지 이점도 있다. 이 때문에 난소암·자궁내막암의 예방이나 자궁내막증·월경곤란증의 상태완화 등 피임 외의 여러 가지 목적으로 처방되는 경우도 많다.
- OC의 금기로는 모유수유 시 분만 후 6주 이내, 장기 안정을 요하는 대수술, 35세 이상에서 흡연자 등이 있다. 이와 같은 위험은 저용량 OC의 개발로 인해 비약적으로 개선되고 있다. 대장암의 위험이 낮아지는 것이 확인되었는데, 예방효과가 있는지의 여부는 아직 명확하지 않다.

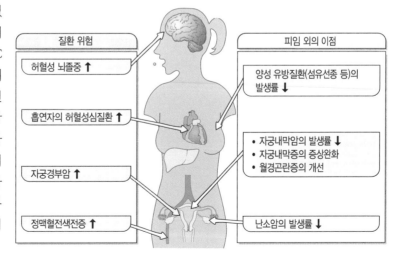

2. 성기능장애

1) 성욕구장애(sexual desire disorders)

성욕구장애란 성행위에 대한 욕구나 관심이 없고, 지속적으로 성욕구 수준이 낮은 것을 의미한다. 성적 환상이 없거나 성행위에 대한 기대, 참여가 부족한 것이 특징이며 스트레스, 피로, 약물효과, 질병, 내분비 영향, 분만 후 가정 불화, 과거의 나쁜 경험, 우울증, 월경 전 긴장증, 남편에 대한 혐오감 등이 원인이다.

비교적 행복한 부부생활을 하는 부부의 33%가 일시적 장애를 경험할 수 있으나, 이것은 상호 간 관심과 신뢰, 성에 대한 관심을 말이나 행동으로 표현하는 등으로 해결할 수 있다. 또한 항문조임근을 조이는 기술과 감각초점훈련을 실시하면 효과적이다.

감각초점요법은 의사소통방법이 가장 중요하다. 그 과정은 다음과 같은데, 부부가 감각초점요법에 참여해서 접촉을 통해 배우자와 감정을 교류해야 한다.

치료자는 부부에게 그들 신체의 어느 부분을 접촉하고 어디는 피해야 하는지를 가르치며, 이 치료는 배우자의 몸의 모든 부분을 접촉해서 성충동이 일어날 때까지 진행한다.

Tip

성욕구장애의 원인

아래의 요인들은 분노, 좌절, 적개심을 갖게 하며 성관계 시 감정의 위축을 야기시킨다.

- 부부간의 비효율적인 의사소통과 관련된 관계의 어려움
- 열등감
- 임신, 분만, 산욕기문제
- 과로, 일 실패, 직업의 변화
- 은퇴, 노약, 사별
- 상실
- 질병으로 인한 문제와 불안
- 부인과적 문제

---

2) 성적 흥분장애(sexual arousal disorder)

성적 흥분장애란 성행위가 완전히 끝날 때까지 질 분비물과 질·골반 팽창반응을 유지하지 못하는 상태로, 여성의 성반응 중 흥분기와 고조기에 나타나는 이상이다. 음핵이나 질에 혈액순환이 잘 안되어 일어난다고 할 수 있다.

흥분기에 여성은 질 분비물 증가, 골반혈관의 수축, 음핵울혈, 음순비대, 질의 입구쪽 1/3의 수축, 안쪽 2/3의 확대 등의 생리적 변화가 일어난다. 흥분기의 문제들이 인지적, 감정적 문제들을 포함하고 있음에도 불구하고 대부분의 환자들은 단지 성기 등의 문제를 증상으로 표현한다. 이런 경우에 이들 증상과 징후가 흥분장애를 말하는 것인지 아니면 흥분에 필요한 충분한 자극부족으로 인한 것인지를 구별하는 것이 중요하다. 일반적으로 성적 흥분장애를 가진 사람들은 성욕구가 있고

성행위에 관심은 있지만 흥분의 정도가 서로 만족스러운 성행위에 이를 때까지 유지할 수가 없다. 이 장애는 성행위 동안의 흥분이나 쾌감이 부족한 것처럼 느끼며 우울이나 다른 정신장애와 결합해서 나타날 수 있지만, 성행위에 잘 적응하고 성적으로 관심 있는 사람들에게서도 나타날 수 있다. 여성의 노화, 질병, 약물, 그 밖의 분만이나 폐경처럼 생리적 변화를 겪게 되는 여러 생활사건이 여성의 성적 흥분장애에 영향을 미친다.

3) 오르가즘(절정감) 장애(orgasmic disorder)

오르가즘 장애란 흥분기를 경험하면서도 오르가즘을 느끼지 못하는 경우이며, 한 번도 경험하지 못한 경우를 1차 오르가즘 장애라고 한다. 2차 오르가즘 장애란 과거에 경험했으나 현재 오르가즘을 못 느끼는 경우로, 즉 결혼 초기에는 오르가즘을 경험했으나 몇 년 후부터는 느끼지 못하는 경우, 또는 특정한 상대자와는 오르가즘을 느낄 수 없는 경우가 이에 해당한다. 오르가즘은 특징적 느낌을 갖게 하는 감각으로 우리나라 여성은 4~6회 정도의 강한 수축을 0.8초 간격으로 느끼는데 서양 여성에 비해 적은편이다. 오르가즘 장애의 원인은 성행위 시 적절한 자극부족으로 인해 초래되는 경우가 많으므로 전희 등 기술적인 문제 파악이 우선되어야 한다. 그 외 요인으로 부부관계, 만성 질병, 과음, 성폭행 등으로 나타나고 있다.

여성의 오르가즘 장애의 초기 치료방법은 긴장감이 없는 편안한 자세로 성행위를 하도록 한다. 즉 남성에게 여성의 성감대를 효과적으로 자극할 수 있는 기본적 기술을 가르친다. 부부가 손을 사용한 자극으로 충분히 감응이 되면 그들에게 성교의 체위를 가르쳐 주어서 오르가즘에 대한 감응을 높일 수 있는 성적 율동과 자유스러운 체위로 성행위를 하도록 요구한다. 여성 상위 체위와 옆누움 자세는 추천할 수 있는 체위이다. 대부분 1차 오르가즘 장애가 2차 오르가즘 장애보다 치료효과가 더 좋다.

직접적인 자위행위, 탈감작에 의존하는 행위치료에서 여성은 자신의 성기를 시험하고 성욕구 없이 성기를 접촉하여 즐거운 기분이 들도록 하고 마지막으로 기간과 강도를 늘려 그 부위를 접촉하는 자위행위를 하도록 한다. 자위행위를 가르칠 때 대부분의 성불감증 여성은 상대적으로 쉽고 빠르게 오르가즘을 경험한다. 이 치료의 단점은 혐오감이다. 왜냐하면 파트너와의 성적 상호관계를 통해서 얻는 만족감이 아니고 자신이 접촉하고 그렇게 해서 기쁨을 얻기 때문이다.

4) 질 경련증(vaginismus)

질 경련은 성교 시 또는 질 내에 어떤 물질을 삽입할 때 자신의 의사와 관계없이 질부의 외벽 1/3을 싸고 있는 샅근육과 항문 조임근이 불수의적 경련을 일으키는 장애로 성교 시 또는 성교 전후에 지속적, 반복적으로 통증을 느끼는 상태이다. 종종 차단이라고 묘사되고 고통으로 경험되는데 여성의 질에 대한 무의식적 표현을 반영하는 것이다.

1차 질 경련증은 여성 자신이나 음경에 대한 질 관통 경험이다. 이러한 여성의 성적 반응은 정상적이고, 절정에 도달할 수도 있으며, 자신의 성적 욕구를 만족시키기 위해서 다른 성적 표현들, 즉 자위행위, 구강성교와 같은 것을 사용하기도 하는데 이것은 상대로 하여금 무능감을 느끼게 하며, 상대 역시 발기장애 문제를 가질 수도 있다.

2차 질 경련증은 성폭행이나 부인과 내진을 포함하는 성적 혹은 정서적 외상 후에 발생한다.

질 경련의 원인들로는 불임검사와 치료, 질 감염, 질이 너무 작아 음경이 질 내부에 상처를 입힐 것이라는 환상, 분만 전후의 불안, 피임에 대한 불안 등이 있다. 그 외에 강간이나 다른 성적 외상, 가족의 강한 보수성, 종교적 가치, 성교통증 또는 성적 배우자에 대한 강한 적대감을 포함할 수 있다. 치료는 근원적으로 존재하는 불안과 공포를 경감시킴으로써 긍정적인 성태도와 질의 수축을 차츰 풀어지게 하는 것이다. 즉 처음에 손가락 한 개로 시작하여 작은 질 확장기로 남편의 음경 굵기까지 질을 확장시킨다. 여성에게 특별한 성관련 외상이 있으면 정신과 치료가 필요하다.

5) 성교통증(dyspareunia)

성교통증은 여성에게 성교 동안이나 전후에 음순, 질, 골반에 지속적, 반복적으로 통증으로 느끼는 것이다.

성교통증의 기질적 요인은 질/요도 감염, 자궁내막증, 해부학적, 구조적 기형, 에스트로겐 감소, 질 세척이나 비누 사용과 같은 기계적 자극, 투약 중인 약물, 산후 외음 봉합술 상태, 질어귀, 방사선 암 치료 후 등이 있다. 발달적 요인은 가족, 종교적 터부, 질은 접촉해서는 안 된다는 가르침, 근친상간이나 강간 같은 성적 외상, 배우자에 대한 적대감 같은 성적 상호 관계 문제 및 완전한 성충동 결핍 등이 있다.

치료는 여성이 감각초점훈련 등으로 질 삽입 없이 자극하여 질 분비물이 충분히 나올 때 성교를 시도하도록 한다. 남편의 성기가 유난히 길거나 여성의 질이 짧아서 생기는 성교통증은 가슴 밑에 베개를 받치는 무릎-가슴자세에서 뒤에서 삽입하면 성교통증을 완화할 수 있다. 폐경 여성의 경우에는 에스트로겐 결핍, 질성형 수술('예쁜이 수술')을 받은 여성, 체구가 작은 여성, 폐경 후 오랫동안 성교를 하지 않은 경우에는 질 윤활제를 사용하면 성교통증을 경감할 수 있다. 기타 신체적 원인은 치료해 주고, 심리적 또는 상호 관계적 성문제는 관련된 성상담 및 정신치료를 할 수 있다.

MEMO

key point

» 갱년기는 자녀를 출산할 수 있는 생산기에서 출산할 수 없는 비생산기로 전환하는 과도기를 말한다.

» 갱년기 동안 발생하는 난소기능저하는 배란 중지 및 에스트라디올 생산량의 현저한 감소를 가져온다.

» 폐경은 난소난포의 비활동성 결과로 나타나는 영구적인 월경정지를 말한다.

» 난소기능저하(에스트로겐 저하, LH 상승, FSH 상승)로 인해, 갱년기 여성에게 혈관운동장애(얼굴의 화끈거림, 붉어짐, 발한, 심계항진), 정신신경장애(권태감, 억울감, 초조, 불면), 피로, 생식기와 성기능의 변화, 기타 기질적 질환 등이 나타날 수 있다.

» 갱년기 장애의 치료와 간호 관리는 호르몬대체요법(에스트로겐 요법, 에스트로겐과 프로게스테론 병행요법), 지지요법, 상담요법 그리고 식물성 에스트로겐이 함유된 식이요법 등이 활용된다.

비판적 사고 훈련

사례

갱년기 증상을 호소하는 50세 여성은 호르몬대체요법에 관심이 있다. 간호사는 대상자와 갱년기관련 상담을 계획하고 있다.

1 여성이 갱년기 클리닉을 방문하여 조언을 받고자 하는 증상으로는 어떤 것들이 있는가?

2 여성이 호르몬대체요법을 적용하기 전에 우선순위로 확인해야 할 사항은?

3 여성이 호르몬대체요법 외에 선택할 수 있는 방법은?

4 호르몬대체요법을 시작한 후 여성에게 나타날 수 있는 합병증은?

- 갱년기와 폐(완)경을 정의한다.
- 난소기능저하와 관련된 신체·생리적 변화를 설명한다.
- 난소기능저하와 관련된 심리적 변화를 설명한다.
- 갱년기 장애를 가진 여성을 확인한다.
- 갱년기 장애를 가진 여성에게 적절한 간호를 수행한다.

개요

여성의 발달주기에서 가임기 후기를 갱년기라고 한다. 성 성숙기를 15~44세로 볼 때, 갱년기는 45~64세로 볼 수 있다. 이 시기는 출산이 가능한 삶에서 출산이 불가능한 삶으로, 에스트로겐의 지배를 받는 삶에서 지배를 받지 않는 삶으로 이행하는 시기로, 생식기에서 폐경전기, 폐경기, 폐경후기로 이동하면서 신체적, 정신적, 사회·심리적 변화를 경험한다.

폐경은 월경이 자연적으로 정지되어 1년 이상 경과한 경우를 말한다. 최근에는 폐경(肺經)을 여성의 완성을 뜻하는 완경(完鏡)으로 표현하는데, 이는 월경이 끝나는 것이 여성으로서 더 이상 가치가 없는 게 아닌, 단지 하나의 시기가 끝나는 것이며 이제 곧 새로운 시작을 맞이할 수 있는 기념할 만한 일이라는 인식을 나타내는 표현이다. 즉, 완경이란 여성을 완성한다는 긍정적인 의미를 반영한다.

갱년기 여성의 발달과업은 다음과 같다.

- 성장하는 자녀 혹은 장성한 자녀가 사회적으로 성숙하고 책임감을 갖도록 도와주기
- 배우자와의 새로운 신체적, 정신적 조화를 통해 안녕(well-being)을 증진시키기
- 즐겁고 안락한 가정을 구성하기
- 사회 시민활동을 증진시키기
- 새로운 직업이나 만족할 수 있는 일을 찾기
- 늘어난 여가시간을 생산적으로 사용하고 만족스럽게 만들기
- 중년의 신체적, 인지적 변화에 적응하고 수용하기

비판적 사고중심 간호실무

사례

교회에서 모범적으로 봉사를 하며 많은 사람들에게 칭찬을 받아온 49세의 여성이 교회에서 여전도회 회장으로 선출되어 의욕적으로 사업을 추진하던 중 갑자기 얼굴이 화끈해지고 가슴이 두근거리면서 식은땀이 비 오듯 쏟아지는 경험을 하였다. 많은 사람들이 모인 모임에서 사회를 보거나 이야기를 할 때 이 증상은 더 심해졌다. 점차 자식과 남편이 미워지고, 교회 봉사도 재미가 없어지고, 밖으로 나가는 것이 싫고, 사람들 만나는 것이 가장 괴로운 일이 되었다. 사소한 일에도 눈물이 흐르고 죽고 싶은 마음이 강하게 들 때도 있었다. 추운 겨울에도 창문을 열어 놓아야 살 수가 있을 정도여서 남편에게 핀잔을 들으면서도 창문을 열어 미움을 받은 적도 있다.

❶ 간호 사정

자세한 건강력 수집, 신체검진, 임상검사 결과를 통해 갱년기 장애 유무를 구분한다. 특히 유방암, 자궁암, 고혈압, 혈전성 정맥염, 간 또는 담낭질환, 자궁출혈, 수술경험(자궁절제술 또는 양쪽 난소절제술) 유무를 사정한다. 최근 생리주기의 변화 정도를 사정하는 것은 폐경기 여성이 어떤 단계에 있는지 확인하는 중요한 자료이다. 여성의 삶에 대한 인식과 문화적 요소, 성에 대한 지식과 관심 등을 기록한다. 여성이 경험하는 갱년기 증상에 대한 반응 및 대처양상에 대해서는 약물적 접근과 보완대체적 접근 모두를 사정한다.

❷ 간호 진단

- 갱년기(관리)와 관련된 지식 부족
- 현재 나타난 불편감과 관련된 가족의 비효율적 대처
- 질 분비물 저하와 관련된 성교통
- 골다공증과 관련된 신체손상 위험성
- 갱년기 신체상 변화와 관련된 자긍심 저하

❸ 간호 중재

갱년기에 있는 여성들은 어떤 일이 일어나는지, 왜 일어나는지, 어떤 방법들이 그들을 좀 더 편안하게 할 수 있는지 알아야 한다. 여성들은 자신이 경험하고 있는 문제에 대해 토론할 기회를 갖기를 원한다. 또한 자신이 겪는 불편감은 생리적인 변화에 근거하며 다른 여성들도 다양한 불편감을 경험하고 있다는 사실을 알 필요가 있다.

- 치료는 여성 개인의 특성에 맞는 개별 접근이 요구된다.
- 간호사는 갱년기 여성에게 다음의 교육적 간호중재를 한다.

- 신체 변화에 따른 체력저하 극복을 위해 운동이나 정기적으로 건강진단 받기
- 여가활동을 통해 자기 만족감 높이기
- 나이를 먹고 늙어가는 것을 성숙된 인간이 되어 가는 과정으로 받아들이고, 시간적으로나 경제적으로 부담을 주지 않는 범위 안에서 주체적인 삶을 위한 목표를 세워보기
- 배우자와 자신의 문제에 대해 솔직히 이야기하기
- 새로운 일에 도전하기(음식조절, 체중조절, 환경을 변화시키기, 음악 듣기와 노래 부르기, 충분한 휴식 취하기 등)
- 자원봉사를 통해 일상생활에 신선한 자극받기
- 삶의 생동감을 경험하기 위해 젊은 세대의 훌륭한 조언자 되기
- 삶의 질 향상을 위해 성숙한 신앙생활하기
- 혼자 묵상이나 명상하기

D 간호 실무능력 평가

사례

50세 여성이 최근 몇 개월 동안 월경이 불규칙해지고, 갑자기 무안당한 사람처럼 가슴에서 얼굴로 열이 치밀어 오르며, 얼굴이 붉어지면서 땀이 비 오듯 쏟아지는 일이 자주 생겨 사람들을 만나기가 힘들다고 호소한다. 월경주기 중 난포기에 혈중 난포자극호르몬(FSH) 농도를 측정한 결과, 35mIU/mL으로 나타났다.

1 여성은 자신에게 이런 증상이 왜 나타나는지 궁금해 한다. 간호사의 설명으로 옳은 것은?

① 운동 부족   ② 칼슘섭취 부족
③ 난소기능 저하   ④ 스트레스 증가
⑤ 자궁의 기질적 병변

2 간호사는 여성에게 콩 식품 섭취를 권장하였다. 우선적인 이유는?

① 암 예방   ② 체중 관리
③ 치매 예방   ④ 골다공증 예방
⑤ 폐경증상 완화

3 여성에게 호르몬대체요법을 적용할 수 있는 경우는?

① 하지 정맥류가 있음
② 복압요실금이 있음
③ 간 기능이 심하게 저하되어 있음
④ 원인불명의 부정자궁출혈이 있음
⑤ 유방암 치료 후 완치 판정을 받음

4 여성은 추후 관리를 받던 중 혈중 에스트라디올 20pg/mL, 난포자극호르몬 45mIU/mL로 측정되었다. 이는 어떤 상태를 의미하는가?

① 정상적인 월경주기   ② 폐경 전기
③ 주폐경기   ④ 폐경 후기
⑤ 노년기

정답   1.③ 2.⑤ 3.② 4.④

1. 갱년기 장애

난소의 기능저하에 따르는 에스트로겐 감소와 사회적 환경, 개인요소 등이 복잡하게 얽혀서, 기질적 질환이 없음에도 불구하고 자율신경실조를 중심으로 다양한 증상을 나타내는 증상군이다.

갱년기 장애는 1년~몇 년 계속되는데, 대부분은 노년기로 접어듦에 따라서 경감된다.

1) 주요사항

- 폐경기 전후의 여성
- 에스트로겐↓, LH↑, FSH↑
- 월경이상, 얼굴의 화끈거림, 붉어짐, 발한, 심계항진
- 권태감, 억울감, 초조, 불면 등의 증상 호소
- 일반진찰이나 각종검사에서 이상이 없는 경우

2) 치료

(1) 약물요법

- 호르몬대체요법 : 에스트로겐, 프로게스테론 투여
- 향정신약물 : 항우울제, 항불안제 등
- 한방요법

(2) 심리 · 정신요법

카운슬링 등

Tip

- **갱년기**

  갱년기는 성 성숙기와 노년기 사이의 이행기를 말하며, '난소기능이 감퇴하기 시작하여 소실되기까지의 시기'에 해당되는데, 일반적으로 폐경의 전후 몇 년 간을 말한다. 현재 한국인의 평균 폐경 연령은 50세이다.

2. 연령별로 본 에스트로겐 결핍 증상

갱년기 이후 시기는 폐경에 의한 에스트로겐의 저하로, 만성적으로 에스트로겐이 결핍된 상태이다. 그로 인해 에스트로겐에 의한 여러 가지 작용이 저하되어 다음의 질환이 쉽게 생긴다.

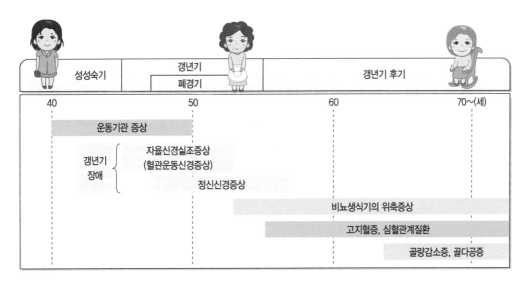

1) 갱년기 증상

- 갱년기에는 자율신경실조로 인한 다양한 증상을 보인다.
- 사회적, 환경적 요인 외에 개인의 성장력이나 심리적 요인 등이 서로 얽혀 있어 개인차가 크다.

	혈관운동신경 증상	정신신경 증상	지각신경 증상	운동기관 증상
내 용	• 혈관운동신경 증상 (얼굴의 화끈거림, 열감, 붉어짐 발한 등) • 손발의 차기움	• 분노 • 초조감 • 우울감 • 불면 • 두통 • 현기증	• 손발의 저림 • 손발의 감각둔화	• 피로감 • 어깨결림 • 손발의 통증 • 요통

2) 갱년기와 호르몬

- 평생 동안 배란되는 난자의 수는 정해져 있는데, 갱년기가 되면 정상적인 기능을 하는 난포는 서서히 감소되고, 월경주기가 불규칙해지면서 결국 무배란주기를 반복하다가 폐경에 이르게 되며, 폐경이 되면 난포는 소실된다.
- 난포에서의 에스트라디올(E2) 분비가 저하되고, 뇌하수체전엽에서 분비되는 LH, FSH는 증가된다.
- 난소기능이 저하되어 폐경으로 이행되는 기간(갱년기 전반기)은 약 5년간 지속된다.
- 폐경 후에도 여전히 에스트로겐이 존재하는 것은 부신피질에서 분비되는 안드로겐이 지방조직에서 에스트론(E1)으로 변환되기 때문이다.
- 갱년기장애는 과잉 분비된 LH, FSH가 자율신경중추에 영향을 미쳐 발생하는 것이다.

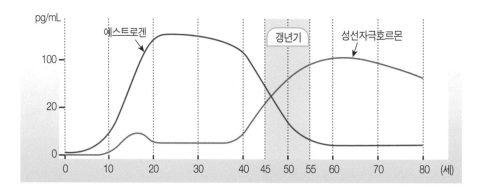

(1) 고성선자극호르몬상태

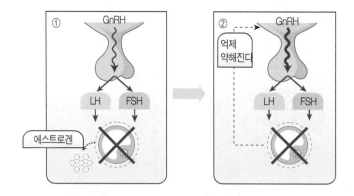

- 난포가 없으므로 에스트라디올(E2)을 생산하지 못한다. 따라서 에스트로겐도 분비하지 못한다.
- 에스트로겐에 의한 negative feedback의 억제가 약해져, 시상하부에서는 대량의 GnRH가 분비되고, 뇌하수체전엽에서 분비되는 LH, FSH도 증가한다(고성선자극호르몬상태).

3. 갱년기 이후의 질환

1) 조기난소기능부전(POF)

(1) 정의

- POF란 40세 전에 내분비학적으로 폐경기와 같은 상태(고성선자극호르몬성 저에스트로겐혈증)가 되어, 속발성 무월경을 나타내는 병태를 말하며, POF시 배란유도는 현저하게 어려워진다.
- POF는 30세 미만의 0.1%, 40세 미만의 1%에서 볼 수 있으며, 무월경환자의 5~10%를 차지한다.

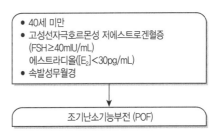

(2) 원인

- 일반적으로 조기폐경이라고 하는 것은 POF 중 조기난포상실(PFD)을 말하는데, POF는 배란유도가 어려워서 난임의 원인이 된다.
- POF의 병인은 조기난포상실(PFD)과 성선자극호르몬저항성 난소증후군(Gn-ROS)으로 나누어진다.

	조기난포상실 (PFD)	성선자극호르몬저항성 난소(Gn-ROS)
개 념	난소 내의 난포(난자)가 0이 된 상태	난소 내에 난포(난자)는 존재하지만, FSH·LH로의 반응성이 낮은 상태
특 징	치료에 의해 배란되는 경우는 없다.	성선자극호르몬을 정상화하면, 배란이 되기도 한다.

4. 갱년기 장애의 치료

1) 호르몬대체요법(HRT)

- 갱년기 장애, 폐경이나 난소 적출 후에 에스트로겐 결핍을 보충할 목적으로 외인성 에스트로겐과 프로게스테론을 투여하는 방법이다.
- 주된 적응은 갱년기 장애, 골다공증 및 골량 감소증 등이다.
- 에스트로겐만을 단독으로 투여하는 경우를 에스트로겐 대체요법(ERT)이라고 하여, 호르몬대체요법(HRT)과 구별한다.
- 부작용으로 오심·구토 등의 소화기증상이나 두통, 졸림 등의 정신신경증상 등이 있다.

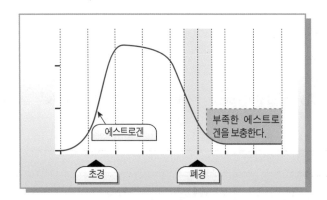

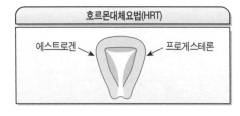

HRT: Hormone Replacement Therapy

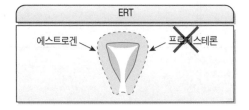

ERT: Estrogen Replacement Therapy

자궁이 있는 경우에는 에스트로겐과 프로게스테론을 함께 사용하고, 자궁이 없는 경우에는 에스트로겐을 단독 투여한다.

(2) 호르몬대체요법(HRT)의 원리

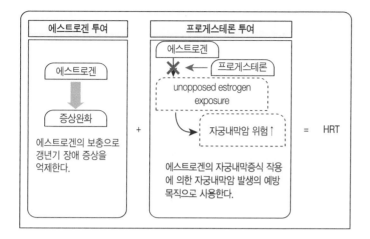

(3) 호르몬대체요법(HRT)의 금기

- 금기에는 절대적 금기와 상대적 금기가 있다.
- 원인불명의 부정출혈 시 자궁내막암에 의한 출혈일 가능성을 배제할 수 없으며, HRT은 자궁내막암을 악화시킬 수 있으므로 의심상황일 경우 절대 금기이다.

(4) 갱년기 장애 시 호르몬대체요법

- 갱년기 장애에서는 다양한 증상과 함께, 저에스트로겐, 고성선자극호르몬상태를 나타낸다. 난소기능부전을 나타내는 경우나 기능성 출혈을 반복하는 경우 HRT를 시행하는 것이 원칙이다.
- 자궁을 적출한 경우에만 에스트로겐 대체요법(ERT)을 한다.

절대 금기	• 에스트로겐 의존성의 악성종양 (유방암이나 자궁내막암 등) • 원인불명의 부정출혈 • 혈전성정맥염, 혈전증 • 중증간기능장애
상대 금기	• 혈전증의 기왕력 • 자궁내막암의 기왕력 • 자궁근종의 기왕력 • 자궁내막증의 기왕력 • 중증고혈압 • 당뇨병

(5) 투여방법

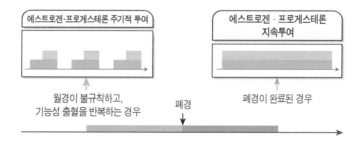

2) 지지요법

(1) 심리적 지지요법

① 명상법

선(禪), 명상, 요가, 단전호흡, 점진적 근육 긴장이완법, 호흡법 등

② 신체 단련법

태극권, 합기도, 달리기, 줄넘기, 춤 등

③ 바이오피드백

뇌파 활동, 근육 활동, 체온 등의 생리 작용을 시각적 정보로 바꾸는 기계를 사용하여, 그런 정보를 자기 제어적 자극으로 전환시켜 생체에 역송환하는 방법

④ 자기 암시 훈련과 인지행동치료법

'자기 훈련' 방법으로 신체가 이완되고 있고 '스스로 호흡을 조절'하고 있다고 암시하는 훈련 그리고 자신이 한 행동을 인지적으로 바로 잡는 심리치료법

⑤ 고도의 주의력과 자발성을 필요로 하는 즉흥극, 역할과 역할 분담에 대한 인식을 깨우치게 하는 심리극, 자연의 관조(觀照)나 기타 고도의 심미적 경험

⑥ 의미의 탐색 활용, 두려움의 근원과의 정면 대결 등을 특징으로 하는 빅터 프랑클의 '의미 요법(Logotherapy)'을 비롯한 여러 가지 현대 심리치료법, 인식의 패턴이나 패러다임의 전환을 온건하게 강요하는 게슈탈트 치료 등의 워크샵 참가

⑦ 자조 및 상조 집단의식의 진행과정과 변화에 유의할 것

자신의 행동을 스스로 선택할 수 있다고 다짐할 것, 내적 성찰을 통해 '보다 큰 힘'과 협력할 것 등을 목적으로 하는 집단

⑧ 감수성 훈련 그룹, 동호인으로 구성된 비공식 훈련 그룹 등에서 체험하게 되는 강렬한 개인적 및 집단적 변화의 경험

⑨ 스포츠, 등산, 탐험 및 기타 유사한 신체적으로 흥미 있는 활동

살아있다는 느낌에 질적인 변화를 일으켜 주며, 혼자 하는 여행 등은 자기발견과 시간 초월에 대한 의식을 촉진시킴

⑩ 음악요법

뇌는 음정과 박자에 민감하며, 음악은 우뇌와 관련이 있음

(2) 가족의 지지요법

① 남편의 심리적 지지

결혼생활을 새롭게 하기 위해 아내와 남편은 부부가 상대의 관점에서 원하는 것을 볼 수 있어야 한다. 즉 남편의 입장이라면, 아내의 입장이라면 어떻게 느끼고 반응할까 등 입장을 바꿔 접근해 보는 방법이다. 이 방법은 6가지가 필요하다.

첫째, 부부 두 사람만이 같이 보낼 시간이 필요하다.
둘째, 결혼생활이 새로워질 필요가 있다고 서로 원해야 하며 자신을 상대에게 맡길 수 있어야 한다.
셋째, 상대를 서로 용서해 주어야 한다.

넷째, 상대를 있는 실제 모습 그대로 받아들여줘야 한다. 너무 교정하거나 자신의 관점만을 요구해선 안 된다.

다섯째, 상대를 북돋워줌으로써 용기를 갖도록 한다.

여섯째, 서로 상대가 필요로 하는 것을 알게 하고, 상대가 원하는 것이 무엇인지를 알아내어 상대의 욕구를 만족시켜 주어야 한다. 그리고 서로 매력적이 되도록 노력해야 한다.

갱년기에는 부부가 함께 시간을 보낼 수 있는 창조적인 여가유형을 발전시키는 것과 개인의 잠재력을 개발하고 삶의 질을 향상시킬 수 있는 여가를 개발하는 것도 중요하다.

② 형제자매 관계

중·노년기가 장기화됨에 따라 자녀독립 이후 이제껏 소홀히 해왔던 형제자매에 대한 애착과 관심이 되살아나 활발한 상호작용을 갖게 되면 심리적 복지감과 사존감, 싱취김, 스트레스를 쉽게 겪어낼 수 있게 된다. 형제자매는 혈연적 유대를 바탕으로 공동의 어린 시절 추억을 공유하면서 수십 년을 지속해온 관계이다. 특히 자녀의 독립·부모의 사망·배우자의 사망 등 노년기에 발생하는 일련의 생활사건을 경험하면서 형제자매 관계는 보다 중요하므로 친밀한 관계를 통해 위안을 받을 수 있다.

③ 친구 및 이웃관계

비슷한 시기에 출생한 도시집단으로 역사적·사회적 경험을 공유하면서 성장했고, 관심사가 비슷하며 따라서 상호공감대 형성이 용이한 친구 관계는 깊은 감정의 교류가 가능하다. 갱년기 위기감을 함께 경험함으로써 상실감·소외감·고독감·불안감을 같이 경험하는 친구는 중요한 정서적 지지자와 정보적 자원자가 될 수 있고, 인생 주기의 진행에 따른 새로운 역할을 학습하고 사회화하는데 유용한 자원으로 작용한다. 친구가 찾아주고 변함없이 돌보아 주면 우정은 갱년기의 어려움이 끝난 후에 더 깊은 새로운 단계로 발전할 수 있다. 우울의 상태에서는 여러 핑계를 대고 친구를 피하기도 한다. 우정의 질은 이 시기에 잘 드러나게 된다. 피상적인 친구관계였다면 그런 친구들은 다 떠나버리게 된다. 진실하고 배려해주는 친구만이 마음속에 남게 된다. 어려움을 겪는 동안 많은 친구를 가진 것보다 단 한 명의 친구라도 소중한 친구를 갖고 있는 것이 더 중요하나. 소중한 친구는 삶의 의미부여를 가능케 해줄 수 있다.

대체로 여성은 남성에 비해 친구의 수는 적지만 깊은 우정관계를 맺는다. 그리고 지역적 근접성으로 상호 대면적 관계가 성립되고 유지되는 이웃은 사소하고 긴급한 용무가 있을 때 친족이나 친구보다 중요한 도움의 원천이 된다.

3) 상담요법

(1) 정신치료자와 심리상담자

약물치료의 효과가 없거나 우울증이 심한 경우는 정신과 의사의 정신치료나 심리학자의 심리상담이 필요하다.

갱년기 여성의 정신건강을 증진시키기 위해 정신치료 및 심리 상담에서 다룰 내용은 다음과 같다. 간호 상담에서도 이를 적용할 수 있다.

정신치료 및 심리상담의 궁극적인 목적은 갱년기는 인생의 황혼기가 아니고 자녀 양육의 무거운 책임에서 벗어나 자기실현의 기회임을 알려줌으로써 적극적인 생활을 하도록 이끄는 것이다. 또 심리적인 문제를 극복하기 위해서 사랑의 대상을 자녀에게서부터 배우자, 친구 또는 종교적 활동으로 돌리며, 지금까지 제한되었던 인간관계나 행동반경을 넓혀 취미활동에 적극 참여함으로써 자기실현의 기회를 갖도록 이끌어 주는 것이다. 이를 위해 정신치료 및 심리 상담에서 다룰 내용은 다음과 같다.

① 폐경이 의미하는 진실을 여성에게 상세히 설명해 줌으로써 폐경에 대한 오해와 편견을 제거시켜 주어야 한다. 폐경이 급속한 노쇠를 초래하는 것이 아니라는 점을 인식시키고 성적 갈등과 오해를 해소시켜 주어야 한다. 즉 폐경 후 성욕감퇴는 질부의 위축으로 인한 성교통과 배우자의 성교기피에서 비롯되는 것이 많기 때문에 폐경이 되어도 성욕이 없어지는 것이 아니라는 것을 설명해 주고, 동시에 배우자 교육을 통해 서서히 충분한 전희를 유지한 후 성교하는 방법을 지도해주는 것이 좋다.

② 자신의 내적·외적 상황에서 오는 스트레스를 극복하기 위하여 자신의 잠재 능력과 정력을 쏟을 새로운 대상을 찾아내도록 이끌어야 한다. 갱년기 여성의 가장 중요한 문제점은 정력을 쏟을 대상이 없어진다는 사실이다. 따라서 정력을 쏟을 대상을 찾아내어 만족감을 채울 기회를 만들도록 이끌어야 한다.

- 취미생활, 여가선용의 기회 증진과 신체적 활동을 증가시킬 수 있는 여행, 운동 등을 권장한다.
- 폭넓은 인간관계를 맺음으로써 고독과 실의에서 벗어날 것을 권장한다.
- 가족 내에서 자녀를 대신할 수 있는 손자녀와의 관계에서 새로운 조모–손자와의 관계 증진, 남편과의 재적응을 통해 자신의 존재가치를 인식하고 새로운 만족감을 갖도록 한다.
- 사회교육에 참여, 취업, 종교적 집회와 같은 집단활동을 통해 자신은 경험이 풍부하고 능숙한 사회에 필요하다는 자기가치감을 갖도록 해준다.

③ 폐경이 젊음의 포기라기보다는 '재창조의 시기'라는 인식을 갖게 한다.

PART 6

생식기
건강문제를 가진
여성간호

key point

» 생식기 검진은 복부진찰 → 외생식기 검사 → 질경검사 → 검사물 채취 → 쌍합진(양손진찰법) 순서로 실시한다.

» 여성의 생식기는 내부생식기와 외부생식기로 구분된다.

» 월경내막주기와 월경은 증식기, 분비기, 월경전기, 월경기로 구분된다.

» 세포진 도말검사는 자궁경관내부, 자궁경관외부, 후질원개를 채취한 후 슬라이드 유리에 도말한다.

비판적 사고 훈련

사례

처음으로 골반검진과 세포진검사(파파니콜라우 검사)를 받게 된 45세 여성이 안절부절 하면서 매우 두려워하고 있다. 간호사는 여성에게 "많이 힘드시죠? 걱정도 많이 되시지요?"라고 말하였다. 이 여성은 한숨을 내쉬면서 "여기까지 오는데 무척 힘들었어요. 혹시 암이든 염증이든 무언가 잘못되어 있으면 어떡하지요?"라고 말한다.

1 여성의 건강력을 얻을 수 있는 주요 방법을 설명하시오.

2 위 여성의 건강문제를 사정하기 위해 확인해야 하는 내용을 열거하시오.

3 외음의 자가검진 순서를 설명하시오.

4 골반검진 순서와 방법을 설명하시오.

5 자궁경부암 선별검사에 대해 설명하시오.

학습목표

- 여성 생식기의 해부학적 구조와 생리적 기능을 설명한다.
- 시상하부-뇌하수체-난소-자궁내막주기와 관계를 설명한다.
- 여성의 건강사정은 생식건강력, 심리사회력, 생애주기별 사정요소를 열거하고, 신체검진 및 면담을 수행한다.
- 세포도말 검사의 목적과 과정을 설명하고, 결과를 해석한다.
- 외음의 건강사정법, 양손 진찰법을 설명하고 결과를 해석한다.
- 유방자가검진의 목적과 절차를 설명하고 결과를 해석한다.

개요

여성들은 임신, 피임, 불규칙한 출혈, 감염과 같은 생식기 관련문제로 병원을 방문한다. 이때 여성건강간호사는 여성의 평생 건강관리의 측면에서 여성의 건강을 사정하고 계획, 중재와 평가를 해야 한다. 또한 여성 생식기계의 해부와 생리에 대한 지식이 필요하며, 직접간호, 교육, 상담, 지지 등 필요한 간호를 제공한다. 특히 여성들로 하여금 자신의 신체에 대해 올바르게 알고 자신의 건강문제를 해결하는데 적극적으로 참여하고 결정해나갈 수 있도록 정보를 제공해야 한다.

신체사정

- 검진계획, 절차에 대한 정보를 제공한다.
- 편안한 환경조성과 프라이버시를 보호한다.
- 검사 24시간 이내 질 세척을 하지 않도록 하고, 월경 중인지 확인한다.
- 생식기 검사 전 방광을 비우도록 한다.
- 검진자 손과 질경을 따뜻하게 준비한다.
- 쇄석위를 취하도록 한다.

생식기 검진

복부진찰 → 외생식기 검사 → 질경검사 → 검사물 채취 → 쌍합진(양손진찰법)

1 건강사정 양식

건강력은 건강한 여성이 첫 방문 시 얻게 되는 정보를 제공해 준다. 이러한 정보는 여성의 삶과 건강에 영향을 미치는 여러 요소에 대한 이해를 도와준다. 이 양식은 일하는 장소와 개개인에 따라서 받아들여진다. 이 질문은 특별한 순서는 없다. 오히려 환자의 반응과 인터뷰가 어떻게 진행되고 있는가에 대한 간호사의 느낌에 따라 질문이 진행될 때 더욱 효과적이다.

> **Tip**
>
> **초기 면담 시 사용할 수 있는 질문**
>
> 1. 오늘 내가 어떻게 도와줄 수 있다고 생각합니까?
> 2. 현재의 건강문제는 얼마나 오랫동안 지속되었습니까?
> 3. 증상을 촉진시키는 요인은 무엇이라고 생각하십니까?
> 4. 건강문제에 대한 치료/관리를 했는지와 그 결과는 어떻습니까?
> 5. 문제의 원인과 관리의 필요성에 대해 인지하고 있습니까?

C 비판적 사고중심 간호실무

사례

처음으로 골반검진과 세포진 검사를 받게 된 48세 여성은 안절부절하면서 매우 두려워하고 있다. 간호사는 이 여성에게 "많이 힘드시죠? 걱정도 많이 되시지요?"라고 말하였다. 이 여성은 한숨을 내쉬면서 "내가 혹시 암이 아닐까요? 일찍 왔어야 하는 건데, 무언가 잘못되어 있으면 어떡하지요? 나는 이런 검사를 받는 것이 싫어서요."라고 말한다.

1 간호진단

- 골반검진과 관련된 두려움
- 생식기 검진절차와 관련된 지식 부족
- 생식기 검진지연과 관련된 자책감

2 간호계획

- 대상자는 공포와 걱정에 대해 말로 표현한다.
- 대상자는 공포에 대응하는 긍정적 방법을 확인한다.
- 가능한 결과와 검사하는 동안에 일어날 일을 확인한다.

3 간호중재

1) 골반검진 및 세포진 검사에 대해 설명한다.

- 검진 전 문진과정에서 비판단적으로 접근하고 자책하지 않도록 하고 편안한 환경을 제공한다.
- 충분한 비밀보장(privacy)과 안위 제공으로 대상자의 안전에 대한 느낌과 요구를 충족시킨다.
- 여성의 생식력과 성 건강력을 사정한다.
- 여성과의 의사소통은 개방형으로 질문하고 문제를 확인한다.
- 여성의 질문에 정직하게 답변한다.
- 정보를 제공하고 자책하지 않도록 격려한다.
- 골반검진과 세포진 검사 단계에 대해 설명하고 사용할 기구를 보여준다(예: 질경).
- 검사동안에 천천히 심호흡하게 한다.
- 질경삽입 전에 따뜻하게 하고 대상자를 적절하게 덮어준다.
- 골반검진과 세포진 검사는 수행 전에 각 단계를 설명하고 수행한다.
- 추후 검진과 세포진 검사, 필요시 피임계획과 안전한 예방법을 사용하도록 격려한다.
- 지역사회에서의 지원 서비스에 대한 정보를 제공하고 적절히 사용하도록 격려한다.

2) 골반진찰의 순서를 설명한다.

복부진찰→외생식기검사→질경검사→검사물채취→쌍합진(양손진찰법)

양손진찰(BImanual examination)

두손검사는 자궁, 난관과 난소에 관한 정보를 제공한다. 음순을 벌리고, 한손에 장갑을 착용한 후 두 번째와 세 번째 손가락에 윤활제를 바르고 질 내로 삽입한다.

자궁목의 경도(consistency), 크기, 그리고 움직일 때 누름통증(tenderness, 압통)이 있는지를 알아보기 위해 촉진한다. 자궁은 두덩결합(symphysis, 치골결합) 위 복부를 부드럽게 압박하는 다른 손으로 평가한다. 자궁의 크기, 윤곽, 경도, 그리고 운동성을 평가한다.

난소는 두 손의 손가락들 사이로 촉진할 수 있지만, 난관을 촉진하는 것은 보통 불가능하다. 특히 폐경 후 난소는 위축되므로 폐경 후 여성의 난소 촉진은 더욱 불가능하다.

Tip

양손진찰

- 양손진찰(bimanual examination)이란 질복벽 쌍합진을 말하며, 부인과 진찰의 중심이 되는 방법이다. 일반적으로 내진이라고 표현한다.
- 방광에 요가 저류되어 있으면 자궁체부의 촉지가 불명료해지므로, 진찰 전에 반드시 배뇨를 하게 한다.
- 원활하게 하기 위해서 내진 손가락에 소독약을 바른다.
- 자궁, 좌우의 부속기, 곧창자자궁오목의 순으로 진찰한다.
- 내진손가락과 외진손가락으로 각 장기의 크기, 위치, 경도, 가동성, 압통의 유무, 종류의 성상 등을 파악한다.
- 여아, 성경험이 없는 여성에서는 내진을 하기 힘들므로, 직장진으로 대신 하기도 한다.
- 자궁내막증에 의한 곧창자자궁오목 병변이나 자궁암의 침윤 등을 보는 경우에는 질직장 양손진찰이 유용하다.

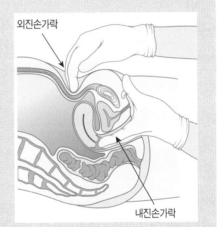

외진손가락

내진손가락

---

4 간호평가

- 대상자는 골반검진에 대한 불안이 감소되었다고 말한다.
- 대상자는 검사과정 동안 편안하였다고 말한다.
- 대상자는 생식건강을 위한 예방적 행위를 설명한다.

1 질 분비물에 많이 나와서 40세 여성은 산부인과를 내원하였다. 생식기 검진을 수행하려고 한다. 검진순서가 옳은 것은?

① 복부진찰 → 검사물 채취 → 외생식기 검사 → 양손진찰법 → 경관도말
② 복부진찰 → 검사물 채취 → 양손진찰법 → 외생식기 검사 → 경관도말
③ 복부진찰 → 외생식기 검사 → 질경검진 → 양손진찰법 → 검사물 채취
④ 복부진찰 → 외생식기 검사 → 질경검사 → 검사물 채취 → 양손진찰법
⑤ 복부진찰 → 검사물 채취 → 질경검진 → 외생식기 검사 → 양손진찰법

2 위의 대상자에게 생식기 검진을 받기 전에 교육해야 할 내용으로 옳은 것은?

① "검진받기 전날 밤에 금식을 하세요."
② "검진하는 아침에 질 세척을 하고 오세요."
③ "월경과 월경사이 중간 일에 검사를 받으세요."
④ "검진 받기 일주일 전부터 성관계를 하지 마세요."
⑤ "검진 받기 전에 방광을 채우도록 소변을 참으세요."

3 산과력 3-0-1-2인 50세 여성은 세포진 도말검사(pap smear)에서 10년 동안 문제가 없었는데 이 검사를 계속적으로 검진을 받아야 하는지에 대한 것과 검사의 목적에 대해서 질문을 하였다. 간호사의 답변으로 옳은 것은?

① "침윤암을 확진하기 위해 검사를 받아야 합니다."
② "편평원주상피세포를 생검하여 선별하는 진단검사입니다."
③ "자궁적출술을 시행한 경우이면 검진을 받지 않아도 됩니다."
④ "접촉성 출혈이 있을 경우에는 반드시 검사를 받아야 합니다."
⑤ "최소한 매년 2년마다 정기적으로 세포진 도말검사를 받아야 합니다."

4 산부인과 외래에서 수행하는 세포진 도말검사(pap smear)에서 검사물 채취과정에 대한 설명으로 <u>옳지 않는</u> 것은?

① 검사 전에 방광을 비우게 한다.
② 윤활제를 사용하지 않고 질경을 질에 삽입한다.
③ 기록장부에 이름, 나이, 산과력, 검진이유, 주소를 적는다.
④ 자궁경부내부, 전질원개, 편평원주상피세포접합부에서 검사를 한다.
⑤ 검채물은 슬라이드에 도말 후 보존액 병에 넣은 후 검사실에 보낸다.

5 결혼을 준비하는 28세 여성은 배란 및 월경기전에 대한 간호사에게 질문을 하여 월경주기에 따른 각 기관의 호르몬과 자궁내막의 변화를 설명하였다. 난소호르몬 분비에 영향을 주는 뇌하수체 호르몬은 무엇인가?

① FSH, LH   ② FSH, Estrogen
③ LH, Progesterone   ④ LH, Estrogen
⑤ Estrogen, Progesterone

E 관련정보

1. 여성생식기의 구성

여성의 생식기는 처녀막을 기준으로 내부생식기와 외부생식기로 나누어져 있다.
내부생식기는 자궁(uterus), 난관(fallopian tube), 난소(ovary), 질(vagina)로 이루어진다.

2. 여성생식기의 구조

1) 외부생식기

두덩결합에 해당되는 부위를 치구(음부, mons pubis)라고 한다. 치구에서 항문 근처에 걸쳐서, 한 쌍의 피부벽이 있는데 이것을 대음순이라고 하며, 대음순에 싸이듯이 좀 더 작은 한 쌍의 피부벽이 존재하는 것은 소음순이라고 한다. 좌우의 소음순이 전방에서 만나는 곳에는 음핵이 있으며, 소음순으로 둘러싸인 부분은 질전정이라고 하고, 여기에는 외요도구와 질구가 있다. 성관계 경험이 없는 여성에서는 질구 주위가 처녀막으로 덮혀 있다. 큰전정선은 바톨린선(Bartholin's gland)이라고도 불리는데, 성교 시에 점액을 분비하는 기능을 한다. 또한 대음순 및 소음순이 후방에서 연결된 부분과 항문 사이를 회음이라고 한다. 발생학적으로 대음순은 남성의 음낭, 소음순은 남성의 음경부 요도, 음핵은 음경(귀두)에 해당한다.

(1) 외음부

질구에는 처녀막이라 불리는 막과 같은 구조가 있어서, 질과 질전정의 경계를 형성한다. 보통은 작은 구멍으로 뚫려 있어 월경혈이나 분비물의 배설이 가능하지만, 완전히 막혀 있는 경우에는 이상을 초래한다. 분만 시에 회음이 강하게 잡아당겨질 경우, 종종 열상이 발생하는데, 경산부에서는 반흔이 나타나기도 한다. 외음부의 외관은 아동기, 성성숙기, 노년기에서 크게 달라진다(그림은 성성숙기의 외부생식기).

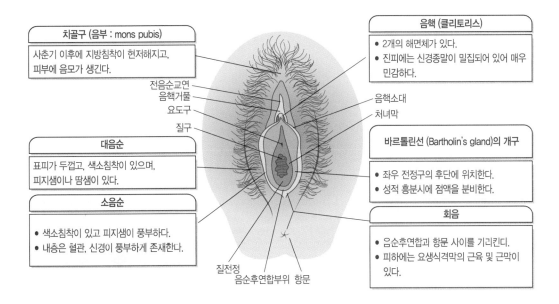

치골구 (음부 : mons pubis)
사춘기 이후에 지방침착이 현저해지고, 피부에 음모가 생긴다.

대음순
표피가 두껍고, 색소침착이 있으며, 피지샘이나 땀샘이 있다.

소음순
• 색소침착이 있고 피지샘이 풍부하다. • 내층은 혈관, 신경이 풍부하게 존재한다.

전음순교연
음핵거풀
요도구
질구

질전정
음순후연합부위 항문

음핵 (클리토리스)
• 2개의 해면체가 있다. • 진피에는 신경종말이 밀집되어 있어 매우   민감하다.

음핵소대
처녀막

바르톨린선 (Bartholin's gland)의 개구
• 좌우 전정구의 후단에 위치한다. • 성적 흥분시에 점액을 분비한다.

회음
• 음순후연합과 항문 사이를 가리킨다. • 피하에는 요생식격막의 근육 및 근막이   있다.

2) 내부생식기

내부생식기란 자궁(uterus), 난관(fallopian tube), 난소(ovary), 질(vagina)를 말한다. 난소와 난관은 합하여 부속기라고 하며, 자궁 지지조직, 내부생식기에 분포된 혈관 등을 포함한다.

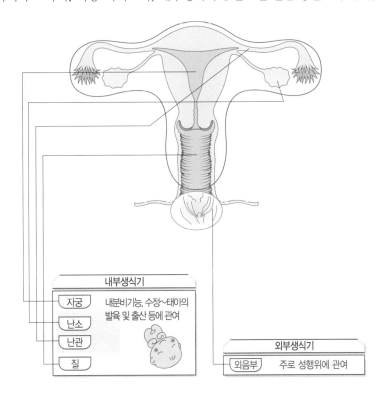

내부생식기	
자궁	내분비기능, 수정~태아의 발육 및 출산 등에 관여
난소	
난관	
질	

외부생식기	
외음부	주로 성행위에 관여

(1) 질

- 질은 그림과 같이 질전정과 자궁 사이에 위치하는 관으로, 그 길이는 7~8cm이다. 내부는 감염 등을 방지하기 위하여 산성(pH 3.8~4.9 정도)으로 유지하고 있다. 이는 질 상재균인 젖산균(Döderlein's bacillus)이 세포 내의 글리코겐을 젖산으로 분해하기 때문이다.

- 질은 자궁과 외부생식기를 연결하는 근육으로 이루어진 관 모양의 기관으로, 자궁에서의 월경이나 점액의 배설관 역할을 한다.

- 에스트로겐의 작용으로 질점막에서는 글리코겐이 만들어진다. 글리코겐은 상재균인 젖산균에 의해 유산으로 전환

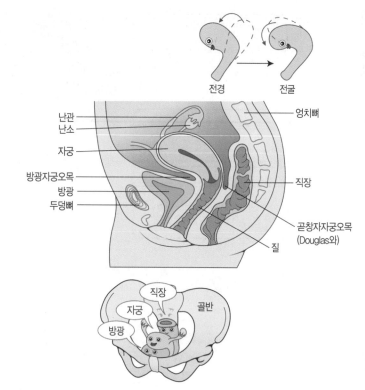

되어, 질내는 산성으로 유지되는데, 이 작용에 의해서 질내는 외부로부터 세균 등의 침입을 예방할 수가 있다.

- 질점막은 피부와 마찬가지로, 중층편평상피로 구성되어 있다.

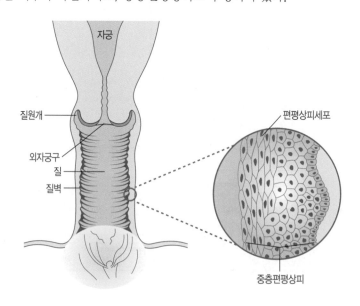

(2) 자궁

방광과 직장 사이에 존재하는 계란 크기(비임신 시)만한 장기로, 위아래를 거꾸로 한 서양배가 찌그러진 듯한 형태를 하고 있다. 질에 대해 전방으로 기울어져 있거나 굽어 있는 경우가 많다(전경전굴). 방광과 자궁사이의 움푹한 곳을 방광자궁오목, 직장 사이에 생기는 움푹한 곳을 곧창자자궁오목(또는 Douglas와)이라고 한다. 예를 들면 자궁외 임신으로 인한 난관파열 등으로 곧창자자궁오목에 혈액이 고인 경우에는 질천장 뒷부분에서 곧창자자궁오목을 천자하여 혈액을 확인할 수 있다.

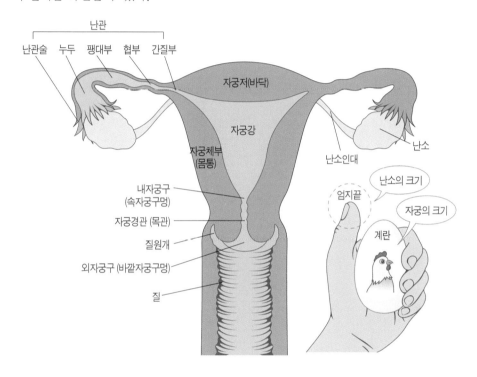

자궁의 해부

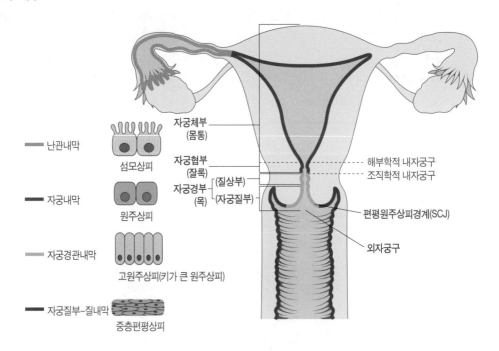

— 난관내막

섬모상피

— 자궁내막

원주상피

— 자궁경관내막

고원주상피(키가 큰 원주상피)

— 자궁질부~질내막

중층편평상피

자궁체부
(몸통)

자궁협부
(잘록)

자궁경부 (질상부)
(목) (자궁질부)

해부학적 내자궁구

조직학적 내자궁구

편평원주상피경계(SCJ)

외자궁구

▼ 질 천장과 곧창자 자궁오목 천자

자궁외임신에 의한
난관파열 등

곧창자자궁오목

질천장뒷부분
(후질원개)

질에서 질천장뒷부분을 바늘을 찔러서, 곧창자자궁
오목에 저류되어 있는 혈액이나 농을 흡인한다.

〈질원개의 이미지〉

후질원개

전질원개

질 →

▼ 자궁의 지지조직

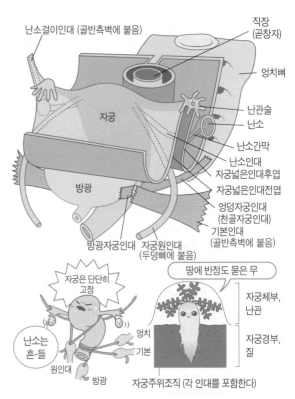

난소걸이인대 (골반측벽에 붙음)

직장
(곧창자)

엉치뼈

난관술

난소

난소간막

난소인대

자궁넓은인대후엽

자궁넓은인대전엽

엉덩자궁인대
(천골자궁인대)

기본인대
(골반측벽에 붙음)

자궁
방광

방광자궁인대 자궁원인대
(두덩뼈에 붙음)

자궁은 단단히
고정

땅에 반정도 묻은 무

난소는
흔-들

엉치

기본

원인대 방광

자궁체부,
난관

자궁경부,
질

자궁주위조직 (각 인대를 포함한다)

● **자궁 내강**

자궁의 내강은 자궁내막(경관은 자궁경관내막)으로 덮혀 있고, 자궁내막은 원주상피(경관내막은 고원주상피)로 이루어져 있다.

질내막은 편평상피로 구성되어 있는데, 자궁질부에 존재하는 고원주상피와 편평상피의 경계를 편평원주상피경계(squamo columnar junction, SCJ)라고 한다.

자궁내막은 월경주기에 맞추어 증식, 분비·출혈을 반복한다.

● **자궁 지지조직**

자궁경부는 인대에 의해 단단히 고정되어 있다. 골반과 자궁을 연결하는 기본인대, 엉치뼈와 자궁을 연결하는 엉덩자궁인대, 그리고 방광과 자궁을 연결하는 방광자궁인대 등이 그 역할을 담당하고 있다.

자궁체부는 자궁넓은인대와 난소인대, 난소걸이인대 등에 의해서 끌이 올려져 있으며, 자궁원인대는 자궁을 전방으로 고정시켜서, 자궁의 전굴자세를 유지시킨다.

자궁을 생각할 때 땅에 반 정도 묻은 무를 떠올려보자. 자궁, 특히 자궁경부는 땅에 묻은 무와 같이 지지조직에 의해 단단히 고정되어 있으며, 무로 치자면 잎사귀에 해당되는 난관의 끝에는 난소가 고정되지 않은 채로 놓여있다.

- **자궁내막조직**
  - 자궁내막은 자궁근층과 접하는 기저층과 기능층으로 나누어진다. 기능층은 월경주기에 따라서 주기적으로 변화를 나타내지만, 기저층은 월경의 영향을 받지 않는다.
  - 자궁근층의 대부분은 평활근이다

▼ 자궁체부의 모식도(조직수준)

▼ 자궁내막(자궁경)의 모식도(세포수준)

- 외자궁구에서는 자궁경관내막이 자궁질부점막으로 이행되어 있다. 자궁경관내막의 이 이행부를 편평원주상피경계(SCJ)라고 한다. SCJ는 육안적으로는 이행대라고 한다.
- SCJ에서는 상피의 기저막 위에 예비세포라 불리는 세포가 1~10층 보이고, 그 표면에는 자궁경관내막에서의 단층 원주상피세포가 보인다.

- 원주상피세포는 질쪽으로 가면서 줄어들고, 여러 층의 예비세포층이 표면으로 노출되면서 계속해서 중층편평상피로 이행되어간다.
- 예비세포는 원주상피나 편평상피 중 어느 쪽으로도 변할 수 있어(화생), 자궁경부암의 발생부위로 주목받고 있다.

- 자궁은 자궁내막에 착상한 수정란을 발육시키고 성장한 태아를 만출시킨다.
- 자궁의 크기는 계란크기로, 길이는 약 7cm, 무게는 약 60~70g이다.
- 자궁은 크게 자궁체부(자궁몸통)와 자궁경부(자궁목), 2부분으로 나누어진다.

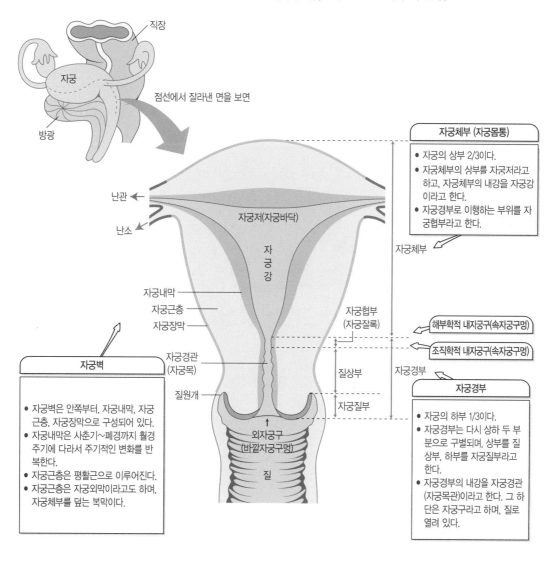

점선에서 잘라낸 면을 보면

직장
자궁
방광

난관
난소
자궁저(자궁바닥)
자궁강
자궁내막
자궁근층
자궁장막
자궁경관
(자궁목)
질원개
외자궁구
(바깥자궁구멍)
질
자궁협부
(자궁잘록)
질상부
자궁질부

자궁체부 (자궁몸통)
- 자궁의 상부 2/3이다.
- 자궁체부의 상부를 자궁저라고 하고, 자궁체부의 내강을 자궁강이라고 한다.
- 자궁경부로 이행하는 부위를 자궁협부라고 한다.

자궁체부

해부학적 내자궁구(속자궁구멍)
조직학적 내자궁구(속자궁구멍)
자궁경부

자궁경부
- 자궁의 하부 1/3이다.
- 자궁경부는 다시 상하 두 부분으로 구별되며, 상부를 질상부, 하부를 자궁질부라고 한다.
- 자궁경부의 내강을 자궁경관(자궁목관)이라고 한다. 그 하단은 자궁구라고 하며, 질로 열려 있다.

자궁벽
- 자궁벽은 안쪽부터, 자궁내막, 자궁근층, 자궁장막으로 구성되어 있다.
- 자궁내막은 사춘기~폐경까지 월경주기에 다라서 주기적인 변화를 반복한다.
- 자궁근층은 평활근으로 이루어진다.
- 자궁근층은 자궁외막이라고도 하며, 자궁체부를 덮는 복막이다.

자궁, 난소, 복막의 관계

- 자궁은 복막으로 덮혀 있으며, 자궁체부를 덮는 복막을 자궁장막, 자궁체부의 측면부터 골반벽에 걸쳐서 덮는 복막을 자궁광간막이라고 한다.
- 난소는 복막과 이어진 단층의 입방형 상피로 덮여있는데, 이는 구조적으로는 복막과 다르며 난소 표면을 구성하는 표층상피와 같다.
- 임상적으로 난소는 복막으로 덮혀 있지 않으며, 복막강에 노출되어 있는 복강 내 장기로 간주된다.

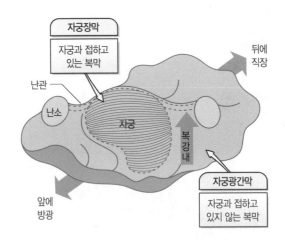

(1) 자궁장막

- 자궁장막은 자궁전벽에서는 해부학적 내자궁구의 높이에서 전방으로 꺾여 방광자궁오목을 형성한다.
- 후벽에서는 후질원개의 뒷쪽 상부에서 꺾여 곧창자자궁오목을 형성한다.

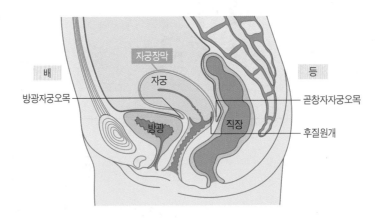

(2) 자궁광간막

- 자궁광간막 앞뒤로 둘러싸인 부분을 자궁주위조직(parametrium)이라고 하고, 이 부분을 동정맥이나 림프관, 요관 등이 주행한다.
- 자궁광간막 중, 자궁의 측면에 접하는 자궁간막, 난소에 접하는 부분을 난소간막, 난관에 접하는 부분을 난관간막이라고 한다.

① 자궁광간막의 구조(시상단면)

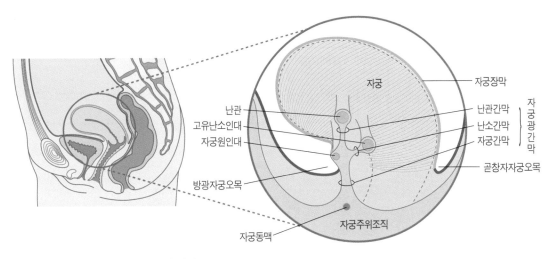

② 복강내측에서 본 자궁광간막

- 자궁광간막 중, 난소부착부를 난소간막이라고 하며, 난소간막으로는 혈관, 신경, 림프관이 지나고 있다.

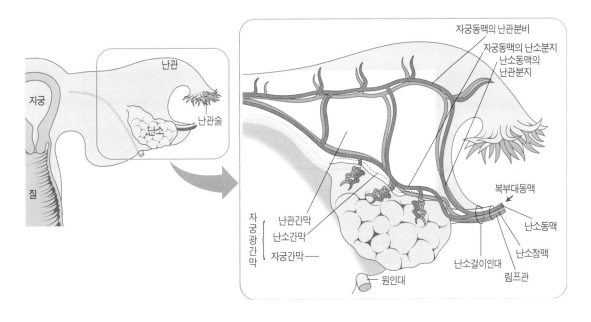

(3) 난관

- 난관은 난소에서 배란된 난자를 수용하고 수송하며, 수정(난자와 정자의 합체) 및 수정란의 분열(난할)과 분화라는 생식현상이 일어나는 장소이다.
- 난관의 안쪽면은 점막상피 또는 섬모상피로 구성되어 있다.
- 난관의 바깥쪽 끝 부분인 난관술은 누두상(깔대기 모양)으로 복강 내로 개구되고, 안쪽 끝은 자궁강으로 개구된다.

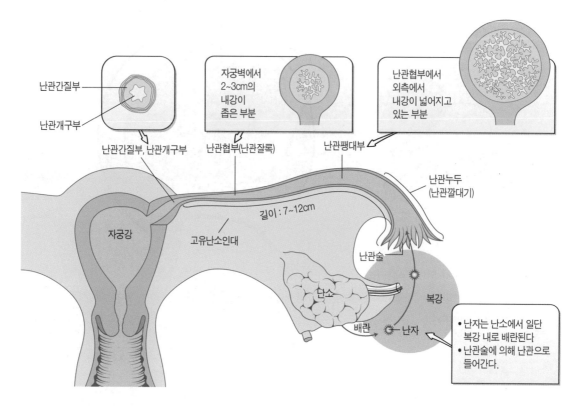

(4) 난소

- 난소는 여성생식기계의 중심을 이루는 엄지손가락 크기의 기관으로, 난자를 생성, 성숙, 배란하는 생식기관이면서, 스테로이드 호르몬을 분비하는 내분비기관이기도 하다.
- 난포는 성선자극호르몬(Gonadotropin; LH, FSH)의 작용으로 아래 그림과 같이 발육하여, 배란에 이른다.
- 난소는 외측의 피질(겉질)과 그 내측의 수질(속질)로 나누어진다.
- 피질은 난세포나 난포를 포함한다. 성성숙기에는 원시난포, 발육난포, 성숙난포 등 발육 중인 여러 단계의 난포가 황체나 백체와 함께 한 개의 난소 내에서 동시에 관찰되기도 한다.
- 난포의 발육
  성숙된 1개의 난포를 남기고 나머지 난포들은 폐쇄난포가 되어, 퇴축된다.

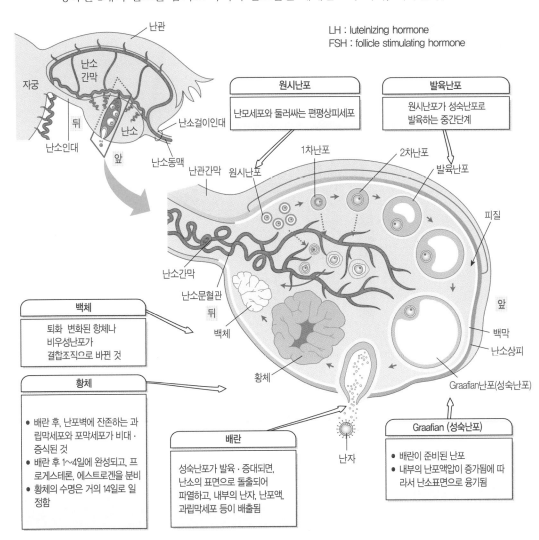

LH : luteinizing hormone
FSH : follicle stimulating hormone

원시난포
난모세포와 둘러싸는 편평상피세포

발육난포
원시난포가 성숙난포로 발육하는 중간단계

백체
퇴화 변화된 항체나 비우성난포가 결합조직으로 바뀐 것

황체
- 배란 후, 난포벽에 잔존하는 과립막세포와 포막세포가 비대·증식된 것
- 배란 후 1~4일에 완성되고, 프로게스테론, 에스트로겐을 분비
- 황체의 수명은 거의 14일로 일정함

배란
성숙난포가 발육·증대되면, 난소의 표면으로 돌출되어 파열하고, 내부의 난자, 난포액, 과립막세포 등이 배출됨

Graafian (성숙난포)
- 배란이 준비된 난포
- 내부의 난포액압이 증가됨에 따라서 난소표면으로 융기됨

3) 내부생식기의 혈류공급

자궁과 질의 혈행을 지배하고 있는 것은 좌우 내장골동정맥(속엉덩동정맥)의 가지이다. 난소는 대동맥·대정맥의 가지인 난소동·정맥의 지배를 받고 있으며(좌난소정맥을 제외한다), 또한 난소동맥과 자궁동맥은 일부 연결되어 있어서, 자궁·난소는 대동맥·장골(엉덩)동맥 어느 쪽을 통해서도 혈류를 받을 수 있다.

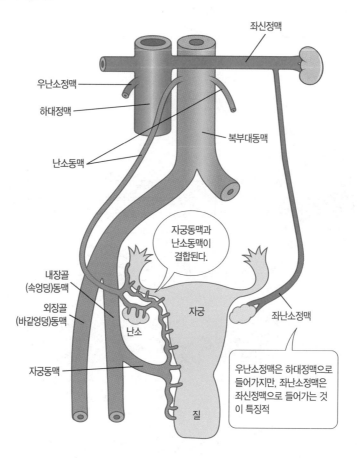

2. 유방의 구조 및 기능(수유생리)

1) 유방의 해부

유방은 유선조직과 지방, 그리고 이 조직들을 지지하는 결합조직으로 이루어져 있다.

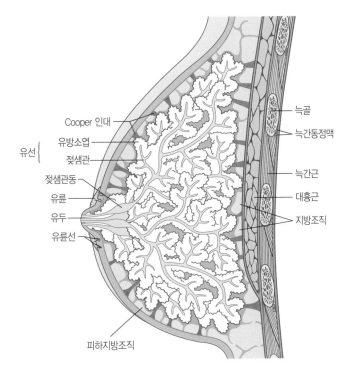

2) 소엽 · 젖샘관

- 유선은 젖샘관과 유방소엽과 결합조직으로 구성되어 있다.
- 유방에는 15~20개의 젖샘관이 있으며, 젖샘관(유관)은 샘방세포로 구성된 유방소엽과 연결되어 있다.
- 유방소엽에서 유즙이 생산되어, 젖샘관을 지나서 유두로 분비된다.
- 유방암을 포함한 대부분의 증식성 유방질환은 젖샘관 및 소엽의 상피세포에 발생한다.

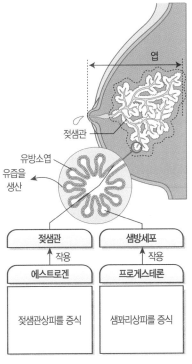

3) 유선의 발생(모식도)

- 유선(milk line)은 외피계의 일종인 한선이 구조적으로 변화하여 형성된다. 겨드랑이에서 서혜부에 걸쳐 몸의 양 끝을 따라 존재하며, 대부분은 이후에 유선이 되는 흉부의 일부를 제외하고 소실된다.
- 유두는 신생아에서는 함요되어 있으며, 성장함에 따라서 피부면 상방으로 융기된다. 이 발달이 정상적으로 이루어지지 않으면 함몰유두가 된다.

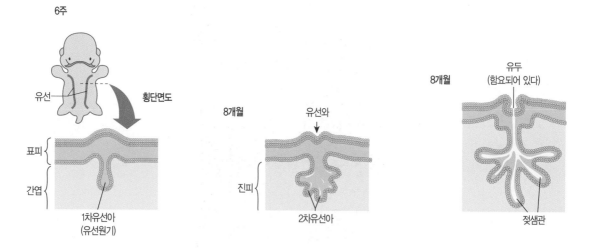

4) 유선의 발생이상

- 유선의 정상적인 소실이 일어나지 않고 일부가 잔존하면, 다유두증이나 다유방증을 초래한다. 이 경우 과잉의 유두를 부유두(accessory nipple)라고 한다.
- 한편 드물기는 하지만, 유두의 결여(무유두증)나 유방의 결여(무유방증) 등도 일어날 수 있다.

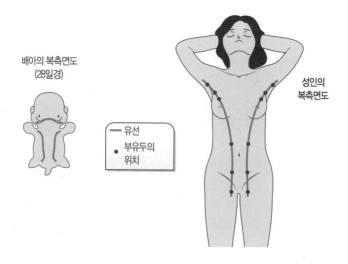

▲ 부유두의 발생위치

5) 유방암의 자가검진

- 유방암의 조기발견을 위해서 자가검진을 환자에게 권장한다.
- 평소의 자가검진으로 자신의 유방의 정상적인 상태를 파악하고, 이상한 점을 자각하게 되면 반드시 검사를 받는 것이 중요하다.
- 자가검진을 하는 것은 월경종료 후 1주일 이내 유방의 긴장이나 부종이 없어졌을 때가 최적이다. 폐경 후 여성은 한 달에 1번, 자가검진을 정해서 한다.

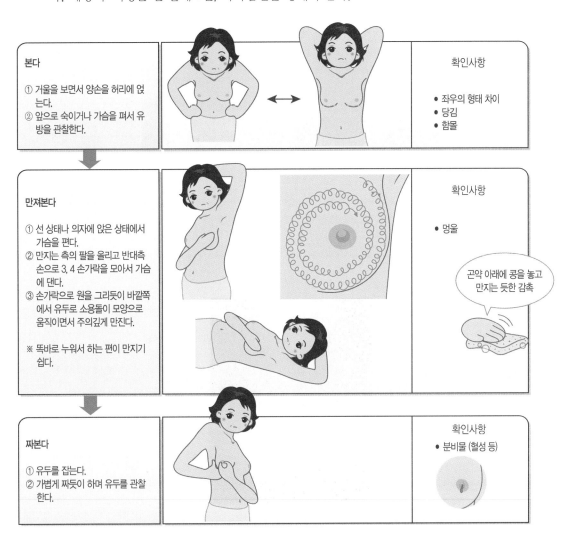

본다

① 거울을 보면서 양손을 허리에 얹는다.
② 앞으로 숙이거나 가슴을 펴서 유방을 관찰한다.

확인사항

- 좌우의 형태 차이
- 당김
- 함몰

만져본다

① 선 상태나 의자에 앉은 상태에서 가슴을 편다.
② 만지는 측의 팔을 올리고 반대측 손으로 3, 4 손가락을 모아서 가슴에 댄다.
③ 손가락으로 원을 그리듯이 바깥쪽에서 유두로 소용돌이 모양으로 움직이면서 주의깊게 만진다.

※ 똑바로 누워서 하는 편이 만지기 쉽다.

확인사항

- 멍울

곤약 아래에 콩을 놓고 만지는 듯한 감촉

짜본다

① 유두를 잡는다.
② 가볍게 짜듯이 하며 유두를 관찰한다.

확인사항
- 분비물 (혈성 등)

6) 유방조영술 (mammography)

- 유방에 발생하는 악성 종양 및 일반 질병을 초기에 발견할 수 있다.
- 유방조영술에서는 조직의 X선 흡수의 차가 필름상에 농도차로 나타난다.

(1) 정상 유방 촬영 사진

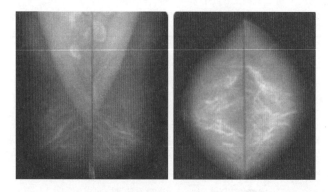

유방조직은 흰색으로 지방조직은 검은색으로 나타난다. 환자의 연령이 증가할수록 지방조직의 양이 증가하고 유방조직이 퇴화하므로 촬영상 그 양상도 연령에 따라 변화한다. 특히 30세 이하 여성에서는 유방촬영사진이 하얗게 나와서 병변이 있어도 가려져서 못 찾는 경우가 있으므로 이 경우에는 초음파 검사가 필요하다.

(2) 비정상 소견 (여자 53세)

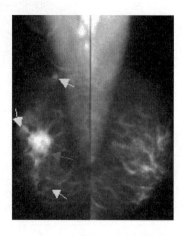

오른쪽 유방에 혹이 만져짐. 유방촬영술 결과 오른쪽 유방에 2cm 크기의 혹이 있고(➜) 주변으로 몇 개의 혹이 더 있다(➜). 이러한 작은 혹은 만져지지 않고 유방촬영술에서 관찰되었다. 겨드랑이에 임파선이 부어있다.

7) 유방조영술의 촬영방법

- 유방조영술은 유방암 외에 양성 섬유선종, 엽상종양 등의 감별에 유용하다.
- 촬영은 MLO(내외사위방향) 촬영과 CC(두미방향) 촬영의 2방향에서 한다.

(1) 유방조영술

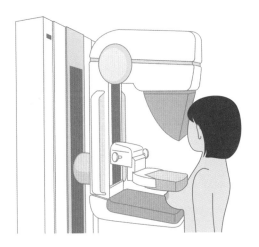

(2) 촬영방법

① CC(cephalocaudal) 촬영(두미방향)

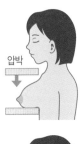

유방을 위에서 부터 끼워 넣고 촬영한다.

② MLO(mediolateral oblique)촬영(내외사위방향)

유방을 안쪽부터끼워 넣고 촬영한다.

8) 유방질환의 비교

대표적인 유방질환은 아래 표의 3가지이며, 감별을 요한다.

		액와림프절	유선증 (젖샘병증)	유방암
성 질		종양성병변	비종양성병변	종양성병변
			양 성	악 성
호발연령		20~30대	30대후반 ~폐경전후	40~60대
증 상	발생부위	편측~양측성	편측~양측성	대부분은 편측성
	압통의 유무 와 피부변화	압통 드물다 · 피부변화 없다	압통 있다 · 피부변화 없다	압통 드물다 · 피부변화 있다 피부의 함요 등피양변화
	유두에서의 분비	없음	유즙과 비슷 (때때로 혈성)	종종 혈성
발증형식		단발~다발	다발	대부분은 단발
가동성		• 탄성 있다. • 단단하다. • 만지면 데굴데굴 잘 움직인다.	• 탄성 있다. • 연하다~단단하다. • 만지면 잘 움직인다. • 움켜쥐면 소실 (König징후)	• 단단하다 or 탄성연 • 만져도 잘 움직이지 않는다.
영상소견		• 표면평활 • 경계분명	• 표면요철, 과립~결절상 • 경계불분명	• 표면 요철 부정 • 경계분명
치 료		• 경과관찰 ※ 성장이 급속한 경우나 종류가 큰 경 우는 적출술	• 경과관찰	• 외과적 절제술 • 화학요법 • 방사선요법 • 내분비요법

3. 여성의 발달주기

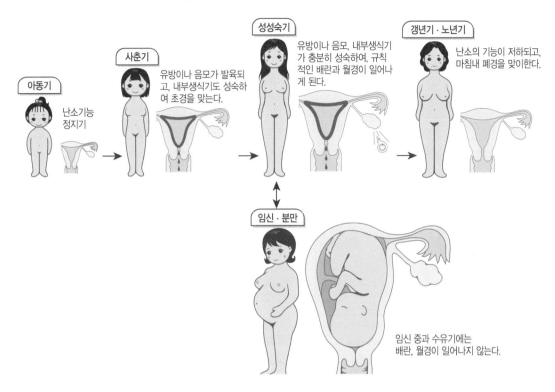

아동기
난소기능
정지기

사춘기
유방이나 음모가 발육되고, 내부생식기도 성숙하여 초경을 맞는다.

성성숙기
유방이나 음모, 내부생식기가 충분히 성숙하여, 규칙적인 배란과 월경이 일어나게 된다.

갱년기 · 노년기
난소의 기능이 저하되고, 마침내 폐경을 맞이한다.

임신 · 분만
임신 중과 수유기에는 배란, 월경이 일어나지 않는다.

4. 여성호르몬

에스트로겐, 프로게스테론은 여성호르몬, 안드로겐은 남성호르몬으로 총칭된다. 이 호르몬들은 모두 콜레스테롤을 원료로 하는 스테로이드호르몬이다.

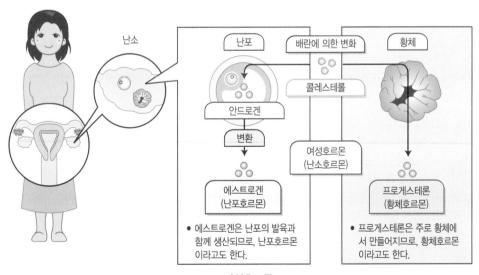

난소

난포   **배란에 의한 변화**   **황체**

콜레스테롤

안드로겐

변환

여성호르몬
(난소호르몬)

에스트로겐
(난포호르몬)

프로게스테론
(황체호르몬)

• 에스트로겐은 난포의 발육과 함께 생산되므로, 난포호르몬 이라고도 한다.

• 프로게스테론은 주로 황체에서 만들어지므로, 황체호르몬 이라고도 한다.

▲ 여성호르몬

1) 에스트로겐과 프로게스테론의 작용

(1) 에스트로겐의 종류

- 여성호르몬인 에스트로겐에는 에스트론(E1), 에스트라디올(E2), 에스트리올(E3)의 3종류가 있다.
- 성 성숙기 에스트로겐의 약 60%는 주로 난소에서 생산되는 E2이며, 나머지는 주로 지방조직의 안드로스테네디온(androstenedione)에서 생산되는 E1이다.
- E3는 태반기능을 확인하는 검사에 이용된다.

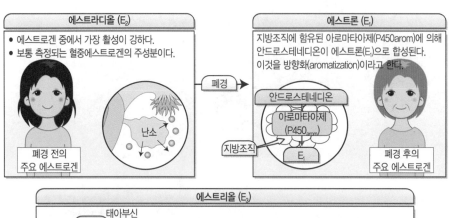

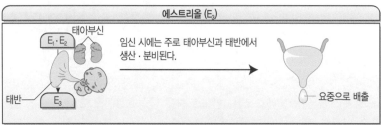

(2) 에스트로겐과 프로게스테론의 작용

- 에스트로겐과 프로게스테론은 자궁이나 질에 대해서는 서로 길항작용을 나타내지만, 젖샘에 대해서는 서로 협조하여 작용한다.
- 에스트로겐과 프로게스테론의 길항의 균형이 무너진 상태를 에스트로겐 과잉상태라고 한다. 이것은 자궁내막암이나 유방암의 위험요소가 된다.

		에스트로겐	프로게스테론
유방	사춘기	젖샘관의 발육	−
	비임신 시	−	유방소엽 및 샘방세포의 발육
	임신 시	• 젖샘관 상피의 증식 • 유즙 분비 억제	• 유방소엽 및 샘방세포의 증식 • 유즙 분비 억제

자궁	비임신 시	• 자궁 내막의 증식 · 비후
		       분비 ↑
		• 경관점액의 점성도 ↓
		       견사성 ↑
			• 자궁내막의 분비기양 변화
			       분비 ↓
			• 경관점액의 점성도 ↑
			       견사성 ↓

	임신 시	• 자궁근의 발육 · 증대 • 경관숙화	• 자궁내막의 탈락막양변화 • 자궁근의 수축억제 • 자궁근층 내의 모세혈관의 번생
난소		−	배란억제
질		질점막의 각화 · 비후	질점막의 비박화
기타		• LDL 콜레스테롤의 저하 • 기초체온의 저하 • 골량의 유지 등	기초체온의 상승

LDL : low density lipoprotein

(3) 에스트로겐의 그 밖의 작용

- 에스트로겐은 여성생식기 외에, 신체의 건강유지에 중요한 역할을 하고 있다.
- 그 밖의 작용으로는 물 · Na 저류작용, 프로스타글란딘(평활근수축작용, 통증유발작용이 있다)의 합성촉진 등이 있다.
- 갱년기 이후에는 에스트로겐의 분비가 저하되므로, 골다공증이나 고지혈증의 위험이 높아진다.

	간	혈관 · 혈액	골	피부
작 용	• LDL 수용체 ↑ (LDL콜레스테롤↓) • HDL콜레스테롤↑	• 혈관환장작용 • 항동맥경화작용 • 응고기능항진	• 골량의 유지 • 골단연골판 폐쇄 (사춘기) • 콜라겐의 합성 촉진	• 피지선의 분비 억제 • 콜라겐의 합성 촉진
저하가 관련되는 질환이나 증상	고지혈증	동맥경화	골다공증	• 여드름 • 주름

LDL : low density lipoprotein   HDL : high density lipoprotein

(4) 에스트로겐과 프로게스테론의 분비

에스트로겐, 프로게스테론의 생산과 분비는 2개의 세포(과립막세포, 난포막세포)와 2개의 성
선자극호르몬(LH, FSH)의 작용에 의해서 행해진다.

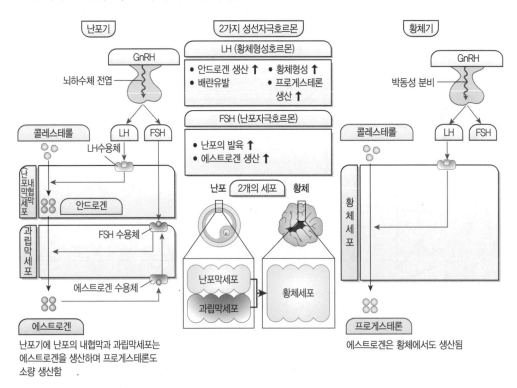

난포기에 난포의 내협막과 과립막세포는
에스트로겐을 생산하며 프로게스테론도
소량 생산함 .

에스트로겐은 황체에서도 생산됨

LHRH : luteinizing hormone releasing hormone
FSH : follicle stimulating hormone
Theca cell : 난포막세포(내엽막세포)

LH : luteinizing hormone
GnRH : gonadotropin releasing hormone 생식샘자극방출호르몬
granulosa cell : 과립막세포

(5) 에스트로겐의 Feed Back 기구

에스트로겐은 농도가 일정한 범위 내에 있는 경우에는 Negative · Feedback에 의해 조절되는데, 일정한 농도를 초과하면 Positive · Feedback에 의해 좀 더 농도가 상승한다. 이로 인해 LH surge를 일으키게 되어, 배란으로 연결된다.

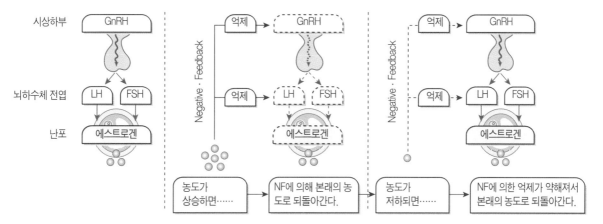

▲ 에스트로겐의 Nagative feed back

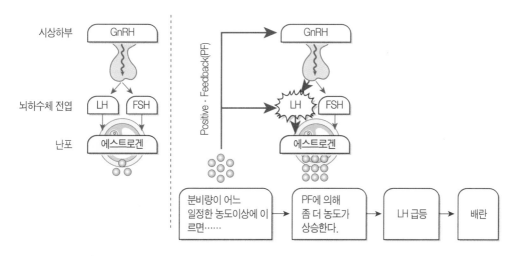

NF : Negative Feedback PF : Positive Feedback

▲ 에스트로겐의 Positive feed back

2) 성선자극호르몬 방출호르몬(GnRH)

- GnRH는 시상하부에서 약 60분 간격으로 박동성(pulsatile)으로 분비되고 있다.
- 따라서, LH, FSH의 분비는 GnRH에 의해 박동성으로 조절된다.
- 뇌하수체 전엽에 지속적인 GnRH의 자극을 가하면, 뇌하수체 전엽의 GnRH 수용체가 감소되어 버려서(down regulation), 결과적으로 LH, FSH의 분비가 저하 된다.

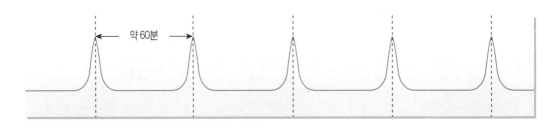

▲ GnRH의 분비

Tip

● **에스트라디올(E2) Negative · Feedback**

난소에서 분비되고 있는 에스트라디올(E2)이 증가하면, 난소를 자극하고 있던 뇌하수체전엽에서 분비되는 성선자극호르몬(FSH, LH)의 양, 좀 더 상위인 시상하부에서의 성선자극호르몬유리호르몬(GnRH)의 양이 감소된다. 이 때문에 자극받는 측의 난소에서 에스트라디올(E2)의 분비량이 감소된다. 이 증가된 에스트라디올(E2)이 상위중추에 가하는 억제작용을 Negative · Feedback이라고 하고, 이것에 의해서 에스트라디올(E2) 농도가 조절되는 시스템을 Negative · Feedback기구라고 한다. 인체에서의 호르몬분비조절의 일반적인 기구로, 생체내의 환경을 일정하게 유지하는 역할에 기여하고 있으며, 호르몬을 분비하는 기관(갑상선이나 부신)에서 흔히 볼 수 있는 구조이다.

● **에스트라디올(E2) Positive · Feedback**

에스트라디올(E2)이 일정범위를 넘어서 대량으로 분비되면, 상위중추의 호르몬분비를 촉진시켜서 좀 더 대량의 에스트라디올(E2)이 분비되는 것이다. 이 대량의 호르몬에 의한 상위중추의 촉진작용을 Positive · Feedback이라고 한다. 이렇게 일반적으로는 생각하기 힘든 조절기구를 가진 기관은 극히 적어서, 그 밖에는 췌장에서의 인슐린분비기구 정도밖에 없다고 볼 수 있다.

3) 인히빈 (inhibin)

- 난포기에 10개 이상의 난포가 성장하지만 배란을 위한 성숙난포는 1개이다.
- 이 과정에서 난포에 있는 과립막세포는 인히빈이라는 호르몬을 분비하며, 이 호르몬은 중요한 역할을 한다.

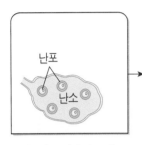 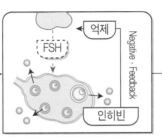 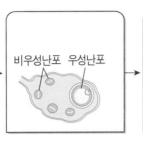 

• 난포기 초기에 약 10개 정도의 난포가 동시에 자라기 시작한다.	• 과립막세포에서 인히빈이 방출된다. • 인히빈의 Negative·Feedback이 작용하여, 뇌하수체로부터 FSH의 분비가 억제된다.	• FSH의 저하를 견딘 난포가 우성난포가 되어, 성숙난포로 성장한다. • FSH의 저하를 견디지 못한 나머지 모든 난포는 비우성난포가 되어 퇴화한다.	• 성숙난포는 LH surge에 의해 배란된다. • 비우성난포는 섬유체가 되어 흡수된다.

4) 에스트로겐과 프로게스테론의 생산

- 에스트로겐은 주로 난소의 난포(과립막세포)에서 만들어지며, 프로게스테론은 주로 황체(배란후의 난포막세포와 과립막세포가 변화된 것)에서 만들어진다.
- 프로게스테론은 난포에서도 소량 생산되며, 에스트로겐은 난포정도는 아니지만 황체세포에서 생산된다.

(1) 난포막세포와 과립막세포

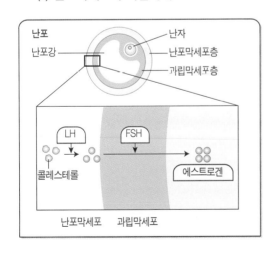 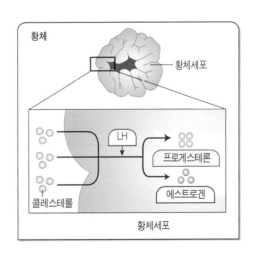

(2) 성스테로이드호르몬의 합성단계

- 난소의 난포에서는 다음과 같은 단계를 거쳐 에스트로겐을 생산한다.
  - FSH는 아로마타아제(P450arom)의 활성을 촉진시킨다. ▶ 에스트로겐의 생산 촉진작용
  - LH는 P450scc의 활성을 촉진시킨다. ▶ 안드로겐의 생산촉진 작용
  - 그러나 LH는 LH Srurge가 일어나면 P450c17의 활성을 억제한다. ▶ 프로게스테론의 생산촉진 작용

| ➤ 촉진 ➤ 억제 |
| 프로게스테론 |
| 안드로겐 |
| 에스트로겐 |

- P450c16 ...... 16α-수산화효소
- 17β-HSD ...... 17β-히드록시스테로이드 디하이드로게나제

HSD : hydroxysteroid dehydrogenase DHEA : dehydroepian drosterone

- 난소주기에 따라 다음과 같이 난포막세포와 과립막세포에서 에스트로겐과 프로게스테론이 만들어진다.

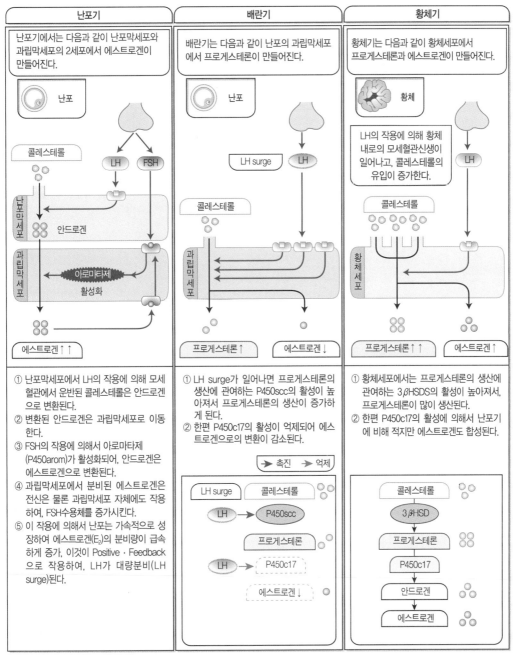

- P450c17* …… 17α-수산화효소, 17, 20-리아제
- P450scc …… 콜레스테롤측고리절단효소
- 3β-HSD …… 3β-히드록시스테로이드디하이드로게나제
- P450arom …… 아로마타제

- **배란이 일어나는 구조**

  난포 내의 액체가 증가하여 난포의 벽에 압력이 가해지는 것에 추가하여, LH surge가 프로스타글란딘(PG)이라는 물질을 증가시켜서, 난포벽을 용해하는 효소(collagenase) 등을 유도하기 때문에, 난포벽이 파열되어 난세포가 밖으로 방출된다.

- **프로스타글란딘(PG)**

  염증반응이나 발열에 관계되는 생리활성물질의 하나로, 여성에서는 성 주기나 분만에서 중요한 역할을 한다. 특히 자궁내막 · 정액 · 갑상선 · 부신속질 등에 많이 분포되어 있으며, PGE2, PGF2α, PGI2 등, 서로 다른 생리작용을 하는 다수의 물질이 알려져 있다. 자궁수축작용을 이용한 진통촉진제나 소화성 궤양치료제로 이용되고 있다.

- **황체는 노란색인가?**

  황체는 세포질에 대량의 카로틴이 함유되어 있어서 노랗게 보인다.

- **에스트로겐의 그 밖의 작용**

  수분과 염분의 저류, 혈장콜레스테롤 수치의 저하, 골량의 유지나 혈액응고기능의 항진이 있다. 이로 인해서 월경이 종료되는 갱년기가 되면, 이 작용에 반대되는 증상이 쉽게 나타나게 된다.

(3) 월경주기

월경이란 자궁내막의 기능층이 주기적으로 증식, 탈락 · 출혈을 반복하는 것이다.

월경주기(자궁내막의 주기적 변화)는 여성호르몬(E, P)에 의해 만들어져서, 난소주기에 대응한다.

여성호르몬(E, P)이 어떻게 자궁내막기능층에 작용하여 임신을 준비시키는가?

에스트로겐은 자궁내막기능층에, 말하자면 '수정란을 위한 침대'를 조립한다. 침대가 완성되면, 에스트로겐과 프로게스테론이 협력하여, 그 침대 위에 '수정란을 위한 이부자리'를 깐다. 수정란이 착상하면 임신이 성립되는 것이다. 임신이 되지 않으면 에스트로겐과 프로게스테론이 감소하여, 침대와 이부자리가 무너져서, 자궁내막기능층이 다음 임신을 위해서 새 침대와 이부자리를 만든다.

증식기에는 주로 에스트로겐의 작용에 의해서, 자궁내막기저층(기능층 아래에 있는, 주기적 변화를 하지 않는 부분)의 기저동맥이 기능층으로 침입하여, 나선동맥이 되어 기능층을 증식 · 비후시킨다. 분비기에는 프로게스테론과 에스트로겐의 작용으로 나선동맥이 더욱 증식되고, 프로게스테론의 작용으로 자궁내막샘이 성장 · 꼬이게(coiling)되며, 글리코겐이 분비된다(글리코겐은 수정란의 영양소이다). 수정란이 착상되어 임신이 되는 것은 이 시기이다.

임신이 되지 않은 경우에는 에스트로겐과 프로게스테론이 급격하게 저하되므로, 나선동맥이 수축되어 자궁내막기능층이 허혈에 빠져서, 괴사 · 탈락 · 출혈을 일으킨다. 이것이 월경기이다. 에스트로겐과 프로게스테론의 농도가 내려감으로써 일어나는 출혈을 소퇴성 출혈이라고 한다.

(4) 월경에 따르는 신체의 변화

월경주기는 약 90%의 사람이 25~38일이며, 그중에서도 28일이 가장 많다. 이 변화는 난포기에 의한 것이 많고, 황체기는 대개 14일 정도로 일정하다. 월경 지속일수도 차이가 있어, 3~7일간(평균 5일)이다.

월경혈은 약 20~140g으로, 암적색으로 혈액 외에 탈락된 자궁내막을 포함하고 있는데, 응혈되어 있지 않은 것이 특징이며, 이는 자궁내막 유래의 혈액응고억제물질 때문이다. 월경혈로 인한 철의 소실로 철결핍성 빈혈이 되는 경우도 있다.

그 밖에 월경주기에 따라 나타나는 신체의 변화로는 다음과 같다.

배란 후에 황체에서 분비되는 프로게스테론은 시상하부의 체온조절중추에 작용하여, 기초체온을 약 0.3~0.6℃ 상승시킨다. 기초체온이라는 것은 아침에 잠에서 깨었을 때의 구강 내 온도(혀밑에서 측정)를 말하며, 정상적인 배란을 수반하는 월경주기에는 난포기의 저온기와 황체기의 고온기로 이루어지는 기초체온을 나타낸다.

황체기와 월경기는 호르몬분비의 변화로 인해 월경전증후군이 나타나 일상생활에 장애를 초래하기도 한다.

이 밖에 에스트로겐이나 프로게스테론의 작용으로 체액이 증가되어, 체중이 0.5~1.5kg 증가하기도 한다.

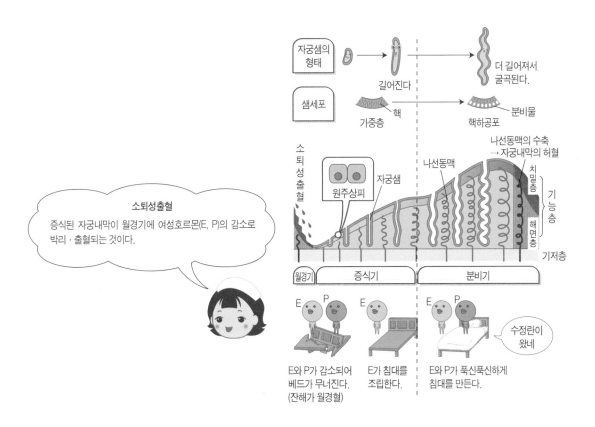

소퇴성출혈
증식된 자궁내막이 월경기에 여성호르몬(E, P)의 감소로 박리 · 출혈되는 것이다.

(5) 여성호르몬과 월경주기

여성호르몬의 최상위중추는 성선자극호르몬유리호르몬(GnRH)을 분비하는 시상하부이다. 뇌하수체전엽에서 성선자극호르몬(FSH, LH)이 분비되어 난소를 자극하여 난소주기를 만들어내고, 난소에서의 여성호르몬(E, P)이 자궁내막에 작용하여 월경주기(자궁내막의 주기적 변화)를 만든다. 월경기 끝부터 증식기 전반, 그리고 배란까지, 에스트로겐의 농도가 계속 상승한다. LH surge에 의해 배란이 일어나고, 분비기에는 프로게스테론 우위로 분비가 있어나고 있는 것을 알 수 있다.

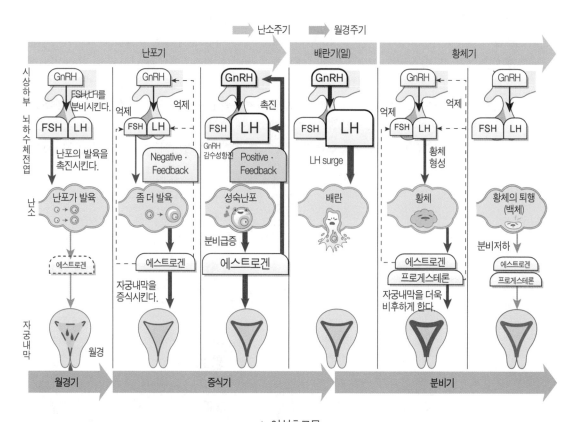

▲ 여성호르몬

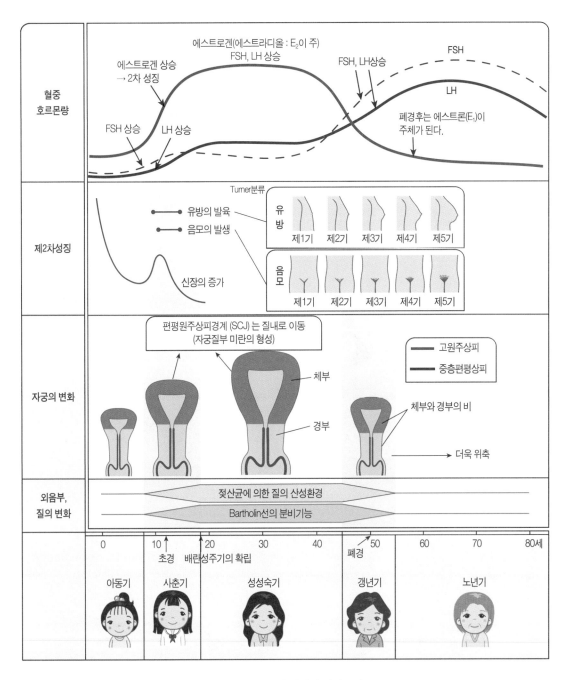

▲ 여성호르몬과 여성의 발달주기

Tip **원주상피의 종류**

● 고원주(키가 큰) 상피
● 저원주(키가 낮은) 상피

4. 골반진 진찰방법

1) 개인력

주증상, 가족력, 사회력, 산과력, 결혼력 등을 파악한다.

2) 신체검사

(1) 복부검사

앙와위에서 시행

(2) 골반진

쇄석위에서 시행

3) 양손진찰법

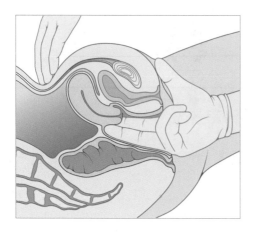

4) 직장질 검진법(The rectovaginal examination)

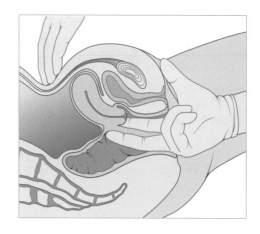

5. 검사 및 수술실 사용 도구

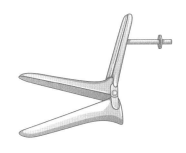

1) Speculum

부인과 진찰의 기본 도구

2) Sound

Curettage를 시행하기에 앞서 자궁 내강의 길이를 측정하는데 사용

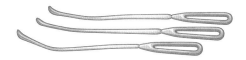

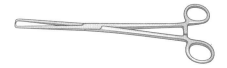

3) Curette

자궁 내강에 병변이 의심될 때 조직 검사를 위해 사용

4) Tenaculum

Curettage 등을 시행할 때 자궁경부를 고정하기 위해 사용

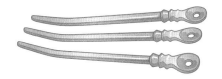

5) Hegar dilator

Curettage를 시행할 때 자궁경부를 확대시키기 위해 사용

6) Punch biopsy

자궁경부암 등의 자궁경부 병변이 의심되거나 질이나 외음부의 병변이 의심될 때 조직 검사를 위해 사용

7) 여러 종류의 초음파

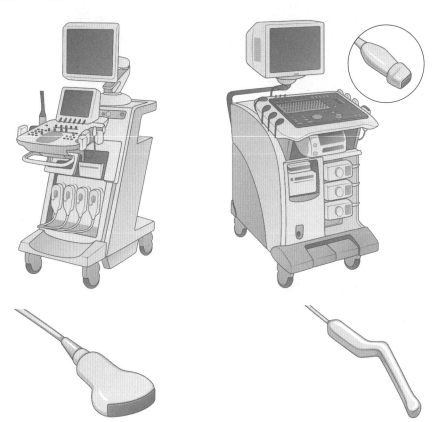

8) Probe of transabdominal ultrasound

복식 초음파의 볼록한 모양의 탐색자

9) Probe of transvaginal ultrasound

질식 초음파의 탐색자는 질 내로 들어가기 위해 뾰족한 형태이며, 복식 초음파보다 해상도가 높음.

6. 선별검사

- 유방자가검사(BSE) : 유방종양을 암시해주는 유방의 변화 또는 덩어리를 매달 평가
- 임상유방검사(CBE) : 여성이 놓칠 수 있는 덩어리를 확인하기 위해 건강관리자에 의해 평가
- 초음파(ultrasonography)와 유방조영술(mammography)
  - 필요시 혹은 40세 이상 여성은 매년 실시
  - 유방암 고위험군, 과거 유방암 병력, 혹은 기타 장애가 있는 여성은 더 이른 시기에 유방조영술과 초음파검사 실시. 촉진되지 않은 유방 덩어리를 확인하여 생존기간을 증가시키기 위함
- 음문자가검사 : 전암 단계나 감염의 징후를 확인하기 위함
- 골반검사 : 질병 유무 확인과 질병이 있다면 조기 발견을 위함
- 세포진 검사(Pap-smear test) : 가능한 한 조기에 비정상적인 자궁목 세포를 확인하기 위함

1) 경부세포진검사와 경부조직생검

- 조직검사의 검체채취방법에는 찰과법, 흡인법, 천자법이 있으며, 자궁경부에서는 주로 찰과법이 행해진다.
- 검체의 염색법에는 일반적으로 Papanicolaou염색을 이용한다.
- 경부조직진에서는 경부병변을 질확대경(colposcopy) 생검하는 방법(목적조직진)과 자궁경관 내 병변을 생검하는 방법(경관내소파)이 있다.

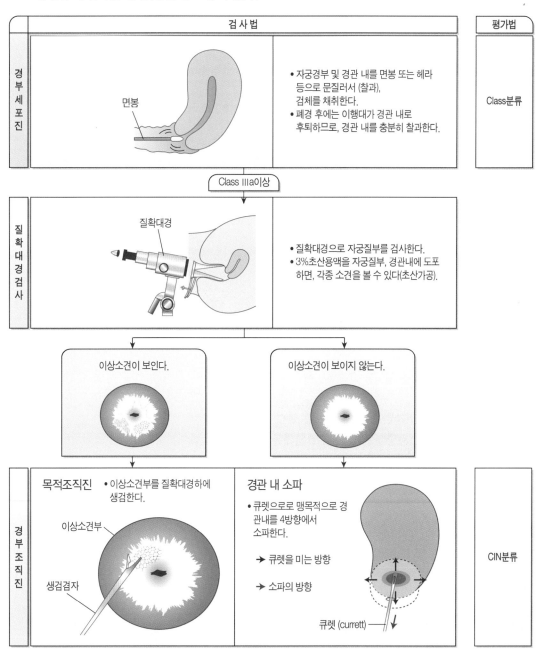

2) 세포진 분류

세포진의 판정에는 Bethesda 분류가 주로 이용되고 있다.

조직학 분류체계의 비교		
Bethesda System	Dysplasia/CIN system	Papanicolaou system
정상범위로 제한 감염 반응적, 보상적 변화 편평상피세포 이상 　　비정형성 상피세포	정상 감염성 비정형증 편평상피 비정형증 HPV 비정형증, LSIL 제외 HSIL 제외	I II IIR HPV 비정형증
저등급 편평상피 내 병소 고등급 편평상피 내 병소 편평상피세포암	경증 이형증 CIN 1 중등도 이형증 CIN 2 중증 이형증 CIN 3 상피내암 편평상피세포암	 III IV V

CIN : carcinoma intraepithelical neoplasia 경완상피 내 종양　　　　CIS : carcinoma in situ 상피내암
LSIL : Low-grade squamous intraepithelial lesion 저등급 편평상피 내 병소　　HSIL : High-grade squamous intraepithelial lesion 고등급 편평상피 내 병소
SCC : Squamous cell carcinoma 편평상피세포암

(1) Pap smear의 방법

- 솔 형태의 채취도구(cytobrush)를 경관 안에 삽입하여 90°내지 180°를 회전시킨다. 이후 주걱모양 채취도구(spatula)를 이용해 경관의 변형대를 긁어서 세포를 채취한다. 붓 모양의 채취도구(broom)는 삽입하여 360° 회전을 5차례 시행하여 한번에 경관외 및 경관 내 세포를 채취한다.
- 검체 채취 후 건조하기 전에 가능한 빨리 95% ethanol에 고정한다.
- 자궁경관내부, 자궁경관외부, 후질원개를 채취한 후 슬라이드 유리에 도말한다.

MEMO

생식기 구조이상 간호

 key point

>> 자궁탈수는 자궁과 질을 지지하는 인대가 과도하게 늘어나 자궁이 질내 후벽이나 하부에서 만져진다.

>> 자궁의 위치는 방광과 직장 사이 골반강 내에서 질축과 경부축, 경부축과 체부축이 전경전굴인 상태로 위치한다.

>> 질벽탈출 시 골반 장기가 질의 전벽 혹은 후벽으로 탈출될 수 있다.

>> 생식기 누공은 생식기와 비뇨기, 직장 사이에 통로가 생긴 것을 통칭하며, 통로의 위치에 따라 방광질루, 직장질루 등으로 분류한다.

>> 복압성 요실금은 방광을 지지하는 골반저부층 근육의 약화로 복강내압과 방광내압이 갑작스럽게 상승하여 소변이 유출되는 것이다.

비판적 사고 훈련

사례

오랫동안 젓갈장사를 해오며 여섯 번의 자연분만 경험을 가지고 있는 76세 여성은 장기간 변비로 힘들어 하고 있다. 언제 부터인가 배변 시마다 밑으로 힘을 주면 계란만한 무언가가 질 밖으로 나와서 이를 집어 넣어야만이 대변을 볼 수 있으며, 또한 기침을 하거나 웃을 때에도 무엇인가가 밑으로 빠져나오는 느낌이 있다고 한다. 또한 이 여성은 항상 묵직한 것이 밑에 매달려있는 것 같고 잦은 요의와 더불어 아랫배와 허리에 통증이 있음을 호소한다. 최근에 질 출혈이 나타나 딸과 함께 부인과 외래로 내원한 상황이다.

1 이 여성에게 나타난 증상을 통해 무엇을 알 수 있는가?

2 이 여성의 간호문제를 확인하여 간호진단을 세워보시오.

3 이 여성에게 적용할 수 있는 치료방법을 설명하시오.

4 이 여성의 수술 전후 간호를 설명하시오.

비판적 사고중심 학습

학습목표

- 자궁탈수의 원인, 증상, 치료방법을 설명하고 간호과정을 적용한다.
- 자궁전방전위 또는 자궁후방전위의 원인, 증상, 치료방법을 설명하고 간호과정을 적용한다.
- 생식기 누공의 종류와 원인, 증상, 치료방법을 설명하고 간호과정을 적용한다.
- 출산에 따른 복압성 요실금의 증상, 치료방법을 설명하고 간호과정을 적용한다.

개요

골반저부의 기능장애란 골반 장기를 지지하는 근육, 인대와 근막이 손상되었거나 약화되었을 때 발생한다. 손상 또는 약화된 골반지지 조직은 골반 장기를 질 안이나 질 밖으로 탈출시키는데, 이는 주로 폐경기나 폐경기 이후에 나타나며, 출산 시 외상이나 노화에 의해서도 발생한다.

생식기 구조 이상

1 위험 요소

1) 자궁탈수

- 고령의 다산부
- 복압이 높아지는 만성적인 질병상태(비만, 천식, 기관지염, 복수, 복강내 종양, 척추 이상 등)

2) 자궁의 위치이상

- 경산부
- 미산부 중 골반 지지조직이 선천적으로 허약하거나 결손 시

3) 생식기 누공

(1) 방광질루

- 자궁적출술, 방광탈교정술, 방사선 조사 후의 괴저 및 악성종양에 의한 조직파괴
- 결핵성 질환 등

(2) 직장질루

- 산과적 손상, 특히 장시간의 진통이나 부적절한 산과치료 시
- 골반 수술 : 자궁적출술이나 질재건술
- 암종 – 질병의 확대나 치료의 합병증(방사선 치료)

4) 복압성 요실금

- 높은 산과력
- 부인과력 : 자궁적출술, 골반염증성 질환, 자궁근종
- 신경계 병력 : 뇌졸중, 당뇨병, 척추질환
- 폐질환 : 천식, 기관지염
- 비만, 만성 변비, 카페인, 흡연, 알콜, 약물 사용 등

❷ 진단검사

1) 자궁탈수

각 부분에 대해 탈출증 여부를 확인하며, 대상자에게 발살바 조작(Valsalva maneuver)을 시행하도록 하여 자궁이 질에서 최대한 빠지도록 하여 검사한다.

2) 질누공

- 메틸렌 블루 테스트(methylene blue test)
- 인디고 카민 테스트(indigo carmine test) : 메틸렌 블루 테스트에서 음성으로 나온 경우 인디고 카민을 정맥으로 주사한다.
- 정맥 신우조영술(intravenous pyelogram) : 수뇨관, 수신증, 누공의 위치 확인에 유용하다.
- 방광경 : 누공의 수와 위치를 확인하기 위해 실시한다.

3) 복압성 요실금

소변을 보게 한 후 일어나게 하여 힘을 주게 한 뒤 검사한다(standing straining examination).

❸ 증상

1) 자궁탈수의 경우에는 밑으로 빠지는 듯한 느낌이 있으며, 질에서 튀어나오는 덩어리가 만져지기도 한다.

2) 방광류가 있는 경우에는 방광증상(배뇨장애, 빈뇨, 요폐색, 절박뇨 등)이 있으며, 직장류가 있을 때는 직장증상(변비, 설사, 뒤가 무직함, 변실금)이 발생한다.

3) 질누공의 증상

(1) 방광질 누공

- 가장 흔한 누공의 형태이다.
- 계속적으로 소변이 누출된다.
- 방광은 계속 비어 있으므로 소변을 보고 싶은 느낌이 없다.
- 외음의 표피박리나 염증을 유발할 수 있다.

(2) 직장질 누공

- 질을 통한 대변의 실금으로 불쾌한 냄새를 유발한다.

- 질, 외음에 궤양이 있다.

④ 치료관리

1) 자궁탈수

(1) 보존적 치료
- 페서리(pessary) 삽입 : 일시적 교정
- 에스트로겐 보충요법 : 폐경여성
- 골반체조

(2) 수술적 치료
- 질식자궁적출술 + 질벽보강술
- Manchester 수술
- Le Fort 수술

2) 질벽탈출증

(1) 보존적 치료
- 경도, 중등도의 탈출증, 향후 분만계획이 있는 경우, 환자가 수술을 기피하는 경우 적용
- 페서리: 폐경 후 여성의 경우 호르몬 요법이나 질 내 여성호르몬 크림을 4~6주 정도 사용한 후 페서리를 사용
- 골반근육운동, 생활습관 교정, 바이오피드백 등을 사용

(2) 수술적 치료
- 손상된 부분을 복원하는 수술
- 전질벽 봉합술(anterior vaginal colporrhapy), 후질벽 봉합술(posterior vaginal colporrhapy), 질주위복원술(paravaginal repair)

3) 복압성 요실금

(1) 보존적 치료
- 유발요인 제거 : 비만, 흡연, 음주, 과도한 수분섭취
- 골반근육강화운동 : 케겔운동, 질콘(vaginal cone)을 사용한 운동, 전기자극치료
- 약물복용 : alpha-adrenergic drugs

(2) 수술적 치료
- 전질벽성형술
- 해부학적 과운동성 치료
- 내인성 괄약근부전성 치료

비판적 사고중심 간호실무

질누공(vaginal fistula): 질누공은 질과 다른 기관 사이의 비정상적인 개구이다.

1 간호 사정

- 시진 또는 양손 진찰법을 사용하여 자궁의 위치와 움직임을 파악한다.
- 생식기 누공 유무를 확인하기 위해 분비물의 성상과 감염증상을 사정한다.
- 긴장으로 인한 불수의적 소변 유출의 병력을 사정한다.

2 간호 진단

- 질 오염과 관련된 감염 위험성
- 누공과 관련된 배뇨장애

3 간호 중재

- 산과적, 부인과적 과거력과 수술력을 사정한다.
- 섭취량과 배설량, 배뇨 양상을 모니터한다.
- 패드에 묻어나는 양을 조절한다.
- 감염징후를 관찰한다(발열, 오한, 옆구리 통증).
- 출산 시 알게 된 누공은 즉시 교정되어야 한다.
- 수술 후에 생긴 누공은 감염 조절을 위해 2~3개월 후에 치료를 시행한다.
- 환자의 조직이 건강하면 질이나 복부의 개구를 통해 수술로 폐쇄한다.
- 큰 누공의 경우, 대변이나 소변의 전환조작이 필요할 수 있다.
- 드물지만 누공이 자연적으로 폐쇄되는 경우도 있다.
- 실금을 막고 조직회복을 할 수 있도록 보철을 사용한다.
- 감염의 징후를 초기에 보고하도록 한다.
- 회음부를 조심스럽게 세척하고 성 생활 가능 시기 등을 교육한다.
- 정기적인 추후방문을 격려한다.
- 감염예방
  - 좌욕을 자주 하도록 한다.
  - 처방된 질 세척법을 교육한다.
  - 복원수술 전 장내 세균의 감소를 위해 처방된 항생제 투여에 대해 교육한다.
  - 누공 수술 후
    며칠 동안 장 활동을 제한하기 위해 처방대로 맑은 유동식을 제공한다.
    휴식을 권장한다.
    서서히 회복을 증진하고 편안감 증진을 위해 따뜻하게 회음부 세척을 하도록 한다.

- 배뇨유지
  - 회음부 패드나 실금용 제품을 사용하도록 한다.
  - 방광질누공 폐쇄 후
    새로 봉합된 조직에 압력이 가해지지 않도록 유치도뇨관의 배출을 적절히 유지시킨다.
    질이나 방광 세척 시 민감한 수술 부위를 조심스럽게 다룬다.
    섭취량과 배출량을 철저하게 기록한다.
  - 필요한 경우 환자에게 보철기구의 사용법을 교육한다.
  - 변화된 배출경로에 대한 환자의 느낌, 즉 좌절감, 당황감, 분노 등에 대해 표현하도록 한다.

④ 간호 평가

- 감염의 징후(열이나 옆구리 통증, 배뇨의 어려움 등)가 없다.
- 수술 후 유치도뇨관을 통해 맑은 소변이 배출된다.
- 유치도뇨관 제거 후에도 배뇨의 어려움이 없다.

사례(1~2번 문제)

5명의 자녀를 출산한 68세의 여성은 3도의 자궁탈수로 진단되어 입원하였다.

1 이 여성이 입원 시 사정해야 할 내용은?

① 궤양   ② 누공   ③ 빈뇨   ④ 백대하   ⑤ 모두 다

2 이 여성에 대한 치료는?

① 페서리   ② 호르몬 요법   ③ 복식 자궁절제술

④ 질식 자궁절제술   ⑤ 복강경하 자궁절제술

3 출산 결과 질 주위조직이 파열 분리되어 직장의 일부가 질 내로 탈출하였을 때 나타나는 증상은?

① 요통   ② 복통   ③ 배뇨곤란

④ 질의 중압감   ⑤ 복압성 요실금

4 자신의 의지와 상관없이 기침, 재채기, 무거운 물건을 들 때와 같이 신체적으로 힘을 쓸 때 소변이 유출되는 경우는?

① 방광류   ② 직장류   ③ 자궁탈수

④ 복압성 요실금   ⑤ 절박성 요실금

5 슬흉위를 취하고 질 페서리를 사용함으로써 요통과 월경통 등의 증상이 완화되는 경우는?

① 요실금   ② 방광류   ③ 방광질루

④ 자궁탈수   ⑤ 자궁의 후방전위

정답 1. ⑤ 2. ④ 3. ④ 4. ④ 5. ⑤

D 관련정보

1. 자궁탈수(prolapse of the uterus)

자궁이 정상위치보다 내려와 있고(자궁하수), 자궁의 일부나 전체가 질입구에서 외부로 탈출, 하강한 것을 말한다. 폐경으로 인한 에스트로겐 저하에 따르는 골반지지 조직의 약화나 임신, 분만으로 골반저의 근육과 인대의 손상이 주된 원인이다. 자궁탈수의 기준은 과거에는 질 중심이었으나, 최근에는 처녀막 평면(plane of hymen) 또는 좌골극과 같은 고정된 해부학적 부위를 기준으로 한다. 하복부에 힘을 주었을 때 자궁경부가 질 내에 있으면 1도 자궁탈수라 하고, 자궁경부가 처녀막링(hymeneal ring)까지 내려와 있으면 2도, 자궁경부가 처녀막링 밖으로 나와 있으면 3도, 자궁이 처녀막링을 완전히 빠져 나왔으면 4도 또는 완전자궁탈수(total uterine prolapse)라고 한다. 일반적으로 3도와 4도를 함께 자궁탈수 3도로 분류하기도 한다.

1) 주요사항

고령의 다산부에서 강한 생식기의 하수감, 탈출감이 있고, 대하의 증가, 출혈, 종종 배뇨·배변 장애, 요실금이 나타나며, 질입구에서 탈출된 자궁이 확인된다.

2) 자궁탈수의 외관소견

자궁 질부, 경부 및 체부가 질 밖으로 탈출해 있다. 자궁질부는 외적 자극으로 궤양상을 나타내며, 쉽게 출혈을 보인다.

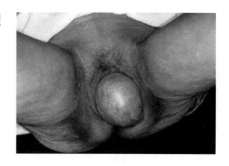

3) 자궁탈수·자궁하수의 병태생리

- 자궁탈수·자궁하수는 정상적인 자궁위치보다 하방으로 빠진 상태로, 하강함에 따라서 질의 하수·탈수가 합병된다.
- 발병요인으로, 출산에 따르는 골반을 지지하는 인대의 손상이나 폐경 후 에스트로겐 저하로 인한 인대나 근의 이완 등을 들 수 있다. 따라서 이 질환은 고령의 다산부에게 호발한다.

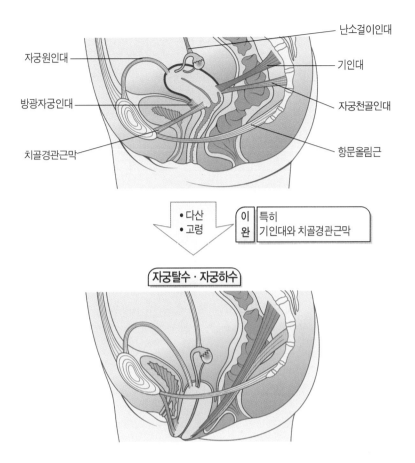

난소걸이인대

자궁원인대

기인대

방광자궁인대

자궁천골인대

치골경관근막

항문올림근

• 다산	이	특히
• 고령	완	기인대와 치골경관근막

자궁탈수 · 자궁하수

4) 자궁하수와 자궁탈수의 차이

자궁하수와 자궁탈수는 동일한 병태로, 그 차이는 자궁이 하수된 정도의 차이이다.

	자궁하수	자궁탈수
정 의	좌골극	
	• 자궁질부의 최하단이 양측 좌골극을 지나서 하방으로 떨어진 상태	• 자궁질부가 질입구를 지나서, 튀어나온 상태
주증상	• 생식기의 하수감(밑으로 빠지는 느낌) • 하복부의 불편감 • 빈뇨 또는 배뇨곤란 • 변비	• 자궁하수 증상이 더욱 악화 • 보행장애 • 출혈이나 감염

5) 치료

수술로 자궁 지지조직을 단축 보강하는 것이 치료의 기본이다.

6) 보충사항

- 자궁의 탈출은 복압을 가함으로써 현저해진다.
- 자궁의 탈출이 심한 경우에는 방광류나 직장류를 수반하기도 한다.

Tip

- **Manchester 수술**
  자궁탈수의 수술방법의 하나이다. 경부연장부를 절단하고, strumdorf봉합을 한다. 또한 좌우의 기본인대를 단축시켜, 자궁탈출의 예방효과를 증강시킨다.

- **Le Fort 수술**
  고령 자궁탈수 환자에게 시행하는 수술요법으로, 질벽을 전후에서 꿰매 맞추기 때문에 성 생활이 더이상 필요하지 않은 경우에 시행한다. 폐쇄부 양측은 개존되어 있어서 자궁경부에서의 분비물 유출에는 지장이 없다.

- **항문올림근**
  골반강의 내면에서 일어나며, 골반의 바닥을 형성하는 넓고 얇은 근육이다. 전방은 치골의 내면에서 시작되며, 후방은 좌골극 안으로 연결된다. 3개의 근육으로 구성되어 있으며 각각 치골미골근, 장골미골근, 치골직장근이다.

---

2. 자궁의 위치이상

정상적인 자궁의 위치는 앞에는 방광, 뒤에는 직장의 사이 골반강 내에 위치한다. 자궁의 장축은 거의 수평면이고 질의 장축과는 직각을 형성한다. 자궁이 횡축에서 후향으로 기울어진 상태를 후경이라고 하며 1도 후경, 2도 후경, 3도 후경으로 구분한다. 1도 후경은 후경된 정도가 비교적 경하여 자궁저부가 수직이나 천골 융기보다 더 뒤가 아닌 경우를 말하며, 2도 후경은 자궁 천골공동 내에 있으나 경부 높이보다 아래로 내려오지 않은 경우 말하고, 3도 후경은 자궁저부가 경부 높이 아래로 내려오고 자궁이 뒤로 왔을 때를 말한다. 자궁이 후방으로 구부러진 상태를 자궁후굴이라고 한다. 자궁 후경인 대상자의 약 20%는 선천성 후경후굴인데, 이는 발육부전으로 인한 결과라고 추측된다. 가장 중요한 원인은 대부분이 산욕기 골반저 외상으로 인한 경부의 하수이나 자궁내막염에 의한 유착, 난소종양, 근종 및 외상 등에 의해 발생하기도 한다. 합병증이 없는 단순한 자궁의 후전위일 경우, 월경곤란증과 요통을 호소하는 경우도 있으나 증상이 없는 경우가 더 많다. 간혹 난관의 유착 또는 경부의 전방거상으로 불임증으로 이어지거나 임신이 되어도 습관성으로 유산이 되기도 한다. 후천적 후경후굴증이 있는 환자 중 대부분이 요통을 호소한다. 산후에는 성기의 복구부전으로 이상출혈 또는 대하증이 발생하기도 하는데, 치료를 위하여 하루에 3~4회, 한 번에 5분씩 슬흉위를 취하도록 한다. 질 페서리의 사용으로 증상이 완화되면, 자궁현수술(uterine suspension) 및 원인대(round ligament) 단축수술을 시행한다. 간혹 자궁적출술을 시행하여 근치요법을 행하는 수도 있다.

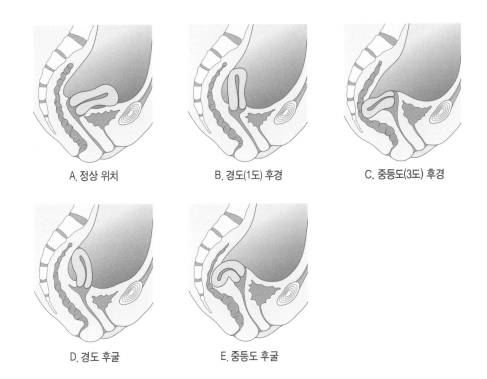

A. 정상 위치   B. 경도(1도) 후경   C. 중등도(3도) 후경

D. 경도 후굴   E. 중등도 후굴

3. 질벽탈출증

회음체(perineal body)에 의해 질입구와 항문 사이가 구분되는 것이 정상이나 분만 시 회음을 지지하는 조직인 회음체, 질전정, 질입구가 열상을 입어 질입구와 항문 사이의 간격이 비정상적으로 근접되어 있는 상태를 질벽탈출증(relaxation of the vaginal outlet, RVO)이라고 한다.

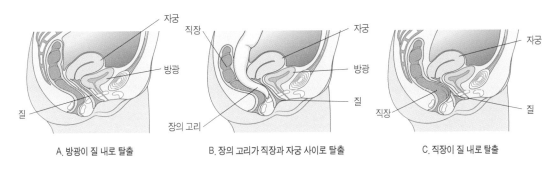

A. 방광이 질 내로 탈출   B. 장의 고리가 직장과 자궁 사이로 탈출   C. 직장이 질 내로 탈출

1) 방광류(cystocele)

방광을 지지하는 치골경관근막(pubocervical fascia)의 손상에 의해 방광이 밑으로 내려온 상태로, 심하면 질 내로 탈출한다.

2) 방광요도류(cystourethrocele)

방광과 요도가 밑으로 내려온 것으로 정도가 심하면 질 내로 하수된다.

3) 직장류(rectocele)

후방질벽과 직장질중격(rectovaginal septum)이 약하여 직장의 일부가 질 내로 탈출한 상태를 말하고, 장류는 보통 후방 맹낭(cul-de-sac)이 후방 질벽이나 후방 질 천장으로 튀어나와 헤르니아를 이루는 것을 말한다.

4. 생식기 누공(fistulas)

1) 방광질 누공(vesicovaginal fistula)

방광과 질 사이의 이상 누공이 형성된 것을 말한다. 자궁적출술, 방광탈교정술, 방사선 조사 후의 괴저 및 악성종양에 의한 조직파괴 또는 결핵성 질환 등에 의해 발생된다. 주요 증상으로 질에서 소변이 누출된다. 소변의 유출로 인하여 질, 외음 또는 회음의 자극 증상이 있으며 암모니아(ammonia)성 악취가 난다. 이로 인하여 환자는 자극 과민, 예민, 불면증, 신경질 및 우울 등의 정신적인 증상을 보이며 대인관계와 사회생활이 제한되고 위축될 수 있다. 슬흉위(knee-chest position)에서 검사하면 누공을 쉽게 발견할 수 있는데, 비교적 큰 누공은 내진으로도 쉽게 진단할 수 있다. 아주 작아서 찾기 어려운 누공은 메틸렌 블루(methylene blue)로 착색된 멸균수로 방광을 채워서 질에서 푸른 액체가 유출되는지를 확인하고, 질경검진으로 확진한다. 작은 누공은 자연 폐쇄될 수 있으므로 수분을 제한해야 하며, 유치도뇨관을 삽입하여 소독과 흡인을 시행하면 좋아진다. 누공 예방을 위하여 난산 또는 부인과 수술 시 방광에 외상을 가하지 않도록 유의하며, 상태가 만일 불가피한 경우 빠른 시간 내 봉합하고 유치도뇨관을 삽입한다. 복원수술은 부종의 소실을 위하여 원칙적으로 손상 후 4~6개월 기다리는 것이 바람직하다. 간호사는 대상자가 케겔운동으로 배뇨의 시작 및 정지를 정상적으로 할 수 있도록 훈련시킨다.

2) 직장질 누공(rectovaginal fistula)

직장과 질 사이에 이상 누공이 형성된 상태이다. 발생 원인으로는 골반농양 시 질식 천자로 행한 수술, 회음봉합술, 치질수술, 라듐 또는 X-선 요법에 의한 손상, 겸자분만 또는 수술적 분만에 의한 외상, 기타 악성종양, 감염 등이 있다. 주요 증상으로 대변이나 가스가 질로 유출되고, 질에 가스가 차는 경우들이 있다. 누공이 큰 경우에는 계속적인 대변의 유출로 인하여 자극이 되며 불쾌한 냄새로 불편감을 느낄 수 있고, 작은 누공은 자연히 폐쇄되기도 한다. 예방을 위하여 분만 시 또는 질수술 시 손상을 받지 않도록 유의한다. 큰 누공인 경우에는 수술적 교정이 필요하다.

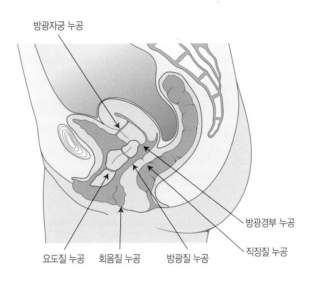

5. 요실금

유형	원인	증상	치료
복합성	골반저 근육 강도의 상실 골반장기탈출 전립선 절제	기침, 앉았다 일어날 때 적은 양의 소변이 샘	복압을 높이는 요인(비만, 흡연, 만성기침)을 제거한다. 골반 근육운동을 교육한다.
절박성	배뇨근의 불안정성	소변에 대한 욕구와 배뇨사이의 간격이 매우 짧음	방광배뇨근육의 불안정을 야기하는 신경학적 장애나 정신적 요소를 제거한다. 규정된 시간에 소변을 보도록 방광재훈련을 시행한다.

key point

>> 월경전증후군은 반복적으로 월경 전 3~10일(황체기) 동안 계속되는 신체적, 행동적(정서적 포함) 증상으로 월경시작과 함께 감퇴 내지 소실된다. 월경전불쾌증상(premenstrual dysphoric disorder, PMDD)은 분노, 불안, 내적 긴장이 나타난다.

>> 월경곤란증은 통증이 있는 고통스러운 월경으로 일상생활에 지장을 초래한다. 월경 직전 또는 월경 시작과 함께 증상이 발생하고, 월경 종료 전 또는 종료와 함께 소실된다.

>> 무월경은 원발성 무월경과 속발성 무월경으로 구분한다. 원발성 무월경은 2차 성징의 발현이 없이 13세까지 초경이 없거나, 2차 성징의 발현은 있으나 15세까지 초경이 없는 경우를 말한다. 속발성 무월경은 규칙적인 월경을 하는 여성이 월경 주기를 3번이 지나도록 월경이 없거나, 불규칙적인 월경을 하는 여성이 6개월 이상 월경이 없는 경우이다.

>> 비정상 자궁출혈은 정상적인 월경양상이 아닌 형태를 말한다. 월경과다, 과소월경, 부정자궁출혈, 기능장애 자궁출혈 등의 형태가 있다.

비판적 사고 훈련

사례

산부인과 외래에 내원한 22세 여성은 지난 1년 동안 반복적으로 월경 일주일 전부터는 피곤하고, 유방의 팽만감으로 닿을 때마다 아프며, 아랫배가 부풀어 오르고, 머리가 아프며, 짜증이 잘 난다고 한다. 또한 그녀는 월경 전에는 변비가 심한데 월경이 시작되면 설사를 한다고 한다. 몸이 만신창이가 된 것 같고, 마치 매직에 걸린 것처럼 월경이 끝나면 아무렇지도 않다고 한다. 이 문제를 정말 고칠 방법이 없는지 묻는다.

1 이 여성에게 나타난 증상을 통해 무엇을 알 수 있는가?

2 이 여성의 간호문제를 확인하여 간호진단을 세워보시오.

3 월경전증후군 증상을 완화시키기 위해 어떤 생활양식의 변화를 교육해야 하는가?

- 월경전증후군과 월경전불쾌증상의 정의와 진단기준, 건강관리방법을 설명한다.
- 월경전증후군과 월경전불쾌증상이 있는 여성에게 간호과정을 적용한다.
- 월경곤란증의 정의와 증상, 치료 및 건강관리방법을 설명한다.
- 월경곤란증이 있는 여성에게 간호과정을 적용한다.
- 무월경의 정의와 분류, 병태생리, 치료방법을 설명한다.
- 무월경이 있는 여성에게 간호과정을 적용한다.
- 비정상자궁출혈의 정의와 분류, 진단 및 치료방법을 설명한다.
- 비정상자궁출혈 여성에게 간호과정을 적용한다.

개요

- 월경장애 문제는 월경주기 중 어느 시기에서도 발생할 수 있으며, 해부학적인 이상, 생리적 불균형, 생활주기 등을 포함한 많은 요인들이 월경주기에 영향을 미칠 수 있다.
- 월경장애는 월경전증후군, 월경곤란증, 무월경, 비정상자궁출혈 등이 있다.
- 월경전증후군(premenstrual syndrome, PMS)은 월경주기의 후반기에 반복적으로 발생하는 신체적, 행동적(정서적 포함) 증상의 발현으로 특징되며, 여성의 삶의 질을 저하시킨다. 월경전불쾌증상(premenstrual dysphoric disorder, PMDD)은 분노, 불안, 내적 긴장이 현저하게 나타나는 월경전증후군의 심한 형태이다.
- 규칙적인 월경주기를 갖는 여성의 75%가 월경 전 정서나 신체 증상을 호소하며, 3~8%는 임상적으로 유의한 월경전증후군이 발생하고, 약 2%는 월경전불쾌장애를 겪는다.
- 월경곤란증은 하복부의 통증이 있는 고통스러운 월경을 말하는 것으로 여성에서 가장 흔한 문제 중 하나이다. 골반의 기질적인 병변이 없는 경우를 원발성 월경곤란증이라고 하고, 속발성 월경곤란증은 골반의 질환과 관련이 있다.
- 전 세계적으로 50~90%의 가임기 여성이 월경 중 통증을 경험한다. 이들 중 대부분이 젊고, 원발성 월경곤란증이다. 또한 사춘기 여성의 60~93%가 월경곤란증을 겪으며, 많은 청소년이 일상 활동의 지장을 호소한다.
- 무월경은 생리가 없거나 중단되는 것을 말하는 것이다. 원발성 무월경은 13세까지 2차 성징이 없이 초경이 없거나, 2차 성징은 나타났지만 15세까지 월경이 없는 경우를 말한다. 속발성 무월경은 규칙적인 월경을 하는 여성이 월경 주기를 3번이 지나도록 월경이 없거나, 불규칙적인 월경을 하는 여성이 6개월 이상 월경이 없는 경우를 말한다. 임신, 수유 기간의 무월경을 생리적 무월경이라 하고, 이는 속발성 무월경의 대표적인 예이다.

- 비정상 자궁출혈은 정상적인 월경의 양상을 벗어난 경우를 말한다. 정상적인 월경양상은 간격이 28(21~35)일, 기간은 4(2~8)일, 출혈량은 35(20~80)cc 정도이다.

월경전증후군(premenstrual syndrome, PMS)

1 위험 요소
- 유전적, 환경적 요인이 중요한 역할을 한다.
- 월경전불쾌장애는 ESR1(estrogen receptor alpha gene)와 연관성이 높다.
  - 낮은 교육, 흡연, 과거 외상경험이나 불안장애, 고도의 일상적 번거로움
  - 세로토닌 과다
  - 비타민 B_6 섭취 저하

2 진단검사
1) 특별한 생화학적 비정상은 없다.

2) 월경전증후군이 있는 여성과 없는 여성 간에 혈청 생식샘자극호르몬과 생식샘호르몬의 농도의 차이는 없다.

3) 일반적 접근
- 자세한 월경력
- 호르몬 치료를 포함한 약물 평가
- 갑상선기능저하, 갑상선기능항진, 코티졸 과다와 같은 유사한 증상을 나타내는 내분비 질환 고려
- 혈청 갑상선자극호르몬 검사
- 환자의 증상이 월경전증후군과 월경전불쾌장애와 일치하고 다른 의학적 질병이 아니면, 전향적으로 2달 동안 증상을 기록

4) 전향적 자가점수측정 감시: 매일 문제의 심각도 기록(daily record of severity of problems, DRSP)

5) 진단 기준 : 자세한 월경과 증상 기록이 되면, 전향적 감시를 하고, 신체검진과 검사실 검사를 한 후, 다음의 기준을 사용하여 진단함

6) 월경전증후군의 진단 기준
- 1~4개의 신체, 행동, 또는 정서/심리적인 증상
- 5개 이상의 신체나 행동적 증상
  - 만약 5개 이상의 증상과 이들 중 하나가 정서증상(감정변화, 분노, 불안, 절망감, 긴장, 불안감)이라면 월경전증후군보다는 월경전불쾌장애가 더 정확하다.
  - 이 증상은 기능장애를 유발하고, 월경 시에 사라지거나 이후 조만간에 무증상 기간이 있다.

❸ 증상

1) **흔한 증상** : 150개 이상의 신체, 행동, 정서, 인지 증상이 월경전증후군으로 발현된다. 그러나 증상의 수는 대부분의 환자에게 제한적이다.
   - 가장 흔한 정서나 행동 증상은 기분변화이다.
   - 자주 발생하는 다른 비신체적 행동 증상은 불안, 분노/긴장, 슬픔/우울 감정, 식욕 증가/음식 갈구, 거부감, 활동에 대한 흥미 감소이다.
   - 가장 흔한 신체 증상은 복부 팽만감, 사지의 피로감, 유방긴장감, 두통, 홍조, 어지러움증이다.

2) **삶의 질 저하**

3) **자살 위험** : 심한 증상을 가진 월경전불쾌장애의 여성은 자살 생각과 시도가 높다.

4) **신체검진** : 특이한 비정상은 없다.

❹ 치료관리

치료 목표는 증상 완화와 기능장애의 향상이다. 많은 생활습관 방식(운동 및 이완 기술)과 약물(선택적 세로토닌 재흡수 억제제)은 월경전증후군 또는 월경전불쾌장애를 가진 여성에게 효과적이다.

1) 약한 증상

- 생활습관 변화 : 디스트레스나 사회경제적 기능장애를 일으키지 않는 경미한 월경 증상이 있는 여성의 경우, 규칙적인 운동과 스트레스 해소법과 같은 생활습관을 변화시킨다.
  - 규칙적인 운동은 우울감 감소에 도움이 된다.
  - 이완 요법은 일상생활의 스트레스와 불안을 완화하는데 도움이 될 수 있으며 명상, 점진적 근육 이완, 자기 최면 또는 바이오 피드백과 같은 방법이 있다.
  - 복부팽만 증상이 있다면 짠 음식과 과식을 피한다.
  - 통증이나 두통이 있다면 비스테로이드성 항염증제를 사용한다.
- 비타민 및 미네랄 보충제: 비타민 B$_6$(최대 100mg /일)는 경미한 월경전증후군을 가진 여성에게 작은 이득을 줄 수 있다. 단, 하루에 100mg 이상의 비타민 B$_6$을 섭취하면 말초신경병증이 발생할 수 있으므로 주의한다.

2) 보통에서 심한 증상

- 월경전증후군 또는 월경전불쾌장애로 인한 사회경제적 기능 장애가 있는 여성들은 약리학적 중재가 필요하다.
- 약물 치료를 고려하기 전에 우울증이나 불안 장애, 약물 중독 또는 갑상선기능저하증과 같은 다른 질환의 여부를 조사해야 한다.
- 1차 요법 : 선택적 세로토닌 재흡수 억제제를 사용한다. 일반적으로 fluoxetine 또는 sertraline으로 시작한다.
- 2차 요법: 선택적 세로토닌 재흡수 억제제(SSRIs)가 부분적으로만 효과가 있거나 비효율적이거나 수용하기 어려운 경우, 여러 가지 약물이 사용될 수 있다. 환자가 심한 월경전불쾌장애를 앓고 있고 다른 질환으로 인해 복잡하지 않고 SSRI에 반응하지 않는 경우 2차 요법을 권장한다.
  - 경구 피임약 : 무배란 유도의 가장 간단한 방법이다.
  - GnRH 작용제 : 선택적 세로토닌 재흡수 억제제 또는 경구 피임약에 반응하지 않거나 견디지 못하는 심각한 증상을 보이는 여성의 경우 다음 단계로 GnRH 작용제 치료를 제안한다.
- 수술 : 양측 난소 절제술은 최후의 수단으로 사용한다.

월경곤란증(Dysmenorrhea)

① 위험 요소

- 대다수는 이 질환의 위험 요인이 없다.
- 관련요인은 연령 30세 미만, 체질량 지수 〈20 kg/m^2, 흡연, 12세 이전의 초경
- 긴 월경주기/출혈 기간, 불규칙하거나 심한 월경, 성폭력의 병력
- 첫 출산 연령이 낮고, 출산력이 높을수록 위험 감소
- 가족 요인

❷ 진단검사

1) 사춘기 여성의 월경곤란증 평가는 증상의 정도를 사정하고, 월경곤란증의 이차적인 원인을 배제하기 위해 자세한 병력과 월경력이 필요하다.

2) 과거력
- 월경력 : 초경 나이, 월경 기간, 월경혈 흐름 평가, 월경기 사이의 간격(첫 월경일에서 다음 첫 월경일), 지난 2번의 월경기의 첫날
- 증상력 : 증상의 시작 시기와 시간에 따른 증상진행, 증상과 기간의 관계, 월경 동안 오심, 구토, 설사, 요통, 어지럼증, 피로, 두통의 발현이나 무증상, 증상으로 인한 학교 결석, 운동 참여, 일상 활동에 미치는 영향, 약물 사용(형태, 용량, 경련 시작과 관련된 시간, 통증 완화와 모든 일상 활동의 참여 측면에서 약의 효율성), 증상의 심각도. 증상의 심각도는 월경통의 정도, 신체증상 발현, 일상 활동에 주는 영향을 평가
- 성생활력 : 현재 성활동, 사용한 피임법, 성병 경험, 골반염증성질환 병력

3) 신체검진
일반적으로 월경 중 하복부 긴장감이 나타날 수 있다. 덩어리가 있거나 없는 국소적 긴장감은 원발성 월경곤란증이 아닌 다른 것을 의심한다.

4) 골반검진과 골반초음파
심한 증상(3단계 월경곤란증)의 모든 여성에게 이차성 월경곤란증의 원인을 배제하기 위해 수행해야 한다.

5) 일차성 월경곤란증은 자세한 병력 조사와 골반검진에서 정상일 때 진단
자세한 병력과 신체검진으로 진단을 확신할 수 있을 때, 이차성 월경곤란증의 원인을 배제하기 위한 검사, 영상촬영, 복강경 검사는 필요없다.

6) 이차성 월경곤란증 진단검사
통증일지 검토, 골반초음파, 자궁경, 복강경과 같은 검사를 한다.

7) 감별 진단

(1) 병력 및 신체검사
- 월경 사이에 골반통이 있거나 월경과 관련이 없는 경우에는 이차성 월경곤란증을 암시한다.
- 급성 골반통의 부인과적 원인은 자궁내막증, 자궁선근증, 난소낭종, 자궁이나 골반유착, 염증성 골반, 선천성 해부학적 기형 생식기, 자궁내 장치 사용 등이 있다.
- 그 외 원인은 염증성 장질환, 과민성 장증후군, 심리적 질환 등이 있다.

(2) 해부학적 이상
처녀막의 불완전한 뚫림, 뮐러관의 발달 이상이 있다.

(3) 심리적 요인

우울증, 물질 남용, 학대, 기타 외상의 이차적인 스트레스와 같은 심리사회적 과거력은 복부통증에 대한 다른 원인일 수 있다.

③ 증상과 징후

- 하복부의 쥐어짜는 듯한 통증이나 요통이다.
- 심한 경우, 진통제로 완화되지 않고, 오심, 구토, 설사, 두통, 피로, 어지럼증 동반
- 통증은 전형적으로 월경 시작 몇 시간 전에 시작되어 1~3일 동안 지속

④ 치료 및 간호관리

- 원발성 월경곤란증의 치료 결정은 월경 증상의 심한 정도와 일상 활동의 제한정도에 따라 다르다.
- 치료 목적은 적절한 통증완화이다. 통증완화는 일상 활동을 할 수 있을 정도이어야 한다.
- 일반적으로 통증의 정도와 활동의 제한정도가 여성마다 다르기 때문에 치료는 개인의 요구에 따라 개별적으로 이루어져야 한다.
- 월경곤란증 치료의 초기 접근은 비약물적 중재이다. 즉 하복부에 핫팩을 대거나 운동, 이완법을 적용하는 것이다.
- 첫 번째 약물치료는 환자의 요구에 따라 비스테로이드성 소염제와 에스트로겐-프로게스테론 피임제를 사용한다.
- 비스테로이드성 소염제와 에스트로겐-프로게스테론 피임제로 3달 동안 사용한 후에도 통증이 적절하게 완화되지 않는 여성은 자궁내막증과 같은 이차성 월경곤란증이 있을 수 있다. 이런 여성에게는 진단적 복강경이나 생식샘자극호르몬방출호르몬길항제(GnRH agonist) 사용한다.
- 경구 피임약을 사용하지 않는 사람들을 위해 NSAID(Grade 2B)로 치료를 시도한다. Ibuprofen과 naproxen은 임상에서 월경통 치료에 일반적으로 사용된다. 환자가 한 종류의 비스테로이드성 소염제에 실패하면 다른 종류의 비스테로이드성 소염제로 대체한다.
- 피임약을 원하거나 비스테로이드성 소염제에 반응하지 않거나 비스테로이드성 소염제를 견디지 못하는 사람들을 위해 호르몬 치료법을 권장한다(2C 등급).
- 이러한 방식 중 하나의 치료법이 실패할 경우, 다른 방식(2C 등급)으로 치료 과정을 시행한다.
- 자가간호 : 통증을 완화하기 위한 약물이외의 다른 중재방법은 근거가 제한적이다.
  - 열요법
  - 운동과 성활동 : 요가, 오르가즘은 통증을 줄임
  - 행위적 중재 : 통증에 대한 환자의 사고방식을 수정하는 것(탈감작화, 최면술, 상상법, 대처전략), 통증에 대한 반응을 수정하는 것(바이오피드백, 근전도 훈련, 라마즈 운동, 이완 훈련)

- 식이요법과 비타민 : 저지방 채식위주의 식이, 유제품 섭취, 비타민 E(하루 섭취량 500단위 또는 하루에 2번씩 200단위), 비타민 B_1(매일 100mg), 비타민 B_6(매일 200mg), 어유 보조제(1080mg 에이코사펜타엔산 EPA, 720mg 도코사헥사에노산 DHA, 1.5mg 비타민 E), 비타민 D_3(경구용 300,000IU/1ml), 생강 분말
- 약물치료
  - 비스테로이드성 소염제
  - COX-2 억제제
  - 호르몬 피임제: 에스트로겐-프로게스테론 방법(경구용 약, 피부 패치, 질 링), 프로게스테론 단독 요법(근육주사제 DMPA, 자궁내 장치 LNG-IUS, 피하이식법)
  - 자궁근 이완제: glyceryl trinitrate, 니페디핀, 마그네슘
  - phoaphadiesterase 억제제: 산화질소의 혈관확장과 근육층의 혈류 촉진 효과
- 보완대체요법
  - 침
  - 복합 허브요법
- 경피적 전기신경자극: TENS

무월경

① 정의

- 무월경(월경이 없는 것)은 시상하부, 뇌하수체, 난소, 자궁, 질의 기능장애로 인해 일시적, 간헐적, 영구적인 상태가 될 수 있다.
- 무월경은 질병여부에 따라 생리적 무월경과 병리적 무월경으로 분류하거나, 원발성과 속발성으로 분류한다.
- 원발성 무월경은 2차 성징의 발현이 없이 13세까지 초경이 없는 경우 또는 2차 성징의 발현은 있으나 15세까지 초경이 없는 경우이다. 속발성 무월경은 과거 규칙적인 월경이 있던 여성이 월경주기의 3배 이상의 기간 동안 월경이 없거나 과거 불규칙한 월경이 있었던 여성이 6개월 이상 월경이 없는 경우이다.
- 원발성 무월경은 드물지만, 속발성 무월경은 매우 빈도가 높다.

② 원인

- 원발성 무월경은 원인은 주로 유전적 질환이나 해부학적 기형으로 생식샘발생장애(43%), 뮬러관무형성(15%)이며, 다음으로는 생리적 사춘기 지연(14%), 다낭성 난소증후군(7%), 생식샘자극호르몬방출호르몬(GnRH) 결핍(5%), 가로질중격(3%), 체중감소/신경성 식욕부진(2%), 뇌하수체저하증(2%) 등이다. 원발성 무월경의 경우 원인을 규명하기 위해 검사를 즉시 해야 한다.

- 속발성 무월경의 주요 원인은 임신이다. 그 외 속발성 무월경은 주로 시상하부성(거의 대부분 기능성 시상하부성 무월경)(35%), 뇌하수체(고프로락틴혈증, 빈안장증후군, Sheehan 증후군, 쿠싱증후군)(17%), 난소(다낭성 난소증후군, 일차성 난소부전)(40%), 자궁유착(7%), 기타(1%)로 선천성 부신과다형성, 난소와 부신의 종양, 갑상선기능저하증 등이다. 무월경이 3개월 이상 지속되고 희소월경이면 검사를 해야 한다.

③ 진단검사

1) 임신 가능성을 먼저 확인

2) 문제가 발생된 위치를 결정하기 위해 월경주기의 통제 위치인 시상하부, 뇌 하수체, 난소, 자궁에 기초하여 고려

3) 원발성 무월경의 진단검사

(1) 일반적인 접근법

원발성 무월경은 유방 발달의 여부, 자궁의 유무, 난포자극호르몬(FSH) 수준을 중점으로 평가하면 효과적이다. 유방 발달은 에스트로겐 활동의 지표이며 난소 기능의 지표이고, 자궁유무는 초음파나 MRI로 확인이 가능하다.

FSH가 증가된 경우, 생식샘발생장애(터너 증후군 포함)를 진단할 수 있고, 핵형을 확인해야 한다.

FSH가 정상이고 초음파 검사에서 자궁이 없다면, 뮬러관 무형성이나 안드로겐 불감성 증후군을 진단할 수 있다. 뮬러관 무형성의 경우 순환 테스토스테론이 정상 수치이고, 안드로겐 불감성 증후군의 경우 순환 테스토스테론이 남성의 수치 정도이다.

FSH가 정상이고 유방발달이 있으며, 초음파로 자궁 내나 질에 혈액을 감지했다면 배출 경로가 폐쇄되어 있다는 것이다.

FSH가 낮거나 정상이고 자궁이 있으면, 사춘기 발달 정도를 추가로 평가해야 한다. 체질적인 사춘기 지연과 선천성 생식샘자극호르몬방출호르몬(GnRH) 결핍을 감별하고, 원발성 무월경의 원인이면서 속발성 무월경의 흔한 원인들을 조사한다.

(2) 과거력

원발성 무월경의 단독 원인이 몇 가지 있지만, 속발성 무월경의 모든 원인이 원발성 무월경을 일으킬 수도 있다. 그러므로 원발성 무월경의 여성에게 다음의 질문을 한다.

- 급성장, 겨드랑이와 음부의 털, 여드름, 유방발달을 포함한 사춘기 어떤 발달 단계에 있는가? 사춘기 발달이 없는 것은 에스트라디올 분비의 결핍을 나타내고, 이는 시상하부나 뇌하수체 질병, 난소부전, 염색체 기형으로 발생할 수 있다.
- 사춘기 지연이나 부재에 대한 가족력이 있는가?
- 가족원과 비교하여 여성의 키는 어느 정도인가? 작은 키는 터너증후군이나 시상하부-뇌하수체질환으로 인한 성장호르몬 결핍을 나타낸다.
- 신생아기와 아동기의 건강은 정상이었는가? 신생아 때의 위기는 선천성 부신과다형

성를 의미한다. 건강하지 못한 것은 시상하부-뇌하수체 질환의 발현일 수 있다.

- 고안드로겐증의 증후나 남성화가 있는가? 여드름과 다모증은 다낭성 난소증후군과 동반된다. 반면 남성화는 안드로겐을 분비하는 난소종양이나 부신종양, 5-알파환원 효소결핍으로 인해 중증의 안드로겐 과다를 나타낸다.
- 스트레스가 있는가? 체중, 식이, 운동 습관의 변화, 질병은 시상하부성 무월경을 일으킨다.
- 무월경을 유발하는 약물을 복용하고 있는가?
- 프로락틴의 과다가 있는 갈락토오스혈증이 있는가? 이것은 시상하부나 뇌하수체 질환, 약물에 의해 발생할 수 있다.
- 시야 결핍, 피로, 다뇨증, 다갈증과 같은 다른 시상하부-뇌하수체 질환의 증후들이 있는가?

(3) 신체검진

가장 중요한 단계는 자궁유무에 대한 신체검진으로 결정된다. 추가로 질과 자궁경부의 해부학적 기형을 평가해야 한다. 원발성 무월경을 유발하는 해부학적 기형은 무공처녀막, 가로질중격, 질무형성이 있다.

다른 신체검진의 결과

- 유방발달 : Tanner의 단계를 사용하여 평가한다.
- 성장 : 키, 체중, 양팔을 펼쳤을 때의 길이, 성장차트
- 피부 : 다모증, 여드름, 피지, 백반, 튼살
- 터너증후군의 외모
- 생식기 검진 : 음핵 크기, 음모 발달, 처녀막, 질 길이, 자궁경부, 자궁, 난소의 존재
- 골반초음파 : 만약 질, 자궁이 신체검진에서 확실히 없다고 판단되면, 골반초음파를 시행하여 난소, 자궁, 자궁경부의 유무를 확진한다.

(4) 초기 검사실 검사

모든 원발성 무월경의 여성은 혈청 융모성선자극호르몬(hCG), 난포자극호르몬(FSH), 갑상선자극호르몬(TSH), 프로락틴(PRL)을 검사해야 하며, 이는 속발성 무월경의 경우도 같다. 신체검진의 결과에 따라 추가 검사를 할 수 있다.

(5) 초기 결과에 따른 추가 평가

- 자궁 유무 : 원발성 무월경이 있는 대부분의 여성은 자궁이 있다. 이들 중에 대부분은 생식샘발생장애를 유발하는 염색체 기형이 있다. 자궁이 있는 여성은 초기 검사실 검사(FSH, TSH, PRL)결과, 유방발달의 여부(난소 기능의 지표), 신체검진으로 배출경로 장애를 나타내는 해부학적 기형의 여부에 따라 추가 평가를 해야 한다. 자궁이 없는 여성은 추가 검사로 핵형과 혈청 총테스토스테론을 평가한다.
- 혈청 고난포자극호르몬 : 혈청 고난포자극호르몬 수치는 원발성 난소부전을 나타낸다.
- 혈청 저난포자극호르몬 또는 정상 난포자극호르몬: 이는 중추 시상하부-뇌하수체 과정, 해부학적 기형에 의한 배출경로의 장애, 내분비 장애(특히 이차성 무월경의 원인임)를 나타낸다. 유방발달의 여부는 이들 질환을 분류하는데 도움이 된다.

4) 속발성 무월경의 진단검사

(1) 임신확인

임신 검사는 이차성 무월경 평가의 첫 번째 단계이다.

(2) 과거력

- 스트레스가 있는가? 체중, 식이, 운동 습관의 변화, 질병은 시상하부성 무월경을 일으킨다.
- 무월경을 유발하는 약물을 복용하고 있는가?
- 고안드로겐증의 증후나 남성화가 있는가? 여드름과 다모증은 다낭성 난소증후군과 동반된다. 반면 남성화는 안드로겐을 분비하는 난소종양이나 부신종양, 5-알파환원 효소결핍으로 인해 중증의 안드로겐 과다를 나타낸다.
- 시야 결핍, 피로, 다뇨증, 다갈증과 같은 다른 시상하부-뇌하수체 질환의 증후들이 있는가?
- 프로락틴의 과다가 있는 갈락토오스혈증이 있는가? 이것은 시상하부나 뇌하수체 질환, 약물에 의해 발생할 수 있다.
- 산과적 문제, 심한 출혈, 자궁내막염, 자궁내막의 반흔을 생성하게 하는 다른 감염이나 수술(Asherman 증후군)이 있었는가?

(3) 신체검진

이차성 무월경이 있는 여성을 검사할 때는 키와 체중을 측정한다. 50% 이상의 다낭성난소증후군의 여성에서 BMI $30kg/m^2$ 이상이 관찰되었고, 섭식장애, 강도 높은 운동, 체중감소를 유발하는 질병을 원인으로 하는 기능성 시상하부성 무월경에서 BMI $18.5kg/m^2$ 미만이 관찰되었다.

다모증, 여드름, 튼살, 흑색가시세포증, 백반, 쉽게 멍드는 지를 검사한다. 유방, 외음부와 질 검진, 이하선 부종, 섭식장애(신경성식욕부진, 신경성과식증)를 나타내는 치아 에나멜의 손상을 검사한다.

(4) 초기 검사실 검사

원발성 무월경의 검사와 같다.

(5) 초기 결과에 따른 추가 평가

에스트로겐 상태 평가 : 난포자극호르몬 수치를 해석하고 치료를 위해서도 혈청 에스트로겐(estradiol, E2) 상태를 평가해야 한다. 저에스트로겐 환자는 골손실을 예방하기 위해 에스트로겐 대체요법이 필요하고, 에스트로겐을 생성하는 사람들은 자궁내막을 보호하기 위해 프로게스테론을 병행해야 한다. 시간에 따른 에스트로겐 상태는 프로게스테론 부하검사로 평가할 수 있다.

정상 또는 저 혈청 난포자극호르몬 농도: 정상 혈청 PRL과 TSH, 정상 또는 저 혈청 난포자극호르몬 농도, 자궁의 병력이 없는 여성은 시상하부-뇌하수체 질환이나 다낭성 난소증후군일 가능성이 있다. 낮거나 "정상"인 혈청 난포자극호르몬 농도는 혈청 에스트라디올 농도가 낮을 때 부적절하게 낮아지고, 이차성(생식샘자극호르몬 저하성) 생식샘기능저하증을 나타난다.

시상하부성 무월경은 질병과 Ⅰ형 당뇨병과 같은 전신질환에서도 볼 수 있다. 그러므로 당뇨병을 배제하기 위해 공복 혈당 또는 당화 혈색소(HbA_1C)를 측정한다.

뇌의 안장 부분의 자기공명영상(MRI) 촬영은 시상하부나 뇌하수체의 병변의 가능성을 평가하는 것이다.

높은 혈청 프로락틴 농도는 스트레스에 의해 일시적으로 증가할 수 있으므로 반복적으로 검사한다. 갑상선기능저하증은 간혹 프로락틴혈증을 일으킬 수 있기 때문에 갑상선 질환에 대한 검사를 시행한다.

- 높은 혈청 난포자극호르몬 농도 : 높은 혈청 난포자극호르몬 농도는 조기난소부전을 나타낸다. 그러나 조기난소부전이 있는 여성은 간헐적인 난포 발육이 발생하여 혈중 난포자극호르몬 농도가 일시적으로 정상화된다. 난소 비활성 및 무월경의 시기에는 난포자극호르몬이 높고 혈청 에스트라디올은 정상 폐경과 비슷한 수준이다. 조기난소부전(생식기 독성 화학요법 또는 방사선요법)에 대한 명백한 촉진요인이 없는 환자의 경우, 터너증후군(모자이즘 포함)을 찾는 핵형을 포함하여 조기난소부전의 가장 일반적인 원인을 배제하기 위해 추가 검사를 수행한다.
- 정상적인 검사결과와 자궁 병력 : 정상적인 검사 결과와 자궁 병력이 있는 여성은 자궁내 유착증(Asherman 증후군)을 평가해야한다. 프로게스테론 부하검사를 하여 쇠퇴성 출혈을 확인한다. 출혈이 발생하지 않으면 에스트로겐과 프로게스테론을 투여한다. 이 약물 투여를 중단한 후 출혈이 없으면 자궁내막 반흔을 나타낸다. 이때 자궁난관조영술이나 자궁경으로 자궁내막을 직접 확인하여 자궁내 유착을 확인한다.
- 높은 혈청 안드로겐 농도 : 임상 양상에 따라 높은 혈청 안드로겐 수치는 다낭성난소증후군이거나, 혈청 안드로겐 수치가 매우 높으면 난소나 부신의 안드로겐 분비 종양일 수 있다. 다낭성 난소증후군을 가진 많은 여성들은 고안드로겐혈증(여드름, 다모증)이거나 고안드로겐혈증이 없을 수 있다. 안드로겐을 분비하는 종양은 전형적으로 빠른 악성화 증상이 있고, 일부 부신의 안드로겐 분비 종양의 경우, 글루코콜티코이드 과량과 관련이 있다.
- 비정상 TSH : 갑상선기능저하증과 갑상선기능항진증은 희발월경 또는 무월경과 관련된다. 3세대 갑상선자극호르몬(TSH) 분석은 대개 갑상선기능저하증, 갑상선기능항진증을 진단하는데 도움이 된다.

④ 치료 및 간호관리

무월경의 치료는 가능하다면 기존 질병을 교정하고, 여성이 요구하면 수태능력을 얻도록 하며, 질병의 합병증을 예방(골다공증을 예방하기 위한 에스트로겐 대체요법)할 수 있도록 한다.

1) 원발성 무월경

- 원발성 무월경의 모든 여성은 원인, 잠재적 치료, 생식능력에 대해 상담을 해야 한다. 심리상담은 뮬러관무형성과 Y 염색체 부재가 있는 환자에게 특히 중요하다.
- 수술은 선천적 해부학적 병변, Y 염색체로 발생한 무월경이 있는 환자에게 필요하다. 질구 폐쇄는 진단한 후 바로 월경혈의 배출을 위해 수술을 해야 하고, 질형성 수술을 하는 여성의 경우는 여성이 감정적으로 성숙하고 수술 후 간호를 할 수 있을 때까지 기다린다.
- 원발성 난소부전이 있는 여성은 호르몬 치료의 이득과 위험을 상담해야 한다. 가임기 저에스트로겐혈증의 여성에게 호르몬 대체요법이 골 손실을 예방하고, 잠재적인 조기 심혈관질환의 위험을 예방하는데 중요하다.
- 다낭성난소증후군이 있는 여성에게 고안드로겐혈증의 치료는 여성의 목표(다모증 감소, 월경과 수태능력 재개)를 성취하고 다낭성 난소증후군의 장기적인 합병증(자궁내막증식증, 비만, 대사장애)을 예방하는 것이다.
- 기능성 시상하부성 무월경은 체중증가, 운동 강도의 감소, 질병의 치료, 정서적 스트레스 해소로 회복될 수 있다.
- 시상하부, 뇌하수체의 장애가 있는 여성이 임신을 원할 경우, 외부 생식샘자극호르몬이나 생식샘자극호르몬방출호르몬을 처방한다.

2) 속발성 무월경

(1) 시상하부성 무월경

- 라이프 스타일 변화

  많은 여성 운동선수의 경우, 에너지 소비를 맞추기 위해 적절한 칼로리 섭취의 필요성을 설명하고 칼로리 섭취를 늘리거나 운동량을 줄여서 월경이 재개되도록 한다.

  저체중이거나 영양부족이 있는 여성 운동선수가 아닌 경우, 영양 상담을 받아야하며, 섭식장애 평가와 치료를 전문으로 하는 종합전문팀에게 의뢰한다.

- 인지 행동 치료

  인지 행동 치료는 배란주기 회복에 효과적일 수 있다.

- 낮은 골밀도 관리

  초기 비 약물 치료: 정상적인 골대사의 회복은 뼈 형성을 위한 영양 회복과 골 재흡수를 감소시키는 시상하부-뇌하수체-난소(HPO) 축의 활성화가 필요하다. 골밀도를 향상시키는 가장 좋은 방법은 칼로리 섭취를 늘리거나 운동을 줄이는 것, 또는 두 가지 모두를 하는 것이다.

- 칼슘과 비타민 D 보충

  환자는 매일 칼슘 1200~1500mg과 보충 비타민 D(매일 600 국제 단위)를 섭취하도록 권장한다. 혈청 25-hydroxyvitamin D 수치가 낮으면 더 많은 양을 섭취해야 한다. 그러나 칼슘과 비타민 D 보충만으로는 저 골밀도를 예방하거나 치료하기에 충분하지 않다.

- 약물 치료

  에스트로겐 대체요법을 고려하기 전에 월경이 재개되는지 1년 동안 여성들을 추적조사한다. 비약물요법 6개월에서 12개월 후 월경 재개가 없는 청소년과 젊은 여성에게 저골밀도 치료를 위해 에스트로겐을 사용한다. 그러나 낮은 골밀도와 재발성 골절의 상태에서 행동 변화가 잘 되지 않는 환자는 초기에 즉시 약물치료를 한다.

(2) 1차 난소부전(조기 난소부전)

1차 난소부전을 가진 여성은 골밀도 감소를 예방하기 위해 에스트로겐 요법을 받아야 한다. 경구피임약(환자가 간헐적인 난소기능을 가지고 있고 임신을 원치 않을 경우) 또는 에스트로겐 및 프로게스틴 대체요법을 사용할 수 있다.

(3) 자궁내막 유착

Asherman 증후군(자궁내유착)의 치료는 자궁내막 조직의 재성장을 촉진하기 위해 장기간의 에스트로겐 투여 후 자궁경을 이용해 유착을 제거하는 것이다.

(4) 다낭성 난소증후군

고안드로겐성 증후군의 치료는 여성의 목표(예 : 다모증의 완화, 월경 재개, 수태능력 회복)를 성취하고, 다낭성 난소증후군의 자궁내막 증식, 비만, 대사장애와 같은 장기간의 합병증을 예방하는 것이다. 다낭성 난소증후군이 있는 여성의 치료는 수태능력의 요구 여부에 따라 달라진다.

(5) 갑상선 질환

갑상선 질환이 있는 경우, 질환에 따른 관리를 한다.

비정상 자궁출혈

1 비정상 자궁출혈의 유형

유형	양상
희발월경(oligomenorrhea)	35~40일 이상의 간격으로 오는 불규칙한 월경
다발월경(polymenorrhea)	21일 이하의 간격으로 규칙적 혹은 불규칙적으로 오는 월경
월경과다증(hypermenorrhea)	주기는 규칙적이나 출혈량이 과다하고 기간이 긴 월경
과소월경(hypomenorrhea)	주기는 규칙적이나 기간이 1~2일로 짧은 월경
월경과다(menorrhagia)	월경이 7~8일 이상 지속되며 실혈량도 80~100ml 이상의 다량의 월경
자궁출혈(metrorrhagia)	대개 양은 과다하지는 않으나 불규칙적인 간격으로 일어나는 출혈
불규칙 과다월경(menometrorrhagia)	규칙적이거나 혹은 불규칙적인 간격으로 빈번하게 양이 많고 기간도 긴 출혈

월경간 출혈 (intermenstural bleeding)	규칙적인 월경주기와 주기 사이에 나타나며 대개 양이 많지 않은 출혈
월경전 점상출혈 (premenstural spotting)	정상 월경 2~3일 전에 있는 출혈
기능장애 자궁출혈 (dysfunctional uterine bleeding)	일반적인 진단방법에 의해서 진단되는 기질적 질환 없이 오는 불규칙한 비정상 자궁출혈

② 기능장애 자궁출혈(dysfunctional uterine bleeding: AUB)

다양한 내분비이상에 의해 일어나는 자궁내막의 부정출혈을 총칭한다.
기능장애 자궁출혈 병태의 기본은 시상하부–뇌하수체–난소의 기능상실이다.

1) 증상과 징후

사춘기 또는 갱년기 여성에게 많고 부정출혈을 보인다.

2) 진단검사

각종 검사에서 임신, 기질적 질환(종양, 외상, 염증) 등이 없을 경우, 기능장애 자궁출혈이라고 한다.

3) 치료 및 간호관리

출혈에 대한 치료를 먼저 시행하는 경우가 많아서, 처음에는 지혈제를 투여한다. 호르몬요법이 기본이다.
- 출혈이 소량이며 출혈기간이 짧은 경우에는 경과를 관찰한다.
- 지혈, 자궁내막의 안정화를 위해 호르몬요법을 한다.
  - 저용량 OCs(oral contraceptive drug)
  - 프로게스테론의 주기적 투여
  - 에스트로겐 · 프로게스테론 투여

월경전증후군(premenstrual syndrome, PMS)

월경전증후군은 두통, 흥분, 우울, 유방의 민감성, 월경의 시작과 명백하게 관련이 있는 고창(bloating) 등과 같은 증후군을 가리킨다.

- 원인
  - 호르몬 불균형, 프로스타글란딘, 엔도르핀, 월경과 관련된 신념이나 태도 등의 정신적 요인, 영양, 스트레스 등의 환경적 요인과 관련이 있다.
  - 30대의 여성에게 가장 흔하다.
  - 월경을 하는 여성의 25~50%에서 발생한다.

1 간호 사정

- 신체적 : 사지부종, 복부팽만감, 유방의 부종과 민감성, 두통, 현기증, 심계항진, 여드름, 요통, 변비, 갈증, 체중증가
- 행동적 : 과격, 피로, 나른함, 우울, 두려움, 울고 싶은 기분
- 월경시작 7~14일 전에 시작되어 월경 1~2일 후에는 사라짐

2 간호진단

- 증상조절에 대한 무력감과 관련된 불안

3 간호중재

1) 진단적 간호중재

- 증상과 증상의 시작, 완화방법에 대해 사정한다.
- 식이, 활동, 휴식 습관을 사정한다.
- 증상에 대한 반응과 대처방법을 사정한다.

2) 치료적 간호중재

- 염분과 카페인, 담배, 술, 정제설탕의 섭취를 제한한다.
- 유산소운동(엔도르핀을 증가시키기 위해), 좋은 영양, 휴식을 증진시킨다.
- 비타민 B_6 보충제를 투여한다.
- 프로게스테론 대체요법 또는 자연적인 호르몬을 억제하기 위해 호르몬성 피임약을 투여한다.
- 프로스타글란딘 억제제(ibuprofen)를 투여한다.

- 수분정체와 체중증가를 감소하기 위한 이뇨제를 투여한다.
- 정서적 증상을 위한 안정제 또는 세로토닌 재흡수 억제제(poxil)를 투여한다.
- 하루 1,200mg의 칼슘 보충제를 섭취하면 감정의 기복, 불안정, 우울, 불안 등이 감소된다.
- 차도가 없을 경우 상담을 의뢰한다.
- 개인 차이에 따라 관리하며 합병증은 없다.

3) 교육적 간호중재

- 몇 달간 월경 날짜, 주기, 증상, 통증의 심한 정도, 스트레스 정도 등을 기록하도록 한다.
- 처방된 약물의 사용과 부작용을 교육한다.
- 월경전증후군의 가능한 원인과 비약물적인 동증 완화법을 교육한다.
- 연상법, 심호흡과 같은 스트레스 완화법을 교육한다.
- 대체요법에 대해 환자와 상의한다. 비타민, 한약, 천연 프로게스테론 크림, 하루에 15분 정도 노출하는 약한 빛 등, 이 중 과학적으로 입증된 것은 없으나 대부분 안전한 경우 대체 방법으로 사용할 수 있다.
- 지역사회 내 이용 가능한 정보와 지지체계를 알려준다.

4) 불안경감

- 처방된 약을 투약한다. 이뇨제는 배뇨를 촉진하고, 진정제는 졸음을 유발하고 인지변화가 있을 수 있음을 알려준다.
- 환자와 가족에게 정서적 지지를 제공한다.
- 불안사정도구를 환자에게 교육하여 환자 자신이 증상이 심각해지지 않도록 조절한다.

4 간호평가

상황에 대한 조절감 증가로 불안감 감소를 말로 표현한다.

월경전곤란증(dysmenorrhea)

월경전곤란증은 통증성 월경으로 부인과적 기능 이상의 가장 흔한 형태이다.

1) 원인

(1) 원발성

- 골반 병변이 없다. 보통 근본적으로 자궁에서 유래한다.
- 자궁내막의 증가된 프로스타글란딘 생산이 주요인이다.
- 호르몬, 폐색, 정서적 요인도 역시 원인이 될 수 있다.

(2) 속발성

- 자궁내막증, 골반감염, 선천성 기형, 자궁섬유증, 난소낭종 같은 병변에 의한다.

① 간호사정

- 증가된 자궁의 수축성과 감소된 내막성 흐름으로 인한 통증
- 통증의 성격 : 산통성, 둔한 통증, 보통 하복부에 경련성이나 지속적인 통증
- 오심과 구토, 설사, 두통, 오한, 피로, 요통 등

Tip

다른 병변과 구별하기 위한 검사
- 클라미디아와 임질검사 : 감염확인
- 골반 초음파 검사 : 종양, 자궁내막증, 낭종 확인
- 혈청, 소변, 임신검사 : 자궁외임신 확인
- 자궁경과 복강경 : 자궁내막증 확인

② 간호진단

월경과 관련된 안위의 변화

③ 간호중재

- 원인을 밝혀내기 위해 월경력과 부인과적 병력을 사정한다.
- 10점 척도의 기준표를 사용하여 통증을 사정한다. 통증에 대한 환자의 반응을 사정한다.
- 감염과 구별하기 위해 활력징후, 특히 체온을 측정한다.
- 병변검사를 위해 복부와 골반검사를 한다.

1) 치료적 간호중재

- 국소적인 온찜질 : 온찜질은 혈류를 증가시키고 경련을 감소시킨다.
- 운동 : 통증 수용체를 감소시키는 엔도르핀 분비를 증가시키며, 프로스타글란딘의 분비를 감소시킨다.
- 비스테로이드성 소염 진통제 투여한다.
- 호르몬성피임제 ibuproten, naproxen, valdecoxib 투여, 생리양과 수축성을 감소시킨다.
- 일부 경우 소파술이 시행되기도 한다.
- 보통 합병증이 없는 경우 자가조절을 하게 된다.

2) 교육적 간호중재

- 환자에게 가능한 월경곤란증의 원인에 대해 설명한다.
- 비약물적인 통증 완화법을 교육한다.
  - 하복부에 온찜질을 하거나 온목욕을 한다.
  - 규칙적인 운동(3회/주, 30분씩)을 시행한다.
- 불편감 초기, 특히 월경 첫날 처방된 약을 효과적으로 사용하도록 지도한다.

- 약물의 부작용에 대해 알려준다.
- 적절한 수면, 충분한 영양 섭취, 운동, 스트레스원의 극복을 통해 스트레스를 완화하도록 한다.
- 월경에 관한 느낌(청결 문제, 불편감, 여성으로서의 확인)을 이야기하도록 한다.

3) 통증조절
- 통증과 월경을 조절하기 위해 처방된 약물을 투여한다.
- 환자가 원하면 허리나 복부 부위에 따뜻한 물수건을 대준다.
- 통증 완화법에 대한 환자의 방법을 사정한다.
- 환자에게 감정을 표현할 수 있도록 격려한다.
- 활동과 운동은 가능한 대로 할 수 있도록 격려한다.

④ 간호평가
통증 완화방법을 적용하며, 통증 수준이 저하되었음을 말로 표현한다.

무월경(amenorrhea)

무월경이란 월경이 없는 것을 말한다.

원인
(1) 원발성
- 이차성징의 발현이 없이 13세까지 초경이 없거나 이차성징의 발현은 있으나 15세까지 초경이 없는 경우를 말한다.
- 염색체 이상, 호르몬 이상, 영양 이상, 정신적 이상에 의한다.

(2) 속발성
- 이전에 규칙적인 월경을 했던 여성이 3회의 월경주기 동안 월경이 멈추었거나, 이전에 월경을 불규칙적으로 했던 여성이 6개월 동안 무월경이다.
- 정상적인 임신과 수유, 폐경, 정신·호르몬·영양 또는 운동 관련 이상으로 인한다.
- 심한 운동이나 부적절한 영양 상태로 인한 체내 지방저장의 감소는 젊은 여성들의 무월경의 대부분의 원인이 된다.
- 다낭성 난소 질환에 의한 무배란 : 비만 여성에게 흔히 나타난다.
- 뇌하수체 종양이나 갑상샘 질환(갑상샘 기능항진증) 등이 호르몬성 원인이 된다.
- Phenothiazine과 호르몬성 피임약 등이 무월경을 초래한다.
- 우울, 심각한 정신적·신체적 충격 후, 방사선 치료 후에 무월경이 올 수 있다.

❶ 간호사정

1) 임신검사

2) 프로게스테론 자극검사
- 양성 : 출혈이 있다. 만성 무배란일 가능성이 가장 크다.
- 음성 : 출혈이 없다. 장기 이상을 의미한다. 다른 검사가 필요하다.

3) 호르몬검사
- LH와 FSH를 측정하여 난소부전을 검사한다.
- 갑상샘자극호르몬을 측정한다(갑상샘 기능항진 시 감소).

4) 프로락틴 검사
- 뇌하수체 종양과 구별한다.

5) 유전자검사
- 염색체 이상을 검사한다.

❷ 간호진단
- 불량한 식습관이나 심한 운동과 관련된 영양 부족
- 원인을 모르거나 진단검사 혹은 신체상 변화 등과 관련된 불안

❸ 간호중재
- 비정상적인 외음부, 남성화, 작은 키, 특징적인 얼굴 등 염색체 이상의 징후를 사정한다.
- 두통, 시력 이상, 어지러움, 뇌하수체 유즙분비 등 종양의 징후를 사정한다.
- 체중과 신체상을 사정하고 식욕부진이나 운동으로 인한 지방소실을 사정하기 위해 체중변화와 영양상태, 운동습관 등을 사정한다.
- 정서적 상태, 스트레스, 대처능력 등을 사정한다.

1) 치료적 간호중재
- 원인이 될 만한 약물은 중단한다.
- 영양적 또는 정신적인 상담을 권한다.
  - 운동선수의 경우 신체의 지방저장을 늘리고, 스트레스를 줄이기 위해 운동을 줄인다.
  - 비만여성의 경우 체중을 감소한다.
- 월경주기 조절을 위해 호르몬 대체요법을 시행한다.
- 다낭성 난소 질환의 경우 인슐린 저항이 있는 새로운 약물을 사용한다.
- 종양이나 다른 질환이 있을 경우 이 치료를 우선으로 한다.

2) 교육적 간호중재
- 정상적인 생리주기와 무월경의 가능한 원인에 대한 기전을 설명한다.

- 처방된 약물의 적절한 사용법과 부작용에 대해 설명한다.
- 달력에 생리주기를 표시하는 방법을 알려주고, 규칙적인 부인과적·임상적 추후관리를 유지하도록 한다.

3) 영양요구량 충족
- 환자의 신체상, 5대 영양소에 대한 지식, 식사 시의 행동, 규칙적인 운동 등을 확인하고 오해나 위험한 행동, 영양증진을 위한 대안을 확인하다.
- 체중증가, 신체 지방증가, 생리주기의 회복 등을 모니터한다.

4) 불안감소
- 환자와 가족에게 정서적 지지를 제공한다.
- 진단검사 결과를 설명해준다.
- 비효과적인 대처기전을 확인하고 이완요법과 자기 주장 훈련과 같은 좀 더 긍적적인 대처기전을 교육한다.

5) 합병증
장기간의 무월경은 자궁내막의 에스트로겐 자극을 방해하여 자궁내막의 이형성을 초래할 수 있다.

❹ 간호평가
- "적절한 식이섭취와 0.9kg 정도의 체중증가가 있다"라고 말한다.
- 검사결과를 이해한다고 표현한다.

비정상 자궁출혈(abnormal uterine bleeding, AUB)

원인
- AUB는 흔히 청소년층에서 미성숙된 시상하부 자극으로 인한 경우가 많다.
- 특정 나이, 특히 10대와 폐경기 무렵의 여성에게서는 무배란으로 인해 AUB가 발생할 수 있다. 이것은 난포생성이나 파열의 부전 또는 황체 기능부전이 원인일 수 있다.
- 폐경 전후 여성의 난소부전이 흔한 원인이 된다.
- 배란 시 일시적인 에스트로겐의 중단은 배란중기 출혈의 원인이 된다.
- 정서적 불안, 영양불량, 운동의 변화로 시상하부에서 분비되는 성선자극호르몬 방출호르몬의 변화를 초래하고 이는 월경양상의 변화를 초래한다.

① 간호사정

- 과소월경(oligomenorrhea): 생리량이 현격하게 줄어드는 것으로 불규칙적이거나 장기간 주기가 지속된다.
- 과다월경(menorrhagia): 규칙적인 월경주기 동안 과다한 출혈이 있는 것으로, 기간이나 양이 증가할 수 있다.
- 자궁출혈(metrorrhagia): 규칙적인 월경주기 사이에 자궁으로부터 출혈이 있는 것으로 병적인 증상이다.
- 빈발월경(polymenorrhea): 3주보다 짧은 간격으로 월경이 있는 잦은 월경을 말한다.

다른 비정상적인 출혈의 병리학적 원인과의 구별을 위해 검사를 실시한다.
- 임신검사
- 빈혈, 혈소판, 응고검사 등의 전혈구검사
- 갑상샘기능저하증 구별을 위한 갑상샘자극호르몬(수치의 상승) 검사
- 악성 종양과의 구별을 위한 PAP 도말검사
- 손상이나 이물질과의 구별을 위한 신체검진
- 골반염증성질환과의 구별을 위한 클라미디아와 임질검사
- 난소낭종과 종양, 자궁섬유증, 종양 등과의 구별을 위한 골반초음파
- 자궁섬유증, 폴립, 기타 다른 병변의 진단을 위한 자궁경 검사
- 자궁의 호르몬 영향검사와 종양과의 구별을 위한 자궁내막 생검
- 자궁내막증 검사를 위한 복강경검사

② 간호진단

- 심한 혈액소실과 관련된 피로
- 과도한 또는 예측 불가능한 출혈과 관련된 두려움

③ 간호중재

- 월경력, 부인과력, 성적활동, 임신력에 대해 사정한다.
- 월경빈도, 기간, 월경량을 사정한다.
- 골반통증, 열, 복부의 덩어리 또는 압통 같은 병리학적 다른 증상을 사정한다.
- 빈혈의 증상과 징후(피로, 숨 가쁨, 창백, 빈맥)를 사정한다.

1) 치료적 간호중재

- 철분 부족으로 인한 빈혈을 치료하고 수혈을 할 수 있다.
- 급성 출혈을 중단하기 위한 프로게스테론 치료를 시행한다.
- 만성적 출혈 조절을 위한 호르몬성 피임약을 복용한다.
- 생리로 인한 출혈소실을 줄이기 위해 danazol(Danocrine)과 함께 안드로겐 치료를 한다.
- 소파술을 시행한다.

- 자궁경을 이용한 내막절제술이나 자궁내막 소작술을 시행한다.
- 반복적인 경우 자궁적출술을 시행한다.

2) 교육적 간호중재

- AUB의 원인과 다른 비정상적인 출혈의 병리학적 원인을 위한 진단적 검사에 대해 설명한다.
- 철분과 철분의 흡수를 돕기 위한 비타민 C가 풍부한 음식을 섭취하여 빈혈을 예방하도록 한다.
- 호르몬 치료와 이것으로 인한 가능한 부작용, 출혈 조절 등에 대해 교육한다. 즉 출혈은 단기간의 프로게스테론 투여 후 2~7일 정도 안에 멈추며, 경구피임제를 복용하였을 경우 첫째 주에 멈추었다가 다시 규칙적인 생리주기에 따라 넷째 주에 다시 시작된다.
- 에너지 수준을 증진한다.
- 철분이 풍부한 균형 잡힌 영양 섭취(곡식과 빵, 육류(특히 붉은 고기), 녹색 채소)를 권장한다.
- 오심방지를 위해 경구 철분보강제를 식사와 함께 복용하도록 한다.
- 헤모글로빈을 모니터하고 처방된 적혈구를 수혈한다.
- 처방된 경우 비강 캐뉼러를 통해 산소를 투여한다.

3) 두려움 완화

- 월경의 양상과 심한 출혈을 위한 치료방안 계획을 돕는다.
- 탐폰이나 패드를 2개씩 착용하도록 한다.
- 누웠다가 또는 앉았다가 일어날 때 월경이 갑자기 쏟아지는 수가 있다는 것을 알려준다.
- 출혈이 조절될 때까지 적절한 양의 패드와 여분의 옷을 가지고 다니도록 한다.

4 간호평가

- 활동에 적절한 에너지를 말로 표현한다.
- 출혈의 조절에 대해 좀 더 자신감을 가지게 되었음을 말로 표현한다.

1 20세 대학생인 여성은 지난 6개월 동안 월경 10일 전부터 10일 동안 하복부 팽만감, 식욕 증진, 피로, 변비, 유방 긴장감, 수면과다의 증상이 6차례 반복적으로 있었다고 호소하고 있다. 이 여성에게 증상완화를 위해 교육해야 할 내용은?

① 규칙적인 운동　　　　② 비타민 C 섭취　　　　③ 조금씩 잦은 식사
④ 오렌지 쥬스 섭취　　　⑤ GnRH 작용제 복용

2 고등학교 2학년인 여학생은 매달 월경을 시작하면 하복부와 허리가 매우 아프고 피곤하며, 오심, 구토, 두통으로 아무 것도 할 수가 없다고 한다. 이 여학생이 왜 이렇게 심하게 아픈 지를 질문하였다. 간호사의 설명으로 옳은 것은?

① 도파민 감소로 인한 것입니다.
② 일시적인 것으로 곧 사라집니다.
③ 자궁수축과 경련으로 인한 것입니다.
④ 학업 스트레스가 심하기 때문입니다.
⑤ 프로게스테론 호르몬의 작용 때문입니다.

3 위 문항의 여학생에게 증상완화를 위해 교육해야 할 내용은?

① 진통제 사용　　　　　② 규칙적인 식사　　　　③ 하복부 집중 운동
④ 하복부와 허리에 냉찜질　⑤ 변비 예방을 위한 식이

4 23세 여성은 14세부터 월경을 시작하다가 최근 3개월 전부터 월경을 하지 않는다고 한다. 이 여성에게 제일 먼저 사정해야 할 내용은?

① 임신가능성　　　　　② 스트레스 수준　　　　③ 식이 섭취 양상
④ 이차성징 발달 상태　⑤ FSH, TSH, PRL 혈청 수치

5 3개월 전에 초경을 한 여성은 이번 달에 2주 만에 월경을 다시 하였다고 한다. 간호사의 설 명으로 옳은 것은?

① 자궁내 감염으로 인한 것입니다.
② 난포의 완전소실로 인한 것입니다.
③ 소파술을 시행하여 원인을 확인합니다.
④ 잦은 월경은 자궁의 종양생성으로 인한 것입니다.
⑤ 초경 초반에는 무배란성으로 월경을 자주 할 수 있습니다.

정답　1.① 2.③ 3.④ 4.① 5.⑤

관련정보

1. 월경주기

- 월경 개시일부터 계산하여, 다음 월경개시 전날까지를 월경주기라고 한다.
- 월경주기는 28~30일인 경우가 가장 많으므로 여기에서는 28일형을 이용한다.
- 월경주기는 자궁내막 주기와 난소 주기로 나누어진다.

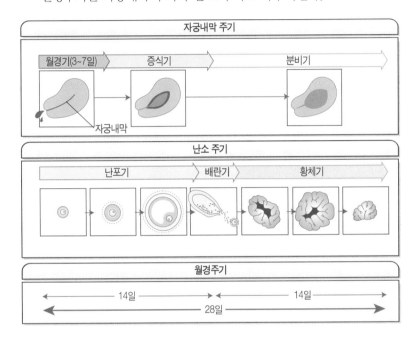

월경주기	25~38일
난포기	17.9±6.2일
황체기	12.7±1.6일

1) 월경에 따르는 증상

두통
정서불안정
하복부통

2) 월경주기의 정상범위

월경주기는 개인차가 크며, 같은 사람에서도 스트레스나 건강상태에 따라서 변동된다.

2. 자궁내막의 변화

- 자궁내막의 기능층이 여성호르몬의 주기적 변화에 따라서 변화한다.
- 자궁내막샘에서의 분비물은 정자나 수정란의 에너지로 사용된다.

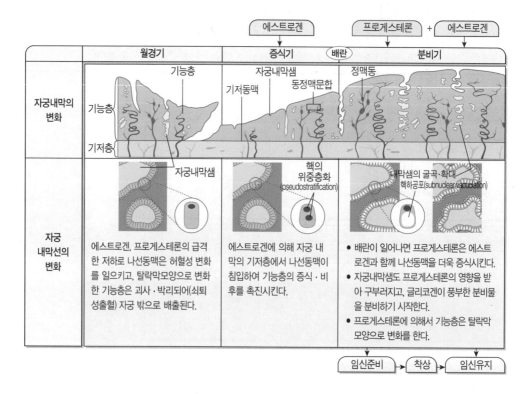

	월경기	증식기	배란	분비기
자궁내막의 변화	기능층 / 기능층 / 기저층	자궁내막샘 / 기저동맥 / 동정맥문합		정맥동
자궁 내막선의 변화	에스트로겐, 프로게스테론의 급격한 저하로 나선동맥은 허혈성 변화를 일으키고, 탈락막모양으로 변화한 기능층은 괴사·박리되어(쇠퇴성출혈) 자궁 밖으로 배출된다.	에스트로겐에 의해 자궁 내막의 기저층에서 나선동맥이 침입하여 기능층의 증식·비후를 촉진시킨다.		- 배란이 일어나면 프로게스테론은 에스트로겐과 함께 나선동맥을 더욱 증식시킨다. - 자궁내막샘도 프로게스테론의 영향을 받아 구부러지고, 글리코겐이 풍부한 분비물을 분비하기 시작한다. - 프로게스테론에 의해서 기능층은 탈락막 모양으로 변화를 한다.

에스트로겐   프로게스테론 + 에스트로겐

자궁내막샘   핵의 위중층화(pseudostratification)   대막샘의 굴곡·확대 / 핵하공포(subnuclear vacuolation)

임신준비 → 착상 → 임신유지

3. 경관점액의 변화

- 경관점액의 분비는 경관내막상피세포에서 난포호르몬에 반응하여, 주기적으로 변화한다.
- 배란직전의 에스트로겐 분비량이 가장 많은 시기에 경관점액의 변화가 가장 현저해진다.

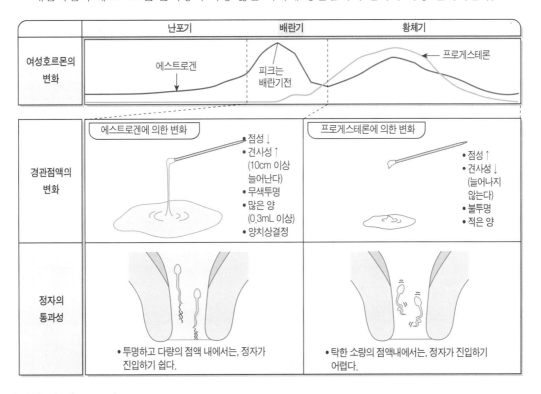

	난포기	배란기	황체기
여성호르몬의 변화	에스트로겐	피크는 배란기전	프로게스테론
경관점액의 변화	에스트로겐에 의한 변화 • 점성↓ • 견사성↑ (10cm 이상 늘어난다) • 무색투명 • 많은 양 (0.3mL 이상) • 양치상결정		프로게스테론에 의한 변화 • 점성↑ • 견사성↓ (늘어나지 않는다) • 불투명 • 적은 양
정자의 통과성	• 투명하고 다량의 점액 내에서는, 정자가 진입하기 쉽다.		• 탁한 소량의 점액내에서는, 정자가 진입하기 어렵다.

양치상 결정(ferning)

- 배란기의 경관점액을 슬라이드글라스에 채취하여, 건조시켜서 보면 양치상 결정이 관찰된다.
- 프로게스테론의 작용으로 경관점액이 저하되는 분비기에는 양치상 결정이 보이지 않는다.
- 난임치료에서 이 양치상 결정 형성의 정도는 초음파검사에 의한 난포계측 결과와 함께, 배란시기의 추정에 이용된다.

4. 뇌하수체-난소-자궁내막-기초체온의 변화

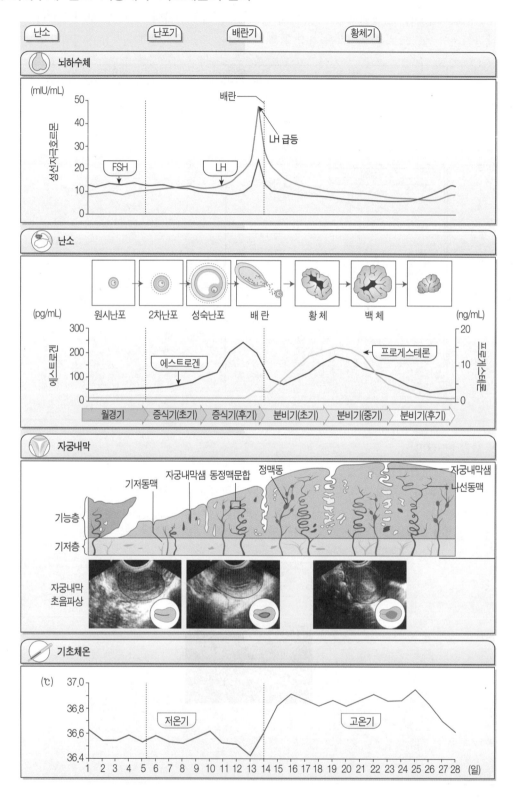

5. 월경곤란증

1) 분류와 비교

월경곤란증은 원발성(기능성)과 속발성(기질성)으로 나누어진다.

초경부터 잠시 동안은 무배란성 월경으로, 10대 후반 경부터 배란성 월경이 확립된다. 이 때문에 배란성 월경에 수반하여 일어나는 기능성 월경곤란증의 호발연령은 10대 후반부터 20대이다.

	원발성 월경곤란증 (primary dysmenorhea)		속발성 월경곤란증 (secondary dysmenorhea)	
정 의	골반 내에는 기질성질환은 없지만 월경곤란증을 수반하는 것이다.		자궁내막증, 자궁선근증, 자궁근종 등이 원인이 되어 월경곤란증을 일으킨다.	
호발연령	10대 후반~20대 전반 이후		30세 이후	
특 징	• 배란성월경에 수반하여 일어난다. • 무배란성 월경에서는 통상 일어나지 않는다. • 월경의 제1~2일째에 증상이 심하지만, 하루만에 경감된다. • 임신·분만을 경험하면 증상이 개선, 소실되는 경우가 많다.	원인질환 없음	무배란성 월경에서도 일어날 수 있다.	원인질환 있음
주요치료	• 프로스타글란딘합성저해제 • 저용량 OCs*		원인질환을 치료	

*저용량 OCs에 의한 배란억제작용 등에 의해서 통증이 개선된다.

Tip

● **프로스타글란딘(PG)**

염증증상의 발현 시에 사이토카인과 함께 방출되는 액성인자로, 통증을 유발하는 물질이다. PGE1, PGE2, PGF1α, PGF2α 등의 종류가 있다. 통증을 유발하는 액성인자에는 그 밖에 히스타민, 세로토닌, 브라디키닌 등이 있다.

6. 월경곤란증의 메커니즘

- 월경곤란증은 다음과 같은 순서로 발생한다.
- 자궁내막에서의 프로스타글란딘합성은 프로게스테론에 의해 조절되며, 증식기에 가장 낮고, 월경기에 가장 높다.

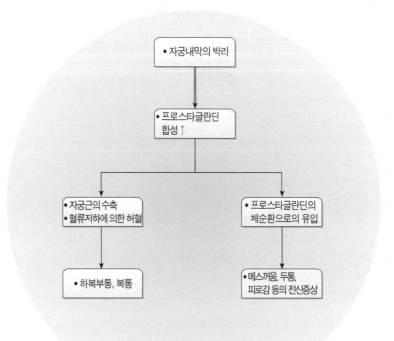

7. 월경곤란증을 평가하는 다차원적 점수 체계

등급(Grade)	작업 능력	신체증상	치료진통제
0 등급 : 월경이 아프지 않고 일상 활동에 지장을 주지 않음	영향을 주지 않음	없음	필요없음
1 등급 : 월경이 아프지만 가끔 정상활동을 방해한다. 진통제가 가끔 필요하다. 약한 통증	드물게 영향을 줌	없음	가끔 필요함
2 등급 : 일상활동에 지장을 준다. 진통제가 필요하고 충분히 완화되어 학교결석은 잘 발생하지 않는다. 보통 정도의 통증	보통정도로 영향을 줌	적음	필요함
3 등급 : 활동이 뚜렷이 억제된다. 진통제의 효과가 좋지 않다. 자율신경증상(두통, 피로, 구토, 설사), 심한 통증	명백히 억제함	명백함	효과가 적음

인용출처 : Andersch B, Milsom I. An epidemiologic study of young women with dysmenorrhea. Am J Obstet Gynecol 1982; 144(6):655–660

8. 무월경

1) 원발성, 속발성 무월경의 주요 원인

등급(Grade)	작업 능력
임신	
해부학적 비정상	
뮬러관 발달의 선천적 기형*	절연 결손(Isolated defect)
	안드로겐 불감성 증후군
	5알파환원효소결핍증
비뇨생식기계의 선천적 기형*	질 하부의 무형성
	무공 처녀막
자궁내 유착	Asherman 증후군
	결핵성 자궁내막염
시상하부-뇌하수체-난소축의 질환	
시상하부 기능장애	절연 GnRH 결핍
	기능성 시상하부성 무월경 ● 체중감소, 섭식장애 ● 과도한 운동 ● 스트레스 ● 심한 또는 지속적인 질병 염증성 또는 침투성 질병 뇌종양 - 예 : 두개인두종 전두개 방사선 조사 외상성 뇌 손상 다른 증후군 - Prader-Willi,Laurence-Moon-Biedl, leptin mutation
뇌하수체 기능장애	고프로락틴혈증 다른 뇌하수체 종양-말단비대증, 콜티코성 선종(쿠싱 질환) 다른 종양- 수막종, 종자세포종, 신경교종 뇌하수체기능저하증의 유전적 원인 빈안장 증후군 뇌하수체 경색, 뇌졸증
난소 기능장애	생식샘 발생장애(터너 증후군 45 X, 46 XY)
	난소부전의 다른 원인들(방사선, 항암화학요법, 염색체 이상, 자가면역 등)
기타	다낭성 난소증후군 갑상선 기능항진증 갑상선 기능저하증 1, 2형 당뇨병 외부 안드로겐 사용

출처 : Welt, C. K., Barbieri, R. L. (2017).
Evaluation and management of secondary amenorrhea. Uptodate : Topic 7402 Version 22.0, Graphic 67072 Version 4.0.

9. Tanner의 여성 유방발달 단계

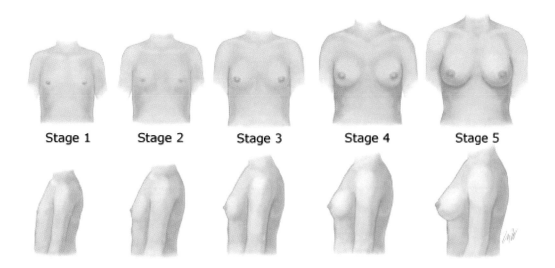

Stage 1   Stage 2   Stage 3   Stage 4   Stage 5

- Stage 1: 사춘기 전
- Stage 2: 유방과 유두의 돌기, 유륜의 직경 증가
- Stage 3: 유방과 유륜이 단일 윤곽으로 계속 증대
- Stage 4: 유방 위로 유륜과 유두의 2차 돌출
- Stage 5: 유방과 유륜이 다시 단일 윤곽 형성하는 성숙 단계

출처 : Welt, C. K., Barbieri, R. L.(2017).
    Evaluation and management of secondary amenorrhea. UpToDate, Topic 7402, Version 22.0. Graphic 67072 Version 4.0

10. 쇠퇴성 출혈

- 호르몬작용으로 인해 증식된 자궁내막이 탈락되는 자궁에서의 출혈을 쇠퇴성 출혈(withdrawal bleeding)이라 한다.
- 비교적 높은 수준으로 유지되고 있던 프로게스테론이나 에스트로겐이 급격하게 감소되었을 때, 에스트로겐이나 프로게스테론의 작용에 의해 증식되어 있던 나선동맥이 유지할 수 없게 된다. 이로 인해 혈행 장애가 생겨 자궁내막이 괴사·박리되어 자궁출혈이 일어난다. 이것을 쇠퇴성 출혈이라고 한다.
- 쇠퇴성 출혈에는 프로게스테론의 저하, 에스트로겐의 저하, 에스트로겐과 프로게스테론 모두의 저하에 의한 것이 있다.
- 정상월경에서는 프로게스테론의 저하가 중심이 되고, 여기에 에스트로겐 저하도 추가되어 쇠퇴성 출혈을 초래한다.
- 이 메커니즘은 기능장애 자궁출혈의 병태뿐 아니라, 프로게스테론이나 부하검사 호르몬 요법을 비롯한 여러 검사나 치료의 기본적인 이해로 연결된다.

- 혈중 에스트로겐 농도가 정상인 경우, 출혈 유발에는 프로게스테론을 주기적으로 투여하고, 혈중 에스트로겐 농도가 감소한 경우 에스트로겐과 프로게스테론을 주기적으로 투여 한다.
- 혈중 에스트로겐 농도가 정상인 경우에, 프로게스테론의 주기적 투여는 에스트로겐 과잉분비(unopposed estrogen exposure)를 예방하고, 에스트로겐생성종양(자궁내막암, 유방암)의 위험을 저하시키는 목적으로도 중요하다.

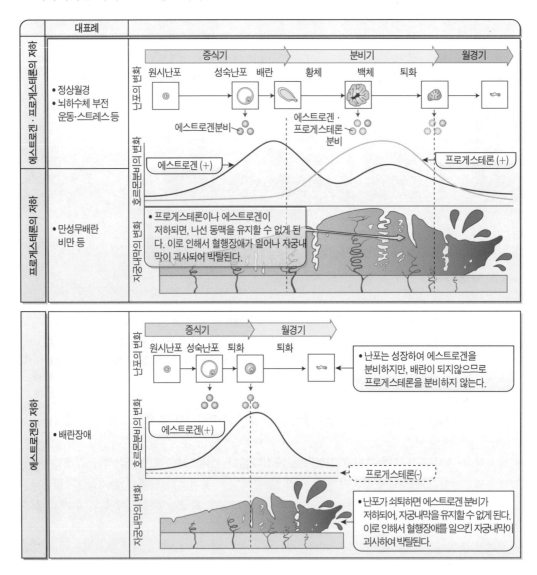

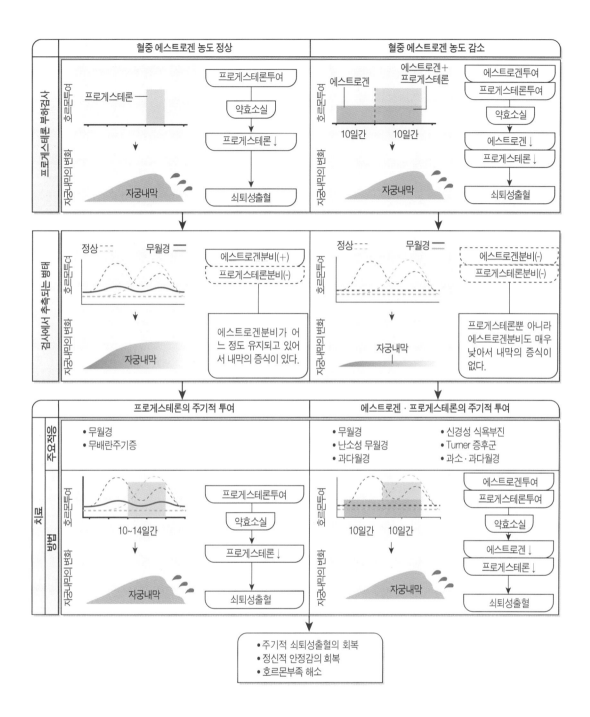

11. 생식샘자극호르몬방출호르몬(GnRH) 부하시험

- 외인성 GnRH를 투여하고 뇌하수체 전엽에서의 LH와 FSH의 분비기능을 검사하는 것이다. 주로 시상하부성 무월경과 뇌하수체성 무월경의 감별에 이용된다.
- 시상하부성 무월경에서는 GnRH의 부하에 반응하지만, 뇌하수체성 무월경에서는 GnRH의 부하에 반응하지 않는다.

1) 시상하부성 무월경

- 시상하부에 장애가 있어서, LH · FSH가 낮다.
- 그러나 뇌하수체에 장애가 없어서, GnRH의 투여에 반응하고, 뇌하수체전엽에서 LH, FSH의 분비가 확인된다.

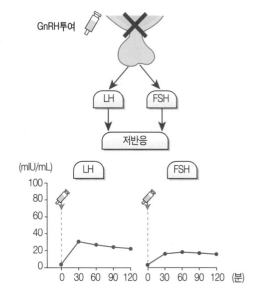

2) 뇌하수체성 무월경

- 뇌하수체에 장애가 있어서, LH · FSH가 낮다.
- 또 GnRH를 투여해도 뇌하수체전엽에서 LH, FSH는 분비되지 않는다.

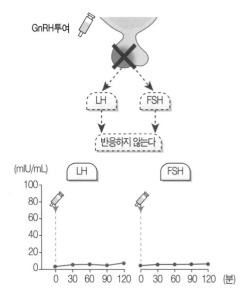

- 시상하부성 무월경에서 1회 GnRH투여로 반응하지 않는 경우에도, GnRH를 반복 투여함으로써 뇌하수체 전엽의 반응성이 회복되어서 LH, FSH를 분비하기도 한다.

3) 난소성 무월경

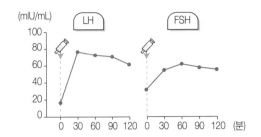

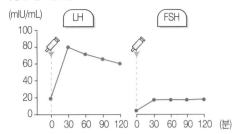

다낭성 난소증후군

- 시상하부에 장애가 있어서, LH · FSH가 낮다.
- 그러나 뇌하수체에 장애가 없어서, GnRH 의 투여에 반응하고, 뇌하수체전엽에서 LH, FSH의 분비가 확인된다.

- 뇌하수체에 장애가 있어서, LH · FSH가 낮다.
- 또 GnRH를 투여해도 뇌하수체전엽에서 LH, FSH는 분비되지 않는다.

12. 프로게스테론 부하검사와 호르몬 요법

- 프로게스테론 부하검사는 프로게스테론을 투여하여 혈중 에스트로겐 분비의 유무를 간접적으로 추정함으로써, 무월경의 중증도를 검사하는 것이다.
- 자궁내막에서 질에 이르는 경로에 해부학적 이상이 없는 경우, 프로게스테론 투여 후 약효의 소 실로 쇠퇴성 출혈이 보이는 경우 혈중 에스트로겐 농도는 정상이라고 볼 수 있으며, 쇠퇴성 출 혈이 없고 에스트로겐과 프로게스테론을 투여한 후 약효의 소실로 쇠퇴성 출혈이 있으면 혈중 에스트로겐 농도가 감소한 상태로 볼 수 있다.
- 프로게스테론 부하 검사로 혈중 에스트로겐 농도가 적절한지 여부를 감별하여 프로게스테론 만 을 투여할지 에스트로겐을 함께 투여할지를 결정할 수 있다.

13. 반동현상(Rebound phenomenon)

- 일반적으로 반동현상이란 약이나 처치를 갑자기 멈췄을 때 그것에 의해 억제되어 있었던 증상이 이전보다 오히려 악화되는 현상을 말하는데, 무월경 치료에서의 반동현상이란 시상하부–뇌하수체–난소계의 기능이 활성화되는 것을 말한다.
- 에스트로겐과 프로게스테론을 주기적으로 연속하여 몇 주기 치료하다가 중지하면 반동현상이 일어나서, 정상 월경주기를 회복하는 경우가 있다.

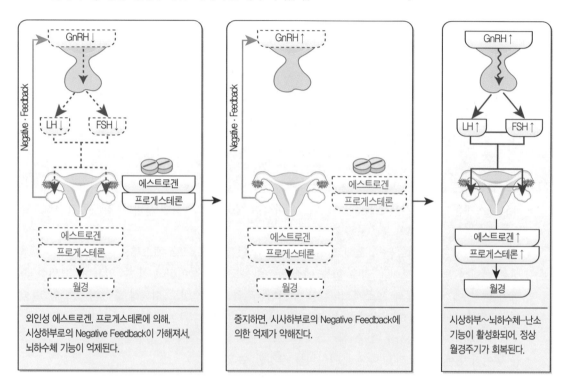

14. 고프로락틴혈증

고프로락틴혈증이란 뇌하수체 전엽에서의 프로락틴 분비가 지나치게 많은 상태로, 프로락틴 생산 뇌하수체 종양, 도파민수용체 차단제 복용 시, 갑상선기능저하증, 시상하부, 뇌하수체 장애 때 나타난다. 임신, 분만, 산욕기 이외의 시기에 고프로락틴혈증으로 인해 유즙분비와 무월경 등을 보일 수 있다.

1) 주요사항

- 여성에서 무월경, 불임과 유즙누출(남성에서는 성욕저하), 두통, 시야장애가 나타난다.
- 혈중 PRL 상승되어 있다.
- 감별을 위해서 다음 3가지를 체크해야 한다.
  - 복용중인 약제 〈약제성〉
  - 갑상선기능검사 〈원발성 갑상선기능저하증〉
  - 두부X선, CT, MRI 〈뇌하수체선종〉

2) 치료

- 프로락틴생산 뇌하수체선종(prolactinoma)에 의한 것
  - 약물요법(bromocriptine, cabergoline)
  - 수술요법(Hardy수술 등)
- 시상하부 · 뇌하수체장애에 의한 것
  - 특발성에서는 bromocriptine 투여
  - 속발성(두개인두종, 배아종 등)에서는 수술요법, 방사선요법
- 약물이 문제인 경우는 복용 중인 약물을 중지한다.
  - 도파민수용체 차단제(phenothiazine 등)
  - 도파민생성 저해제(reserpine, α−methyldopa)
- 원발성 갑상선기능저하증에 의한 경우는 갑상선호르몬 보충요법

3) 병태생리

- 다른 뇌하수체전엽호르몬과 달리, 프로락틴(PRL)의 분비조절에서는 방출인자(PRF)에 의한 분비 촉진작용보다도 억제인자(PIF), 즉 도파민(DA)에 의한 억제작용이 훨씬 강하다.
  따라서 보통(비임신 시)은 PRL이 낮은 수치에 머 물러 유즙이 분비되지 않는다.
- 위에 기술한 이유로, PRL이 지나치거나 DA에 의한 PRL분비억제가 작용하지 않게 되면, 유즙누출이나 생식샘기능저하가 일어난다.

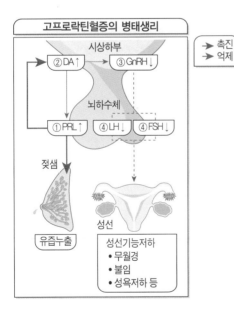

① 뇌하수체에서의 PRL분비가 지나치면, 젖샘에서의 유즙생산을 자극하여 유즙이 누출된다.
② 혈중 PRL농도의 상승은 시상하부에서 PRL억제인자인 도파민(DA)의 생산을 촉진시킨다.
③ DA는 GnRH(성선자극호르몬방출호르몬)의 분비를 억제한다.
④ LH · FSH의 분비가 저하되어 성선기능의 저하를 초래한다.

- **프로락틴(PRL)**

  뇌하수체 전엽호르몬의 하나. 젖샘관의 유즙분비작용과 생식샘억제작용이 있다.

- **브로모크립틴(bromocriptine)**

  도파민수용체 작용제. 뇌하수체 전엽에서의 프로락틴분비를 억제한다.

- **마이크로아데노마(microadenorna)**

  선종의 직경이 1cm 미만인 것. 여성에서는 유즙누출, 무월경 등 내분비 이상에 기인하는 임상증상이 출현하기 쉬워서, 이 상태에서 발견되는 경우가 많다.

- **마크로아데노마(macroadenoma)**

  선종의 직경이 1cm 이상인 것. 남성, 폐경 후 여성은 증상이 잘 출현하지 않다가, 종양이 커진 후에 압박증상이 출현하여 비로소 발견되는 경우가 많다.

- **도파민수용체차단제**

  뇌하수체 전엽에서의 프로락틴 분비를 촉진한다. 항정신제(페노티아딘, 하로페리돌, 술피리드 등), 제토제(메토크로프라미드, 돈 페리돈 등) 등이 있다.

- **프로락틴방출인자(PRF)**

  시상하부에서 방출되며, 뇌하수체 전엽에 대해서 PRL 분비촉진 작용을 나타내며 VIP 등이 있다.

- **프로락틴억제인자(PIF)**

  시상하부에서 방출되며, 뇌하수체 전엽에 대해서 PRL 분비억제 작용을 나타낸다. 도파민(DA)이 주요한 인자로 고려되고 있다.

15. 신경성 식욕부진

심리적 요인에 의해 과도하게 식사를 제한하여, 현저하게 마르는 질환(심신증). 식이의 이상이나 정신증상 외에 체중감소로 무월경을 비롯하여 여러 가지 내분비·대사이상을 일으킨다. 특히 사춘기에 호발한다. 현대의 사회적 배경(다이어트 붐)을 근거로 발생률이 급증하고 있다.

1) 주요사항

- 10대 중반~20대 전반의 여성에게 많음
- 표준체중의 –20% 이상 감소
- 거식, 또는 대식, 숨어서 먹는 식습관 행동의 변화

  체중증가·비만에 대한 극단적인 공포를 느끼고, 병식이 없고, 활동성은 높음
- 서맥, 저혈압, 저체온, reverse T3↑, T3↓
- 혈액검사에서 인슐린↓, 인슐린길항호르몬↑, 지질대사이상
- 무월경, 솜털 증가

2) 치료

정신과적 치료가 불가결하다. 대처기술 향상을 목표로 한다.

- 정신 치료 : 지지요법, 인지행동요법
- 영양 치료 : 경구섭취가 불가능한 경우, 점적이나 중심정맥영양
- 무월경 치료 : 호르몬 요법 등
- 후유증(골다공증, 저신장 등)의 치료 : 체중증가, 약물치료

3) 보충사항

- 체중감소의 기준은 표준체중의 −20%의 체중감소인데, WHO는 −15% 이상의 체중 감소로 되어 있다.

Tip

- **대처기술**
  스트레스에 적절하게 대처하는 능력

- **지지요법**
  환자의 고통, 부자유, 불안 등의 완화를 목적으로, 치료자가 언어적·비언어적 지지를 하는 기본적인 심리요법의 하나

- **인지행동요법**
  심리요법의 하나로, 인지의 왜곡을 검증함으로써 인지와 행동의 변용을 촉구하여, 당면한 문제에 대해 효과적인 대처법을 습득시키려는 치료법

- **low T3 syndrome**
  기아, 신경성 식욕부진 등에 수반하여, 대사를 억제하기 위하여 대사촉진작용이 있는 T3농도가 저하되는 상태, 대신에 생리활성이 없는 rT3가 상승

16. 중추성 섭식이상의 분류

- 경도의 식욕부진은 경과 중에 기아의 반동에 의한 과식이 일어나는 경우가 있다. 그 대부분은 마른 것을 유지하기 위하여 자기 유발성 구토나 설사제의 남용을 수반한다.

질환명	체중	병형		
신경성 식욕 부진	마름	제한형	폭식 배출행동*	없음
		폭식 배출형		있음
신경성 대식증	정상	비정화형	배출행동*	없음**
		정화형		있음

* 정기적인 자기 유발성 구토, 또는 설사제 · 이뇨제 · 관장을 습관적으로 사용
** 단식, 절식 · 과잉운동 등 부적절한 대상 행위를 한다.

17. 체중 감소성 무월경

- 체중 감소성 무월경에는 신경성 식욕부진과 단순 체중 감소성 무월경이 있다.
- 두 질환의 다른 점은 병력과 치료의욕이 있는지 여부이다.
- 대부분은 혈중 에스트로겐 농도가 감소하여 무월경을 초래하는데, 경증인 경우 에스트로겐 농도는 정상일 수 있다.
- 체중이 적어도 표준체중의 85%까지 증가하면, 월경이 다시 돌아오는 경우가 많다.

	체중 감소성 무월경	
	신경성 식욕부진	단순 체중 감소성 무월경
원 인	심리적 요인이 있고, 일종의 스트레스에 의해 생긴 단식투쟁(hunger striker)	과도한 운동이나, 마르기를 희망하는 과격한 다이어트
병 력	없 음	있 음
치료의욕	부족하다	있 음

18. 스트레스와 식이행동의 이상

- 신경성 식욕부진 환자는 마름으로써 스트레스에서 회피할 수 있다는 착각에 빠져 있거나 마른 상태를 유지하고 싶어 하기 때문에, 치료의욕이 부족하여 체중회복을 지도하기가 어렵다.
- 환자는 기아 그 자체에 의해서 사고력이나 인지에 장애가 생겨, 치료가 어려운 상태이다.

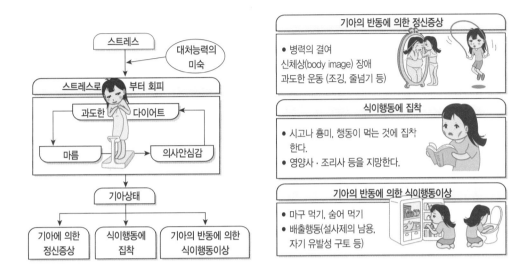

19. Sheehan 증후군

분만 시의 대량출혈 또는 shock로 인해 뇌하수체 혈관에 연축 및 2차적 혈전이 생겨서 뇌하수체의 경색, 괴사가 일어나고, 이것에 의해 뇌하수체 전엽 기능저하를 나타낸 병태를 말한다.

1) 주요 사항

- 분만 시 대량출혈의 기왕력이 있음
- 무월경, 생식기·젖샘위축, 마름, 유즙분비저하, 치모·액모의 소실, 쇠약감, 저혈당증상 등이 보임(뇌하수체 전엽호르몬 결손증상)
- 기초체온은 저체온, GnRH부하시험에서 저(무)반응을 나타냄
- LH↓, FSH↓, GH↓, TSH↓, ACTH↓, PRL↓
- MRI 소견에서 빈안장 (empty sella)

2) 발생 순서

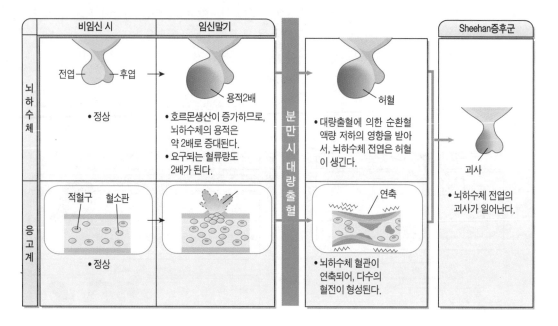

3) 증상

- Sheehan 증후군은 뇌하수체전엽 기능저하증의 한 병태이다.
- 뇌하수체전엽 기능장애의 정도에 따라서 증상이 다양하다.
- 장애가 경도인 경우, 유즙분비저하, 액모와 치모의 소실, 무월경에 머무는데, 중증에서는 갑상선, 부신기능의 장애로 무기력, 피로감 등이 보이며, 호르몬보충요법을 하지 않으면 생명에 위협이 되기도 한다.

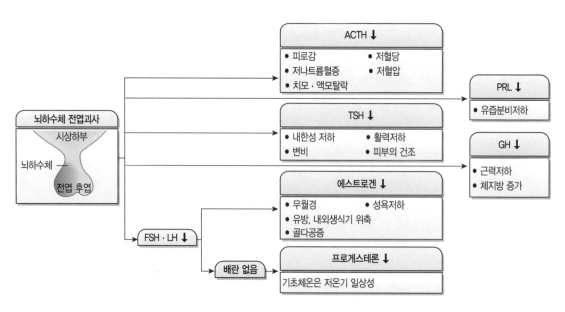

4) 치료

- 부신겉질호르몬, 갑상선호르몬 부족에는 hydrocortisone(cortisol), thyroxine(T4)의 보충요법
- 무월경, 갱년기 증상에는 호르몬 요법
- 임신을 원할 경우, 생식샘자극호르몬 투여로 배란유도

5) 보충사항

- 유즙분비 저하가 첫 증상으로 나타나며 그 후 젖샘의 위축이 나타난다.
- TSH↓로 속발성 갑상선기능저하증을 초래하고, ACTH↓로 속발성 부신겉질기능저하증을 초래한다.

T4 : 티록신(Thyroxine) GH : 성장호르몬(growth hormone) TSH : 갑상샘자극호르몬(thyroid-stimulating hormone)

20. 비정상 자궁출혈

1) 발달주기별 기능성 자궁출혈

- 기능성 자궁출혈의 약 75%는 무배란성 출혈로, 무배란성 출혈의 대부분은 사춘기와 갱년기에 일어난다.
- 원인은 시상하부성 배란장애에 의한 출혈이 가장 많다.
- 기타 다낭성 난소증후군(PCOS) 등에 의한 것 등이 있다.

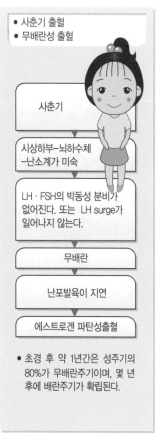

〈사춘기〉

〈사춘기 후기〉

〈갱년기〉

2) 기능성 자궁출혈의 분류

- 기능성 자궁출혈은 호르몬분비, 배란의 유무, 연령대에 따라 분류된다.
- 연령대에서 보면 사춘기 출혈, 배란의 유무에서 보면 무배란성 출혈, 호르몬분비 양식에서 보면 에스트로겐 파탄성출혈이 흔하다.
- 파탄성 출혈(breakthrough bleeding) : 생리주기 중간에 발생하는 비정상적인 자궁출혈을 의미하며 특징적으로 복합경구피임제를 복용하고 있는 여성에게서 발생하는 불규칙적인 자궁증식에 의한 출혈을 말한다.

● 쇠퇴성출혈(withdrawal bleeding) : 호르몬작용에 의한 자궁에서의 출혈을 쇠퇴성출혈이라 한다.
  – 비교적 높은 레벨로 유지되고 있던 프로게스테론이나 에스트로겐이 급격하게 감소되었을 때, 에스트로겐이나 프로게스테론의 작용에 의해 증식되어 있던 나선동맥이 유지할 수 없게 된다. 이로 인해 혈행장애가 생겨 자궁내막이 괴사·박리되어 자궁출혈이 일어난다. 이것을 쇠퇴성출혈이라고 한다.
  – 쇠퇴성출혈에는 프로게스테론의 저하, 에스트로겐의 저하, 에스트로겐과 프로게스테론 모두의 저하에 의한 것이 있다.
  – 정상월경에서는 프로게스테론의 저하가 중심이 되고, 여기에 에스트로겐 저하도 추가되어 쇠퇴성출혈을 초래한다.
  – 이 메커니즘은 기능장애 자궁출혈의 병태뿐 아니라, 프로게스테론이나 부하검사 호르몬 요법을 비롯한 여러 검사나 치료의 기본적인 이해로 연결된다.
  – 혈중 에스트로겐 농도가 정상인 경우 출혈 유발에는 프로게스테론을 주기적으로 투여하고, 혈중 에스트로겐 농도가 감소한 경우 에스트로겐과 프로게스테론을 주기적으로 투여 한다.
  – 혈중 에스트로겐 농도가 정상인 경우에 프로게스테론의 주기적 투여는 에스트로겐 과잉분비(unopposed estrogen exposure)를 예방하고, 에스트로겐생성종양(자궁내막암, 유방암)의 위험을 저하시키는 목적으로도 중요하다.

호르몬분비 이상	에스트로겐 파탄성출혈		● 프로게스테론 쇠퇴성 출혈은 프로게스테론 투여 후에 발생하는 출혈을 가리키므로, 기능성 자궁출혈에는 해당되지 않는다.
	에스트로겐 쇠퇴성출혈		
	프로게스테론 쇠퇴성출혈		
배란의 유무	배란성 출혈	난포기출혈	● 기능성 자궁출혈의 약 25%를 차지한다. ● 성숙기에 많다. ● 출혈량은 소량이다.
		배란기출혈	
		황체기출혈	
	무배란성 출혈		● 기능성 자궁출혈의 약 75%를 차지한다.
발달주기	무배란성 출혈		● 사춘기 출혈 무배란성 출혈이 많다. ● 기능성 자궁출혈의 약 50%는 45세 이상에서 일어나고, 약 20%가 20세 미만에서 일어난다.
	성성숙기 출혈		
	갱년기 출혈		
	노년기 출혈		

key point

» 난임이란 부부가 임신을 희망하며 정상적인 성생활을 하고 있음에도 불구하고 1년 이상 임신이 되지 않는 상황을 말한다.

» 난임의 원인이 성별에 따라 남녀의 비율은 거의 같지만, 원인이 어느 쪽 성별에서도 찾을 수 없는 불분명인 경우가 전체의 20~25%에 달한다.

» 난임인자 검사를 위해서는 남성의 정액검사를 시작하고, 여성의 기초체온, 호르몬 부하검사, 혈중호르몬 측정, 클라미디아 검사, 자궁난관조영술, 초음파 검사를 실시한다.

» 난임은 원발성과 속발성으로 분류하는데, 원발성은 임신이 한번도 성립되지 않은 경우이며, 속발성은 과거 임신한 적이 있음에도 불구하고 임신이 되지 않는 경우이다.

비판적 사고 훈련

사례

당신은 산부인과 외래에 근무하는 2년차 간호사이다. 2011년 8월 10일 오후 2시경 난임 클리닉을 방문한 난임 상담와 상담을 위해 난임 신환 등록지를 작성하고 있다.

간호사 : "5년 전에 남편이 비뇨기과에서 검사를 받으셨군요. 그때 남편분이 무정자증 진단을 받았네요."

여성 : "네. 그런데 남편은 그 날 회사 일로 검사하고 먼저 가서 제가 검사 결과를 들었는데요. 저는 남편의 기가 죽을까봐서 차마 무정자증이라고 말을 못하고 정자가 조금 부족할 뿐이라고 심각하지 않게 말을 했어요. 그런데 그 때 얘기를 솔직하게 할 걸 그랬나 봐요. 그동안 임신을 시도하는데 남편이 협조를 잘 안하더라고요. 아마..저한테 문제가 있다고 생각한 거 같아요."

간호사 : "그랬군요. 그동안 많이 힘드셨겠네요."

여성 : "네. 혼자 고민 많이 했죠. 그런데 간호사님, 제 담당의사가 정자가 한 마리만 살아 있어도 임신이 가능하다고 하셨는데 사실인가요?"

간호사 : "그럼요. 가능성이 있지요. 요즘 난임 시술이 많이 발달했거든요."

여성 : "그럼 저도 가능성 있네요. 휴…, 이제는 제 나이도 있고 해서…. 저도 여자인데 임신 한번 못해 보는거는 아닐까. 어떤 방법으로든지 해야 되지 않을까 해서 왔어요. 시부모님께 큰 며느리로서 너무 죄송하고..더구나 남편이 장남이거든요. 오죽하면 아기를 갖는 꿈을 꾼 적도 수차례였고..아…, 그 때 깨어나 일어나 보면…, 정말 허탈했어요."

1 위 상황과 불임에 관한 문진에서 의미 있는 자료를 수집해보시오.

2 난임과 관련된 신체적, 심리적, 사회문화적 문제에 대해 열거하시오.

3 위 여성의 간호문제를 분류하고 간호진단을 세워보시오.

4 간호진단에 따른 간호계획을 세우고 합리적 근거를 제시하시오.

5 난임 부부의 진단과정, 치료적 대안, 지지 서비스에 대해 기술하시오.

학습목표

- 난임을 정의하고 원인을 설명한다.
- 난임의 진단방법을 설명한다.
- 난임 유형을 기술한다.
- 난임 치료법의 종류를 설명한다.
- 난임 치료법의 윤리적, 법적 문제를 열거한다.
- 난임 부부에게 간호과정을 적용한다.

개요

난임이란 부부가 임신을 희망하여 정상적인 성생활을 하고 있음에도 불구하고 1년 이상 임신이 되지 않는 경우를 의미한다.

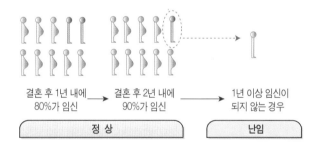

결혼 후 1년 내에 80%가 임신 → 결혼 후 2년 내에 90%가 임신 → 1년 이상 임신이 되지 않는 경우

정 상   난 임

❶ 위험요소

임신이 성립되기 위해서는 다음의 9가지 단계를 거친다.

① 배란 → ② 난자의 난관 내로의 이동 → ③ 정자의 생성·수송, 질 내로의 사정 → ④ 정자의 자궁·난관으로의 진입 → ⑤ 난관팽대부에서의 수정 → ⑥ 수정란의 발생·분할 → ⑦ 수정란의 자궁 내로의 이동 → ⑧ 분비기 자궁내막의 형성 → ⑨ 수정란의 착상

- 위의 어느 단계에서 이상이 생겨도 난임이 될 수 있다.
- 난임이란 이러한 일련의 현상의 어딘가에 장애가 생겨 임신이 되지 않는 상태라고 할 수 있다. 남성이 원인으로 일어나는 비율과 여성이 원인으로 일어나는 비율은 거의 같다. 그렇다고 해도, 임신 성립의 메커니즘은 불분명한 점도 많아서, 원인이 불분명한 경우도 전체의 20~50%를 차지한다. 또 원인이 하나가 아니라 여러 가지 원인이 서로 얽혀서 임신이 되지 않는 경우도 적지 않다.

- 임신이 한 번도 성립되지 않은 것을 원발성, 과거에 임신한 적은 있지만 그 후 임신이 되지 않는 것을 속발성이라고 한다.

② 진단검사

난임이 의심스러운 경우에는 우선 진단적 검사를 실시하여, 난임 인자를 진단한다.

1) 난임검사

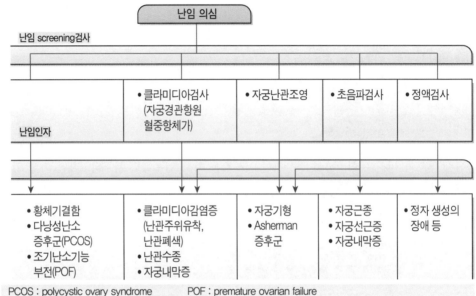

PCOS : polycystic ovary syndrome   POF : premature ovarian failure

2) 진단검사의 흐름

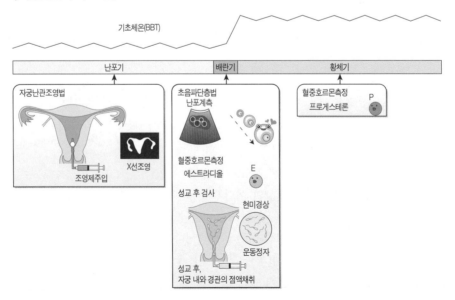

③ 증상과 징후

난임의 발생 비율은 남녀가 거의 같지만, 여성의 생식기관에서 수정이 이루어지기 때문에 남성은 남성인자로 인한 간단한 증상만 가지는 반면, 여성은 내분비인자, 배란인자, 난관인자. 자궁인자, 경관인자 등 다양한 측면의 인자로 인해 난임이 발생하게 된다.

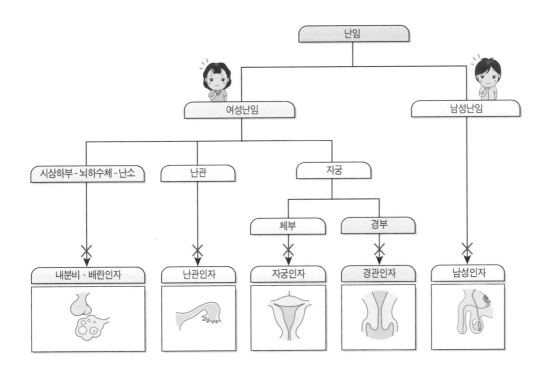

난임의 원인규명을 위해서는 월경력이나 임신력, 산과력 등에 관한 상세한 문진, 그리고 생식기를 포함한 전신적인 신체검진을 빼놓을 수 없다. 여성측 인자에 비해 비교적 간단하게 진단이 가능한 남성인자부터 살펴보면 다음과 같다.

1) 남성인자

고환에서 만들어진 정자는 부고환, 정관을 거쳐서 고환에 저류된다. 그리고 전립선에서 분비된 분비액과 함께 정액을 구성하고, 성적 절정 시에 사정한다. 이 기능들 중 하나라도 장애를 받게 되면, 남성난임의 원인이 된다. 남성난임 중에는 조정기능장애가 가장 많아서, 전체의 70~80%를 차지하고 있다.

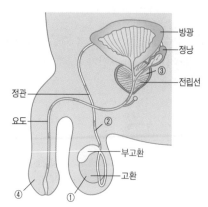

		주요병태	주요원인
① 정자생성 장애		정자의 형성이나 성숙이 불가능하다.	• 특발성 • 염색체 이상(Klinefelter 증후군) • 고환정맥류 • 정류고환 • 고환염
② 정로통과 장애		정자의 수송경로가 장애를 받고 있다.	• 선천적인 발육부진 • 정관염 • 부고환염
③ 부생식기 장애		정낭·전립선의 염증으로, 정자가 영향을 받는다.	• 정낭염 • 전립선염
③ 생식기능 장애		성교 또는 사정을 할 수 없다.	• 성교장애 • 사정장애

(1) 검사

정자생성 장애 중에서 가장 많은 것은 특발성(원인불명) 정자결핍증이다. 그로 인한 남성 난임이 의심스러운 경우, 정자의 성상을 검사하기 위해서 정액검사가 행해진다.

(2) 치료

- 운동정자수가 충분한 경우 → 배우자간 인공수정(AIH), 체외수정·배아이식(IVF−ET)
- 운동정자수가 충분하지 않은 경우 → 세포질내정자주입술(ICSI) 무정자증 → 정소 내에 정자가 있으면 정소 내 정자회수에 의한 세포질내정자직접주입술(TESE−ICSI)
- 전혀 없으면 비배우자간 인공수정(AID)

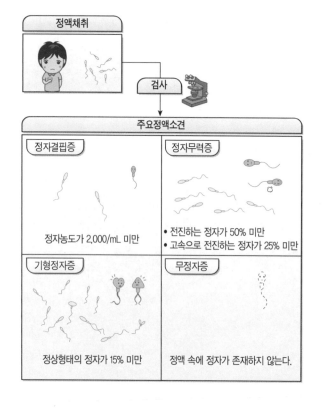

정액검사 정상치(WHO, 2010)	
정액량	1.5ml 이상
정자수(106/ml)	15백만 이상
총 정자수	39백만 이상
운동성	40% 이상
전진 운동성	32% 이상(a+b)
살아있는 정자	58% 이상
정상모양	4% 이상*
백혈구 수(10^6/ml)	1.0 미만

a : a등급 = 빠르게 전진하는 정자
b : b등급 = 느리게 전진하는 정자

* : 여러 기관들이 14% 이하이면 IVF를 제안함

2) 배란인자

배란이 일어나지 않았거나 좋은 난자가 배란되지 않은 경우, 황체기 결함으로 착상이
되지 않은 경우 난임이 된다. 배란은 시상하부·뇌하수체·난소의 3가지 장기가 잘 연
관되어야 비로소 일어나므로, 이들 중 어느 하나에라도 이상이 생기면 무배란이 된다.
배란이 있어도 난자의 질에 문제가 있어서, 수정이나 난할이 잘 되지 않을 가능성이 있
다. 또한 좋은 수정란이 생겨도, 자궁내막에 원인이 있어서 착상이 되지 않는(임신이
성립되지 않는다) 경우가 있다. 황체기 결함으로 자궁내막이 분비기 내막으로 변화되
지 않아서 착상을 위한 준비가 되지 않은 것이다.

(1) 검사

무월경 검사, 경질 초음파 단층법 : 난포발육의 관찰과 배란 확인

체외수정검사 : 난자의 질

(2) 치료 : 배란유도

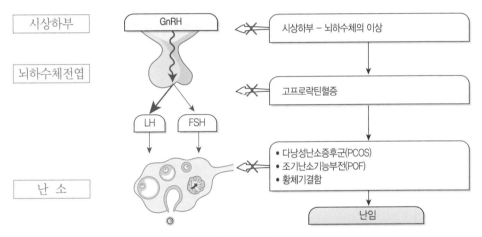

PCOS : polycystic ovary syndrome   POF : premature ovarian failure

3) 난관인자

난관의 역할인 난자수송이나 정자의 진입, 수정이 장애를 받음으로써 난임이 되는 것이다. 예를 들면 감염증이나 수술 후의 치유·수복과정에서, 난관이 유착되어 통로가 나빠졌거나 막히는 경우 등이다.

(1) 검사

- 난관통기법(Rubin test): 난관에 CO_2 가스를 통과시키는 방법
- 자궁난관조영법(HSG): 조영제를 흘려 넣어 X선으로 사진을 찍어 보는 방법으로, 이러한 통과성 검사를 통해 난관의 통과성이 회복되는 경우도 있음

(2) 치료

- 복강경하 난관성형술 : 난관술 또는 그 주위의 유착 제거
- 난관경하 난관성형술 : 난관간질부의 폐색 제거
- 체외수정·배아이식 : IVF-ET

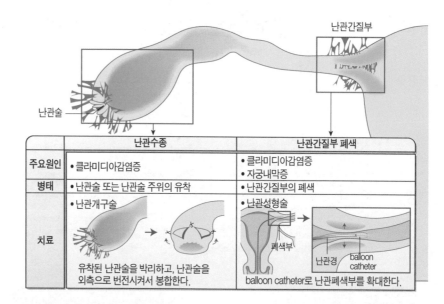

	난관수종	난관간질부 폐색
주요원인	• 클라미디아감염증	• 클라미디아감염증 • 자궁내막증
병태	• 난관술 또는 난관술 주위의 유착	• 난관간질부의 폐색
치료	• 난관개구술 유착된 난관술을 박리하고, 난관술을 외측으로 번전시켜서 봉합한다.	• 난관성형술 balloon catheter로 난관폐색부를 확대한다.

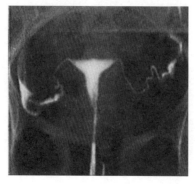

▲ 정상난관

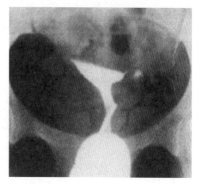

▲ 난관폐쇄

4) 자궁인자

자궁의 형태 이상(자궁의 내강이 좁아지는 등)으로 인해서 착상에 방해를 받는 것이다.
원인으로 자궁근종이나 Asherman 증후군, 자궁기형 등이 있다.

(1) 검사

초음파단층법(USG), 자궁난관조영법(HSG), 자궁경 ▶ 직접 자궁내강을 보는 방법

(2) 치료

- 자궁근종 → 근종절제술, 성선자극호르몬방출호르몬(GnRH) 아날로그에 의한 근종
  의 축소
- 자궁기형이나 Asherman증후군 → 자궁경수술이나 개복수술에 의한 정복

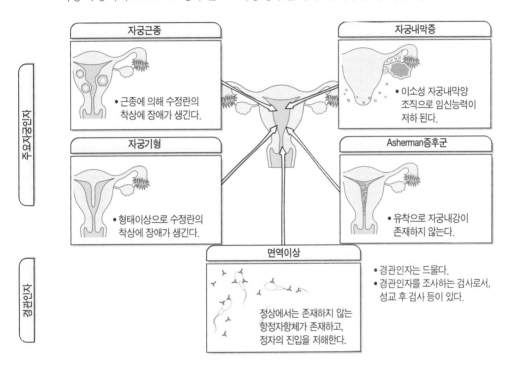

5) 경관인자

경관점액의 이상에 의해서 자궁강 내로 사정된 정자가 진입할 수 없어서 난임이 되는 것이다. 경관점액의 양이 적어서 정자가 지나갈 수 없다거나(에스트로겐 분비부전), 정자와의 성분 적합성이 나쁜(정자-경관점액 부적합, 이것은 정자에 대한 항체가 존재하는 경우에 의함) 경우에 일어난다.

(1) 검사
- 경관점액검사 : 배란기의 경관점액을 채취하여 성상을 검사하는 방법
- 성교 후 검사 : 성교 후에 자궁강 내를 흡인하여 경관점액 속을 헤엄치고 있는 정자를 관찰하는 방법

(2) 치료
- 항정자항체가 없는 경우 → 배우자간 인공수정(AIH)
- 항정자항체가 있는 경우 → 체외수정 · 배아이식(IVF-ET)

6) 자궁내막증성인자

자궁내막양조직에 의해서 난자의 수송장애(난관의 운동장애, 협착이나 폐색)나 수정장애(자궁내막증조직이 분비하는 사이토카인이 정자운동이나 수정을 저해한다) 등에 의해서 난임이 되는 것이다.

(1) 검사
- 영상진단에 의한 자궁내막증 진단은 어려운 경우도 많아서, 복강경 등으로 직접 병변을 보아야 한다.

(2) 치료
- 자궁내막증 치료를 한다.

7) 기타 인자

기능성(즉 원인불명)인 것이다. 연령이 높은 여성에서는 임신할 가능성이 감소되어, 기능성 불임이 되는 경우가 종종 있다.

(1) 치료
- 성교의 타이밍 지도 : 기초체온을 측정하거나, 초음파검사로 난포크기를 측정하여 배란시기를 추정하여 성교 타이밍 지도
- 배란유도
- 배우자간 인공수정(AIH)
- 체외수정-배아이식(IVF-ET)

④ 치료 관리

난임의 치료는 난임 부부에게 배란유도, 배우자간 인공수정(AIH), 보조생식술(ART)을 시행하는데 ART란 체외수정-배아이식(IVF-ET), 세포질내정자주입술(ICSI), 정소 내 정자회수에 의한 세포질 내 정자직접주입술(TESE-ICSI)을 말한다.

1) 배란유도

- Clomiphen요법: clomiphen은 에스트로겐과 경쟁적으로 시상하부의 에스트로겐 수용체에 결합하므로, 시상하부는 에스트로겐농도가 낮은 것으로 인식하여 성선자극호르몬방출호르몬(GnRH)의 분비를 항진시킨다. 그로 인해 뇌하수체전엽에서 FSH와 LH 분비가 항진되어 배란을 촉진시킨다. 혈장 에스트로겐 농도가 정상인 경우 적용한다. clomiphen요법은 배란율은 비교적 높지만, 임신율이 낮다는 것이 결점이다.
- 성선자극호르몬요법(Gonadotropin): FSH(난포자극호르몬) 작용을 하는 FSH제를 투여하여, 난포의 발육을 촉진시킨다. 충분히 난포가 성숙한 시점에서 LH(황체화 호르몬) 작용을 하는 hCG(융모성선자극호르몬)를 투여하여, 배란을 유도한다(LH surge를 기억할 것). FSH제는 이전에는 갱년기 여성의 요에서 제조한 hMG(사람폐경기 성선자극호르몬) 제제가 사용되었는데, 최근에는 유전자 재조합형 기술을 이용한 recombinant FSH제가 사용된다. 이 치료에서는 난소에 대한 자극이 과잉이 되는 것에 의한 난소과자극증후군(OHSS)이나, 과배란에 의한 다태임신이 문제가 된다.

2) 배우자간 인공수정(artificial insemination with husband's semen, AIH)

- 정자 또는 그것을 포함한 액을 배란기의 자궁에 주입함으로써, 인공적으로 정자를 난자의 근처까지 이동시켜서 수정시킨다. 정상적인 임신에서는 정자가 질에서 자궁경관→자궁→난관으로 이동하는데, 그 과정에서 사정했을 때 수천만이던 정자가 난관에 이르는 시점에서는 불과 수십 개로 줄어든다. 그러나 이 이동을 인공적으로 우회(bypass)시키면, 대량의 정자가 난관에 도달할 수 있다.
- 보조생식술(assisted reproductive technology, ART): 배우자에게 인공적인 보조를 하여 수정시키는 하는 방법이다.
- 체외수정-배아이식(in vitro fertilization and embryo transfer, IVF-ET): AIH가 수정을 여성의 자궁 내에서 발생하도록 유도하는 방법이라면, IVF는 시험관 내에서 수정을 시키는 방법이다. 구체적으로는 배란 직전의 성숙난포에서 경질초음파단층법을 사용하여 천자함으로써 난자를 채취하고, 시험관 내에서 남편의 정자와 수정시켜서 난할한 상태(초기배)로 여성의 자궁에 이식한다. 최근 배양액의 개선으로 수정 후 배포까지의 배양이 가능해져서, 좀 더 양호한 임신성공률을 얻게 되었다.
- 세포질내 정자주입술(intracytoplasmic sperm injection, ICSI): 채취한 난자의 세포질 내에 현미경하에서 가는 유리관을 사용하여 정자를 주입하여 수정시키는 방법이다. 이렇게 함으로써 무정자증인 남성이라도 고환 내에 정자가 있으면 아기를 가질 가능성이 있다.

3) 보조생식술(ART)

- 일반적인 체외수정으로 임신이 되지 않는 경우에 미세조작술이 행해진다.
- 배란유도(hMG투여)로 난소과자극증후군(OHSS)을 초래하기도 한다.

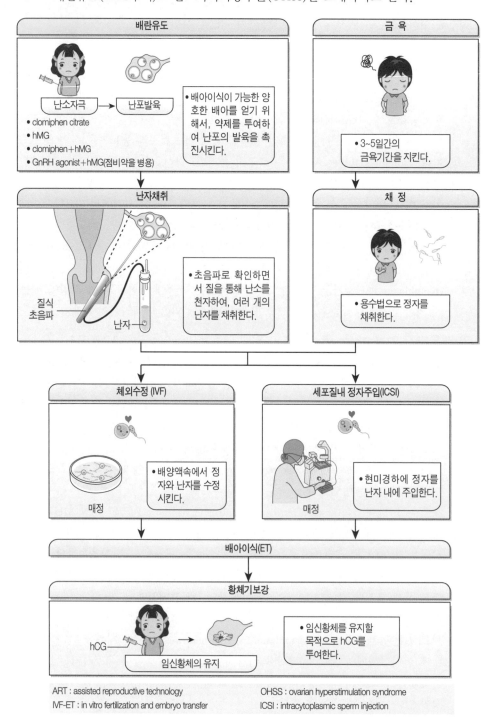

ART : assisted reproductive technology

OHSS : ovarian hyperstimulation syndrome

IVF-ET : in vitro fertilization and embryo transfer

ICSI : intracytoplasmic sperm injection

(1) 체외수정-배아이식(IVF-ET)

수정란을 어느 정도(초기배-배반포)까지 체외에서 배양한 후 자궁 내로 이식시키는 방법이다. 세포질내 정자주입(ICSI)으로 수정된 수정란도 위와 같은 방법으로 자궁내막에 이식한다.

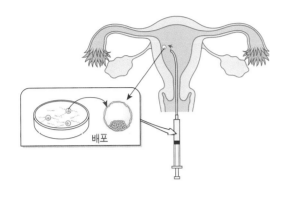

배포

IVF-ET : in vitro fertilization and embryo transfer

(2) 세포질내 정자주입(ICSI)

현미경하에 난자세포질 내에 직접 정자를 주입하는 방법이다.

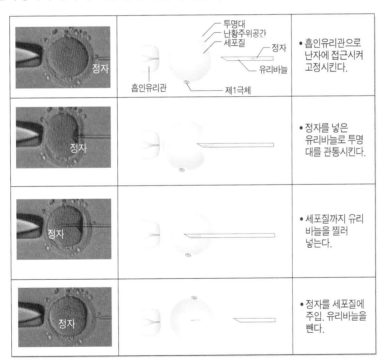

정자	투명대 / 난황주위공간 / 세포질 / 정자 / 유리바늘 / 흡인유리관 / 제1극체	• 흡인유리관으로 난자에 접근시켜 고정시킨다.
정자		• 정자를 넣은 유리바늘로 투명대를 관통시킨다.
정자		• 세포질까지 유리바늘을 찔러 넣는다.
정자		• 정자를 세포질에 주입. 유리바늘을 뺀다.

▲ 난자세포질내 정자주입법(ICSI)

(3) 배아이식

체외수정 또는 세포질내 정자주입으로 얻은 수정란, 배아 등을 자궁내막에 이식시키는 방법이다.

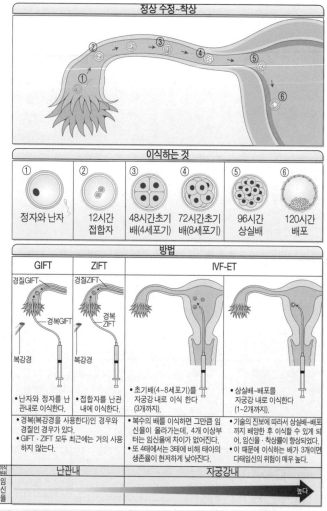

GIFT : gamete intrafallopian transfer   ZIFT : zygote intrafallopian transfer

⑤ 합병증

1) 난소과자극증후군

배란유도에 의한 자극으로 다수의 난포가 크게 발육되어 난소가 종대되고, 난포에서 에스트로겐이 현저하게 상승된다. 에스트로겐에는 혈관투과성을 상승시키는 작용이 있으므로, 흉수·복수저류 혈액농축 등을 초래하기 쉽다.

2) 난임과 윤리적 문제

보조생식술(ART)로 임신이 되지 않은 경우 비배우자간 인공수정(AID)을 권장한다. 그러나 이는 윤리적 문제를 갖는다는 문제점이 있다.

명 칭	제3자로부터 제공 받은 요소	방법	주요적응
AID	정자	• 남편 이외의 남성으로부터 제공된 정자를 이용하여 인공수정법을 한다.	남성: 무정자증
Egg Donation	난자	• 부인 이외의 여성으로부터 제공된 난자를 이용하여 체외수정을 한다.	여성: POF
Egg Donation	배아	• 제3인 성인남녀의 IVF-ET등에서 생긴 배아를 제공받고, 이것을 부인의 자궁 내에 이식한다.	남성: 무정자증 여성: POF
대리배	자궁	• 남편의 정자와 부인의 난자를 체외수정시켜서 얻은 수정란을 부인 이외의 여성의 자궁내에 이식하여, 임신, 출산케 한다.	여성: 자궁이 없는 사람
대리모	난자, 자궁	• 남편의 정자를 이용하여 부인 이외의 여성에게 인공수정법을 하고, 그 여성에게 임신, 출산케 한다.	여성: 난소·자궁이 없는 사람

ART : assisted reproductive technology   AID : artificial insemination with donor' s semen   POF : premature ovarian failure

C 비판적 사고중심 간호실무

1 간호 사정

- 난임이라는 사실을 안 여성은 놀라거나 충격을 받아서, 그 사실을 부인하고, 부당감이 나 분노, 자존감의 저하, 고립, 깊은 슬픔을 경험하는지 등을 사정한다.
- 난임과 관련되어 여성이 모은 정보를 파악하고 불확실한 정보에 대해 사정한다.
- 여성의 난임 검사 결과, 치료의 실패, 상담상대가 없는 것, 의료자의 배려심 없는 언행, 주위로부터 '아기는 아직?'이라는 말 등에 대한 슬픔반응 정도를 사정한다.
- 난임 치료 기간에 따라 불안, 우울 기분 등의 심리적 문제를 파악한다.
- 부부의 성생활에도 부정적인 영향을 미쳐 부부관계가 악화되어 버리는 경우도 있으므로, 부부관계를 조정하는 도움의 필요성에 대하여 파악한다.
- 난임 환자가 병원에 내원하면 부부가 함께 치료과정에 참여하는지 파악한다.
- 부부가 갖는 감정을 파악할 수 있도록 부부의 감정을 충분히 표현하도록 여유있는 태도로 대하고, 시간의 배려를 하고, 편안함을 느끼는 환경을 조성해준다.
- 난임 여성은 대부분 임신에 지나치게 매달리는 경향이 있기 때문에 그들이 생산적인 일이나 활동에 대해 파악한다.

2 간호 진단

임신관련 생식과정에 대한 지식 부족

3 간호 중재

- 난임 간호사의 가장 중요한 업무는 정보제공, 교육, 정서적 지지와 상담이다.
- 난임 상담에서는 불임에 대한 바른 지식을 제공하고, 그에 입각하여 자기 자신이 결정하는 힘을 가질 수 있도록 하는 것이다. 여기에서는 자기결정이 무엇보다도 존중되고 있다. 상담에서는 안심하고 이야기할 수 있는 장의 제공, 문제정리의 제공, 자기결정에 도움 제공, 주체적으로 의료서비스를 받기 위한 도움 제공 4가지가 포인트가 된다.
- 난임 치료에서는 충분한 정보제공과 동의가 없는 채로, 획일적인 진료를 계속하는 것은 삼가야 한다. 각 부부에게 있어서 임신이나 생명에 대한 가치관이 다양하다는 점에 유의하고, 각 증례의 연령이나 기왕력, 사회적 상황(남편·아내의 취업상황 등)이나 희망(불임치료, 보조생식술, 양자의 입양, 자녀가 없는 인생 등의 선택)에 따라서 치료기간을 의학적으로 합리하다고 인정되는 범위에서 조정하는 것이 매우 중요하다.

  ① 대상자의 난임 관련 지식수준을 사정한다.
  ② 간호사는 포기하지 않고 치료할 수 있도록 격려해야 한다.
  ③ 임신율을 높일 수 있는 방법에 대한 정보를 제공한다.

④ 난임 진단과 치료방법에 대해 항상 새로운 정보를 제공한다.

⑤ 적절한 시기에 임신 이외의 대안방법도 모색할 수 있도록 돕는다.

⑥ 가치 있는 삶을 영위하도록 세심한 배려와 지지를 해준다.

⑦ 대상자가 난임에 대한 자신의 느낌을 표현하도록 한다.

⑧ 치료적인 의사소통을 통하여 일반적인 느낌과 인지된 스트레스 요인을 파악하도록 한다.

⑨ 대상자의 감정과 걱정에 대해 논의할 기회를 제공한다.

⑩ 난임 치료 과정에서 효과적인 대처에 장애가 되는 배우자의 지지체계를 파악하여 상호지지를 하도록 한다.

⑪ 사회의 자조집단을 소개하여 필요시 부부들의 경험을 공유하도록 하여 대처기술을 증가시킨다.

4 간호기록 예

난임 문진

등록번호 310 * *   성별: 여

이름 : 박○○   나이: 37

Date   2017년 8월 10일

Name 박○○	Age 37	Infertility No.
Husband 이○○	Age 37	Hospital No.
Address ○○시 ☆☆구 M동 123번지		Tel. 017-690-****

■ History	□ Primary		□ Secondary	
Duration of infertility	11	Years		Months
Fertility period		Years		Months
Mens. cycle length	28~34	Dates	(Mean 32	Days)
Coital pattern	1	Times(□ Week	□ Month)	
Dysmemorrhea	None.	Mild.	Moderate(o)	Bevere
Dyspareunia	None.	Mild(o)	Moderate	Bevere
G 0 P0 L0	A0	Bpon ↑	artificial	

■ 1. General		□ Normal	□ Abnormal
2. Male factor	무정자증	□ Normal	□ Abnormal
3. Ovulation		□ Normal	□ Abnormal
4. Cervix			
5. Uterus			
6. Tube(HSG)	cyst(5cm)	□ Normal	□ Abnormal
7. Peritoneum		□ Normal	□ Abnormal
8. L. P. D		□ Normal	□ Abnormal
9. Hormone		□ Normal	□ Abnormal
10. Immunologic		□ Normal	□ Abnormal
11. Genetic		□ Normal	□ Abnormal
12. Infection		□ Normal	□ Abnormal
13. Nutritional or Metabolic			

Diagnosis

Management plan

AIH	AID	hMG	INF(0)	Cryo	O.D	Preg

5 평가

난임부부는 생식과정의 구성요인, 난임의 일반적 요인, 일반적인 난임검사, 그리고 난임검사가 시간에 맞추어 정확하게 진행되어야 할 중요성에 대해 말로 표현할 수 있다.

1 30세 여성이 난임 클리닉을 방문하였다. 앞으로 받게 될 다양한 검사의 목적을 물어보았을 때, 간호사의 설명은?

① "자궁내막 검사는 내분비계의 병변을 확인하기 위한 검사입니다."
② "자궁난관조영술은 난관의 개통 여부를 확인하기 위한 검사입니다."
③ "성교 후 점액검사는 배란기에 수정이 되었는지를 확인하기 위한 검사입니다."
④ "복강경 검사는 자궁강 내부의 출혈과 병변이 있는지를 확인하기 위한 검사입니다."
⑤ "사궁경부점액 검사는 정자에 대한 여성 점액의 항체 반응을 확인하기 위한 검사입니다."

2 37세 여성이 난임 치료를 위해 클로미펜과 고나도트로핀 약물치료를 투여 받다가 난소과자극증후군 증상으로 복수가 심해져 입원하였다. 환자가 자신의 건강에 대해 궁금해 하고 있다. 간호사의 설명은?

① "호흡곤란이 나타나면 복수천자나 흉강천자를 할 수 있습니다."
② "현재 상태는 매우 좋지 않으며, 앞으로 임신하기 힘든 경우입니다."
③ "난임치료 중에 흔히 나타나는 증상이므로 그대로 두면 증상이 없어집니다."
④ "복부내 출혈 등의 문제가 의심되므로 안정을 위해 입원을 계속 해야 합니다."
⑤ "복수는 영양불균형으로 나타난 것이므로 식단조절과 영양상태 점검이 필요합니다."

사례 (3 ~ 5번 문제)

결혼한 지 3년 된 부부가 임신이 안 되어 함께 난임 클리닉을 방문하였다. 부부 난임 검사 후 남편이 무정자증임을 알게 되었다. 예상하지 못한 결과에 부부는 당황하면서 낙담하였다. 남편은 종가집 외아들로 남편 뿐 아니라 시부모님도 임신을 기다리고 있다.

3 이 부부에게 내릴 간호진단은?

① 난임 치료와 관련된 불안
② 난임 치료에 대한 지식부족
③ 난임과 관련된 비효과적인 가족대처
④ 수태를 할 수 없는 것과 관련된 슬픔
⑤ 건강관리기관 이용에 대한 지식부족

4 난임 진단 후 이 부부를 위한 목표는?

① 적절한 치료 방법을 선택하고 결정한다.

② 앞으로 진행될 잠정적인 치료절차와 과정을 이해한다.

③ 입양과 관련된 정보를 제공받고 부부가 충분히 논의한다.

④ 난임 부부의 반 정도가 임신에 성공한다는 사실을 이해한다.

⑤ 인공수정 치료방법을 이해하고 임신을 위해서 적극적으로 성관계를 갖는다.

5 지금 이 난임 부부에게 필요한 중재는?

① 의료팀의 모든 결정을 그대로 믿고 따르라고 한다.

② 검사와 치료를 받으면 임신할 수 있다는 확신을 준다.

③ 부부가 인내심을 가지고 검사와 치료를 계속 함께 받도록 격려한다.

④ 불임의 모든 원인을 검사로 확인할 수 없다는 것을 사전에 알려준다.

⑤ 여성의 지속적인 노력이 임신 성공에서 제일 중요하다는 것을 알려준다.

정답 해설

제 5 장 발달주기별 건강문제를 가진 여성간호

① 청소년기 성건강 간호

사례

1 HPV 백신은 남성에게 해당이 없다는 잘못된 지식과 더불어, 이를 피임행위 전반으로 확대해서 피임은 여성의 책임이라는 속설을 보여주고 있다. HPV는 남성에게 고환암, 남녀 모두에게 항문암, 생식기 사마귀(곤지름) 등을 야기할 수 있으나 흔히 '자궁경부암 백신'으로 불려지는 제한점과 현재 국내에서 남학생에게 접종을 제공하고 있지 않아 이 학생과 같은 오해가 가능하다. 피임을 한 성별의 책임으로 정해버리는 편중된 생각은 무관심과 지식부족, 무책임하고 배려 없는 성 행동으로 이어질 수 있다.

2 남성, 여성 호르몬이 성 기관의 발달과 여성(또는 남성)으로서의 자기인식을 주도하나, 성 역할은 특정 성(sex)에 대해 행동, 능력 등에 여자다움(또는 여자답지 못함)의 의미를 부여하는 사회적 통념과 가치를 반영하는 젠더 개념이 된다. 젠더에 대한 고정관념은 소극적, 유연하지 못한 성 태도를 갖게끔 하며, 판단적 태도로 이어질 수 있다.

예를 들면 유전자 XX는 여성인데, 그렇기 때문에 양육을 담당한다든가 친절, 순종적 역할을 해야 한다고 결부시키거나, '성에 대해서 어느 정도 무지하고 수동적인 것이 여자다운 행동'이라는 제한적 생각은 오류가 된다.

3 HPV 백신 접종이 무조건적 보호를 해주는 만능 총알(magic bullet)이나 자유로운 성 행동을 허용, 유도하는 방편이 될 것이라는 부모의 막연한 우려와 불안은 HPV 백신에 대한 이해부족과 관계된다. HPV 백신은 HPV 200여종 중 몇 가지 고위험 유형에(또는 백신에 따라서 저위험 유형까지도) 대한 면역력을 갖게 하는 것이지만 기타 성 전파성 감염(STI)이나 임신 가능성에서 보호해주는 것은 아님을 구체적으로 이해해야 한다. 마치 간염 예방접종이 모든 위장관 질환에 대한 면역력을 주지 않으며, 간염 예방접종이 접종 후 음주 선택을 권장하는 것이 아님과 같다.

4 자신의 성(sexuality)에 대한 부정적인 인식을 가지고 있는 경우로, 불안정한 성 정체성은 자아에 대한 부정적 인식, 불만, 자신감 저하에 영향을 줄 수 있다. 이는 성에 대한 회피적 태도, 소극적 성 행동으로 이어질 수 있다. 특히 월경을 '불편하고 귀찮은' 현상으로만 인식하지 않고 생명을 품을 수 있는 능력이자 자신의 생체 리듬, 생식건강의 지표가 될 수 있다는 관점이 필요하다.

② 결혼기 여성 간호

사례 1

1 비판적 사고 중심 간호실무의 간호사정을 참조하시오.

2 결혼기 예비부모에게 적절한 부모교육 내용은 임신의 신체·심리적 적응, 구체적인 출산준비, 산욕기 관리, 신생아 양육과 신체·심리·정신적으로 부모 됨을 준비하는 교육 등이다.

사례 2

1 가족계획을 위해서는 여성의 출산연령과 출산간격 및 자녀 수 등의 바람직한 상태에 대해 알고 있어야 한다.
이상적인 출산연령은 20~25세로 보고 있다. 20세 이전 출산은 생식기의 미성숙과 모성으로서의 정서적 미숙성으로 인해 어머니 역할 획득이 어려울 수 있고, 35세 이후는 태아의 유전형질변화, 난자의 수와 기능저하로 임신능력 감소, 임신 및 출산합병증 증가로 초산은 30세 이전이 좋다.
바람직한 출산 간격은 2~4년이며 여성의 영양문제, 산후 호르몬 불균형문제, 사회경제적 요인 등이 고려되어진다.
임신은 결혼 후 6개월~1년 이후를 권하는데 부부로서 사랑의 결실을 바라는 마음을 가졌을 때가 이상적인 시기이고 가족계획은 부부가 어느 때라도 실시할 수 있으나 보통 약혼시기에 하는 것이 계획임신에 도움이 된다.

2 피하이식제는 3년간 피임효과가 있고 제거 후 바로 임신이 가능하다.
살정제를 사용할 경우 성교 1시간 전에 투여한다.
자궁내 장치 삽입은 임신중절 후에 바로 고려한다.
콘돔은 공기를 제거한 후 남성의 성기를 덮어 씌워야 찢어지는 것을 방지할 수 있다.
경부 캡은 성관계 후 6시간 동안 그대로 둔다.

1 비판적 사고 중심 간호실무의 간호사정을 참조하시오.

2
- 사정 조절 무능력에 대해 표현
- 파트너의 반응에 대해 걱정함
- 불안
- 낮은 자아존중감

3 간호진단: 잠재적인 성기능장애(조루증)와 관련된 성치료에 대한 정보 및 지식 결여

2
- 간호계획
  - 부드럽게 접근하여 수용적인 분위기를 제공한다.
  - 공감을 표현하고, 언어적, 비언어적 위안을 제공한다.
  - 감정을 표현하도록 격려한다.
  - 주의깊게 경청한다.
  - 대상자가 느끼는 정서적 반응은 적절한 것이며 일반적으로 경험하는 것이라고 설명한다.
  - 대상자가 표현하는 감정에 대해 피드백을 제공한다.
  - 적절한 방어기제를 사용하도록 한다.
  - 상황에 대해 실제적인 평가를 하도록 지지한다.
  - 타인에게 방어반응을 하는 것에 대해 충고한다.
  - 아내에게 수용을 표현하도록 조언한다.
  - 아내에게 사랑을 표현하도록 조언한다.
  - 자신의 긴장을 인정하도록 설명한다.
  - 상대자가 갖는 현실적 요구를 설명한다.
  - 성가치, 성기능, 성관계를 확인하도록 격려한다.
  - 불안이 없는 것과 문제가 없는 것과의 차이를 설명한다.
  - 긍정적인 자기-태도를 유지하도록 설명한다.
  - 상호 문제를 해결하도록 격려한다.
  - 이완은 성공적인 성적 반응에 필수적이라고 설명한다.
  - 성적 반응은 정상적으로 다양하다고 설명한다.
  - 사정조절 무능력은 심리적인 원인이 있다고 설명한다.
  - 성치료에 대한 정보를 제공한다.
  - 성치료에 대한 효과와 제한점에 대한 정보를 제공한다.
  - 성치료에 대한 지역사회의 자원에 대한 정보를 제공한다.
  - 가족담당의사와 친구와 성치료에 대해 논의하도록 격려한다.
  - 성치료에 만족한다고 보고한다.

- 간호중재
  - 파트너와 논의를 시도한다.
  - 파트너와 수용감과 사랑의 감정을 공유한다.
  - 성가치, 성기능 성관계에 대해 논의한다.
  - 성반응에 대한 정보와 사정 조절 무능력에 대해 논의한다.
  - 성치료 정보에 관해 논의한다.
  - 가족, 친구와 이전에 성치료를 경험한 친구 등 성치료자의 선택에 대해 논의한다.
  - 성치료자를 선택한다.
  - 성치료자와 예약한다.
- 평가
  - 성치료자 선택에 만족한다고 보고한다.
  - 성치료에 만족한다고 보고한다.
  - 조루증의 치료에 대해 만족한다고 보고한다.
  - 성관계의 향상을 보고한다.

❸ 갱년기 여성 간호

1 갱년기는 폐경을 전후한 40~60세 사이를 의미하며, 생리적 폐경은 50세 전후에 발생한다. 50세 여성은 난소기능의 쇠퇴로 인한 에스트로겐 감소로 불규칙한 월경, 혈관운동증상(홍조, 발한과 야한, 수족냉증, 심계항진 등), 정신신경증상(분노, 초조감, 우울감, 불면, 두통, 현기증 등), 자각신경증상(손발의 저림, 손발의 감각둔화 등)과 운동기관증상(피로감, 어깨결림, 손발의 통증, 요통 등) 등과 같은 갱년기 증상을 호소할 수 있다.

2 우선적으로 대상자가 호르몬 대체요법(HRT)의 절대적 금기사항과 상대적 금기사항에 해당되는지를 확인해야 한다.
- **절대적 금기사항**
  - 에스트로겐 의존성의 악성종양(유방암, 자궁내막암 등)
  - 원인불명의 부정출혈(자궁내막암에 의한 출혈가능성이 있으므로)
  - 혈전성 정맥염, 혈전증
  - 중증 간기능장애
- **상대적 금기사항**
  - 혈전증의 기왕력
  - 자궁 내막암의 기왕력
  - 자궁근종의 기왕력
  - 자궁내막증의 기왕력
  - 중증 고혈압
  - 당뇨병

3 • 지지요법, 상담요법 그리고 식물성 에스트로겐이 함유된 식이요법을 활용할 수 있다.
- 대표적인 식물성 에스트로겐은 리그난과 이소플라보노이드인데, 이들은 장 내에서 박테리아에 의해 에스트로겐으로 전환된다. 리그난과 이소플라보노이드가 많이 함유된 식품으로는 콩과 식품이 있다.

4 호르몬 요법의 가장 흔한 부작용은 질출혈이며, 오심, 구토, 우울감, 유방통과 그 이외에 복부팽만감, 자궁내막암, 유방암 등이 나타날 수 있다.

1 여성건강사정

사례

1 개인력, 문진, 신체검진, 면담

2 병력조사(인적 자료, 주호소, 현재 건강상태나 병력, 과거 병력, 가족력), 신체검사, 기능적 검사(일상 활동)

3 ① 외음부의 간단한 해부학 그림을 대상자에게 주고 설명해주며 배운 것을 저녁에 수행해 보도록 교육한다.
② 조명을 밝게 하고 한 손은 거울을 잡고 다른 손은 질 주위를 둘러싼 조직을 노출시켜 앉은 자세에서 검진할 수 있다.
③ 대상자는 스스로 체계적으로 치구, 음핵, 요도, 대음순, 회음부와 그 주위와 외음부를 촉진하고, 기형, 궤양, 종기, 사마귀 그리고 색소침착의 변화가 있는지 관찰할 수 있다.
④ 외음부 자가검진은 매달 월경 사이, 만약 외음부 질환이 있었다면 자주 시행해 예방적인 건강관리를 수행하도록 권유한다.

4 ① 손을 씻는다. 모든 필요한 물품을 준비한다.
② 검사 전에 소변을 본다(필요하다면 소변 검사물을 받는다).
③ 대상자를 이완하도록 돕는다. 가슴의 횡격막 부위에 양손을 올려 놓고 깊고 천천히 호흡하도록 한다(코로 숨을 들이마시고 입으로 내쉬도록 한다).
④ 대상자가 원하면 검사에 참여하도록 격려한다. 예를 들면, 대상자가 검사하는 부위를 볼 수 있도록 거울을 준비한다.
⑤ 체위성 저혈압과 같은 문제의 증상을 사정하고 중재한다.
⑥ 따뜻한 물을 이용하여 질경을 따뜻한 상태로 준비한다.
⑦ 대상자에게 질경이 삽입될 때 압박감이 느껴질 수 있음을 교육한다.
⑧ 장갑을 끼고 세포진 검사를 위한 검사물 채취를 돕는다. 검사물 채취 후 장갑을 벗고 손을 씻는다.
⑨ 양손 검진 전에 검진자의 손가락을 물이나 수용성 윤활제를 이용하여 부드럽게 한다.
⑩ 검사를 마친 후 대상자가 앉고 서는 것을 도와준다.
⑪ 회음부의 윤활제를 닦도록 휴지를 제공한다.
⑫ 대상자가 옷을 입는 동안 프라이버시를 유지해준다.

5 세포진검사로 골반검진 시 수거된 경부에서 나온 세포를 검사하여 악성 상태가 잠재성인지 활동성 인지를 결정할 수 있는 검사로 Pap 검사(papanicolaou test)라고 한다.

- 준비단계: 대상자에게 질 세척이나 질을 통한 약물사용을 금지시키고, 검사 전 24~48시간 전에는 성교를 하지 않도록 교육한다. 만약 월경 중이면 검사 시기를 다시 결정한다. 검사를 위한 가장 적절한 시기는 월경주기의 중간 시기다.
- 검사과정:
  - 검사 목적과 질경이 삽입될 때 대상자가 느낄수 있는 감각(통증이 아닌 압력)을 설명한다.
  - 대상자를 쇄석위로 눕도록 한 후 질경을 삽입한다.
  - 세포진 검사를 위한 검사물은 질의 다른 검진 전에 채취하여야 하며, 경관 내 세균검사물은 자궁경부에서 면봉을 이용하여 채취한다.
  - 세포진 검사는 경관 내 검사물 기구를 이용하여 시행된다. 세포 채취 시 두 가지 샘플채취법을 사용할 경우,솔 형태의 채취도구(cytobrush)를 경관 안에 삽입하여 90° 내지 180°를 회전시킨다. 이후 주걱모양 채취도구(spatula)를 이용해 경관의 변형대를 긁어서 세포를 채취한다. 붓 모양의 채취도구(broom)는 삽입하여 360° 회전을 5차례 시행하여 한번에 경관외 및 경관 내 세포를 채취한다. 비정상적인 것으로 보이는 부분이 있다면 질확대경 검사와 함께 생검을 시행한다. 이후 5초 이내에 보존제를 뿌린다.
  - 대상자의 이름과 부위를 적어 슬라이드에 부착한다. 대상자의 이름, 연령, 결혼 상태, 주호소나 검사물 채취 이유 등을 기록한 기록지를 이용하기도 한다.
  - 검사물을 바로 검사실로 보내서 암세포와 같은 특별한 비정상적 소견이 있는지를 포함한 평가 결과지를 받는다.
  - 대상자 의무기록에 검사일자를 기록한다. 검사 결과를 기관지침에 따라 대상자에게 알려준다.

② 생식기 구조이상 간호

1 장기간 장사를 하였으며 고령의 다산부로 골반을 지지하는 인대의 손상뿐 아니라 폐경 후 에스트로겐 저하로 인한 인대나 근의 이완 등으로 자궁이 정상위치에서 하방으로 빠진 상태이며 하강의 정도로 볼 때 3도 이상의 자궁탈출 상태임을 알 수 있다.

2 ① ~와 관련된 사회적 소외, 손상 받은 신체상
  • 기능적 변화
② ~과 관련된 통증
  • 골반 지지구조의 이완
③ ~와 관련된 불안
  • 수술절차와 예후
④ ~에 대한 지식부족
  • 질환의 원인과 치료법

3 ① 보존적 치료
  • 경도, 중등도의 탈출증, 향후 분만계획이 있는 경우, 환자가 수술을 기피하는 경우 적용
  • 페서리 : 폐경 후 여성의 경우 호르몬 요법이나 질내 여성호르몬 크림을 4~6주 정도 사용한 후 페서리를 사용
  • 골반근육운동, 생활습관 교정, 바이오피드백 등을 사용
② 수술적 치료
  • 손상된 부분을 복원하는 수술
  • 전질벽봉합술(anterior vaginal colporrhapy), 후질벽봉합술(posterior vaginal colporrhapy), 질주위복원술(paravaginal repair)

4 ① 수술 전 간호
  대상자와 배우자에게 수술 전 준비와 처치, 목적, 절차에 대해 충분히 교육한 후 수술 승락서를 받는다.
  • 각종 귀금속과 화장, 속옷, 매니큐어, 렌즈, 의치 등을 제거한다. 간호정보 조사지를 작성하면서 평소 이상 증상과 과거력, 현재 병력, 입원 전 복용약을 확인한다.
  • 수술 전 흡연을 금지하고 목욕은 수술 전날 실시한다.
  • 수술동의서, 수혈동의서를 받은 시간과 내용을 기록하며, 필요시 자가통증조절기(IV-PCA)를 준비하고 정맥주입로를 확보한다.
  • 수술 후 심호흡법, 객담배출법, 운동법을 교육한다.
  • 수술 전 광범위한 장준비(bowel preparation)가 요구된다.
  • 수술부위 압력을 감소, 변으로 인한 수술부위 오염예방을 위해 관장을 시행하며 처방대로 관장을 한다.
  • 수술 전 며칠 전부터 저잔류 식이를 하며 수술 전날 저녁 가볍게 연식 후 금식한다.
  • 수술부위 피부준비는 수술에 따라 수술 전날 밤 치골선부터 항문까지 삭모하고 옆으로는 허벅지 안쪽까지 삭모하고 피부소독을 준비한다.

② 수술 후 간호
- 혈전 예방을 위한 다리운동을 교육한다.
- 심호흡과 기침, 객담 배출을 격려한다.
- 섭취량 및 배설량 확인의 목적과 방법, 금식을 교육한다.
- 전신 마취인 경우 반좌위(semi-fowler's position)를, 척추마취인 경우 앙와위(supine position)를 8시간 유지한다.
- 수술 후 1일에는 질출혈 유무와 출혈 양상을 확인하고, 조기 보행하도록 하며 보행 시 낙상주의 교육과 보호자 동반할 것을 교육한다.

③ 월경장애 간호

1 월경전증후군의 증상은 월경 일주일 전부터는 반복적인 피곤함, 유방의 팽만감, 아랫배 팽만, 두통, 짜증, 변비, 월경이 끝나면 증상이 없다.
따라서 월경 전의 증상이고, 최소 1개 이상의 증상이 있고, 심리적이거나 행동적인 증상 1개 이상이므로 월경전증후군이다.

2 • 월경전증후군과 관련된 지식부족
• 월경전 증상과 관련된 비효율적 대처
• 월경전 증상관리와 관련된 자가간호향상 가능성

3 • 생활양식의 변화로 스트레스를 완화하기 위해 규칙적인 운동 및 이완 기술 사용
• 복부팽만 증상이 있다면 짠 음식과 과식을 피함
• 변비가 있다면 충분한 수분과 섬유질 식이 섭취
• 피로감이 심할 때는 규칙적이고 충분한 수면과 휴식 취함

④ 난임 간호

1
- 남편의 무정자증 진단에 놀라 남편에게 차마 말하지 못함
- 난임 시술에 대한 남편의 비협조
- 여성이 모든 난임 시술이나 진단에 대한 불확실한 정보
- 5년 전 진단 후 혼자서 느꼈을 심리적 문제
- 꿈에서 임신하는 정도의 임신에 대한 간절함
- 체외수정을 준비하고 여성의 월경력, 임신력, 과거력과 신체검진

2
- **신체적**
  수면부족, 영양불균형, 이유없는 두통이나 복통, 설사, 비타민 부족, 월경불순, 월경통, 상상임신, 치료와 관련된 과배란, 과배란 합병증, 검사와 시술과 관련된 통증
- **심리적**
  ① 난임 사실에 대한 부인, 분노, 자존감 저하, 고립, 슬픔
  ② 난임 치료기간 동안의 불안, 우울, 기분장애
- **사회문화적**
  ① 부부관계 : 난임과 관련된 부부의 성생활의 부정적인 영향과 부부관계 악화
  ② 가족문화관계 : 시부모의 아이에 대한 기다림,
  ③ 사회관계 : 주위의 배려심 없는 질문이나, 언행,
  ④ 문화적 관점 : 결혼하면 아이를 기대하는 문화적인 관점, 장손(장자) 중심의 가족문화

3
- 임신과 관련 생식과정에 대한 지식부족
- 치료기간의 지연과 관련된 불안 혹은 슬픔

4 학생이 비판적 사고 중심의 간호실무의 간호중재를 참고하여 간호계획을 수립할 수 있도록 한다.

5
- 진단과정 : 난임이 의심스러운 경우에는 우선 진단적 검사를 통해 난임 인자를 진단한다. 부부의 난임 인자가 특정되면 2차 검사를 하여, 원인을 정밀검사하고, 질환에 따라 치료한다. 진단적 검사는 여성인 경우, 월경력과 산과력, 건강력, 과거력을 사정하고, 기초체온검사, 호르몬부하시험, 혈중호르몬 농도 측정, 클라미디아 검사, 자궁난관조영술, 초음파검사등을 실시하고, 남성의 경우 정액검사를 실시한다.
- 치료적 대안 : 보조생식술, 체외수정 – 배아이식, 난자세포질내 정자주입술 등이 있고, 이러한 보조생식술로도 임신이 되지 않을 경우 비배우자 간 인공수정을 할 수 있다.
- 지지 서비스 : 자조모임, 입양기관, 가족치료 및 심리상담의지지 서비스가 있다.

⑤ 생식기 감염 간호

1 · 주증상은 지속적 백대하이며, 다음과 같은 증상이 있을 수 있다.
   – 외자궁경부가 정상일지라도 경관내막이 비후되고, 백색의 농이보이는 경우
   – 외자궁경부에 다양한 크기의 미란이 있는 경우
   – 경부의 외번증이 있는 경우

2 · 간호문제: 흡연, 음주, 다수의 성파트너, 비정상 질분비물, 경부염의 병력, 생식기 검진과 관리의 소홀함 등
   · 간호진단
   – 만성 감염의 결과와 관련된 불안
   – 감염의 전파 및 재감염과 관련된 불안
   – 감염관리와 관련된 지식부족
   – 성전파성 감염 위험을 줄이는 성행위와 관련된 지식부족

3 · 세포학적 검사, 질확대경, 조직 생검 등을 실시하여 초기 자궁경부암과 감별한다.
   · 만성 염증성 병소에서 암의 초기증상을 많이 발견할 수 있으므로 만성 염증성 질환을 근치하는 치료를 한다.
   즉, 냉동요법, 전기소작법, 원추절제술, 레이저요법, 환상투열요법 등으로 병변 조직을 파괴시키는 치료를 한다.

⑥ 자궁내막질환 간호

1
- 문진 : 월경통, 골반통, 성교통, 월경 유무
- 골반검진 : 골반압통, 고정된 자궁후굴 및 자궁천골인대 부위 소결절 촉진
- 초음파 : 골반내 종괴 확인
- 복강경 : 자궁내막증의 확진과 병소 파악

2
임신을 원하는지, 증상의 중등도, 자궁내막증의 정도

3
- 다나졸은 심혈관질환, 신질환, 간기능장애가 있는 환자에게는 금기임을 설명한다.
- 치료는 월경이 끝난직 후에 하고 치료기간을 6개월임을 설명한다.
- 부작용으로 쉰 목소리, 체중증가, 체액저류, 여드름, 지루성 피부염, 체모와
- 머리털의 증가, 유방위축, 성욕감퇴, 피로, 오심, 위축성질염, 안면홍조, 근육경련 및 감정의 변화 등이 있음을 설명한다.

❼ 자궁내막암 간호

사례

1 과체중, 폐경, 적은 출산력, 50대 연령

2
- 자궁내막암 진단 및 치료과정에 대한 지식부족
- 자궁적출 후 성기능 상실에 대한 불안
- 자궁내막암 예후와 관련된 불안

3
- 사궁질제술로 인한 성기능 변화를 설명한다.
- 수술 후 성교는 2달 후 시작할 수 있으며 수용성윤활제를 질에 도포한다.
- 자궁상실에 대한 감정을 표현하도록 한다.
- 1기 자궁내막암의 생존율과 예후를 설명한다.
- 자궁내막암의 수술적 치료, 화학요법, 방사선요법을 설명한다.
- 수술 전 배우자와 함께 자궁절제에 대하여 감정을 나눈다.

4 치료는 수술요법이 원칙이며, 전자궁적출술, 근치자궁절제술, 양측부속기절제술, 골반림프절제술을 한다. 추가치료로 항암화학요법이나 방사선요법을 실시한다.

정답 해설 ● 205

⑧ 자궁근종 간호

사례

1
- 자궁을 제거하면 여성성을 상실하여 성생활에 문제가 있을 것이라 생각함
- 난소를 제거하면 난소호르몬 분비가 안되어 노화가 빨리 올 것으로 생각함

2
- 건강력 : 여성의 월경양상의 변화(통증 또는 압박 등)를 포함한 월경주기, 불임력, 자연유산력, 가족력
- 근종과 관련된 증상 사정 : 만성골반통, 요통, 출혈로 인한 철 결핍 빈혈
- 복부팽창감, 불임(큰 종양을 동반한), 월경통, 성교통증, 빈뇨, 긴박뇨, 요실금
- 불규칙적인 질 출혈(월경과다), 골반 부위의 중압감

3
① 선별검사
- 단순복부 촉진, 양손검진 : 특징적으로 비대해진 자궁이나 불규칙한 양상의 자궁을 진단한다. 근종의 크기가 큰 경우 복부에서 자궁 촉지가 가능하다.

② 임상검사
- X–선 복부촬영, 초음파검사 : 근종을 진단
- 복강경 검사, 자궁경 검사 : 근종 확진
- 세포진 검사, 자궁내막 생검 : 양성 종양의 유무, 자궁내막증식증, 자궁평활근종 유무 확인

4
① 수술 후 안위변화와 관련된 건강유지 능력저하
- 절재부위 통증완화를 위해 진통제를 투여한다.
- 위생을 증진하기 위해 옷과 시트를 자주 갈아준다
- 절개부위, 드레싱, 질 출혈을 사정하고 출혈이 심하면 보고한다.
- 수분과 전해질의 균형을 유지한다.
- 침상안정으로 인한 혈전정맥염과 정맥울혈을 예방하기 위해서 보행과 적극적 관절범위운동을 권장한다.
- 초기 합병증을 발견하기 위해서 활력징후를 측정한다

② 여성성의 상실과 관련된 우울
- 성생활 관련 고민을 의료인과 편하게 상의할 수 있도록 한다.
- 수술 후 성생활에 관련된 정보를 제공한다.

⑨ 자궁경부암 간호

사례

1 이른 초경연령, 이른 결혼 연령, 많은 산과력

2
- 자궁경부암 수술 후 통증
- 근종과 치료과정과 관련된 불안
- 자궁근치수술 후 출혈위험성
- 침습적 시술과 관련된 감염위험성

3
- 통증의 강도, 양상, 위치를 사정한다.
- 정확하게 섭취량과 배설량을 사정한다.
- 활력징후를 측정한다.
- 치료에 대한 간호계획을 설명한다.
- 감정을 표현하도록 격려한다.
- 침습적 부위에 대한 무균술을 시행한다.

⑩ 난소종양 간호

사례

1 **출산력 1회, 폐경연령 58세**

: 난소암의 위험요인은 미산모, 불임, 이전 유방암, 대장암, 난소암에 대한 가족력 및 배란자체가 난소암에 대한 위험요인이므로 이 여성의 출산력은 1회로 무배란 시기가 다산부에 비해 짧으며 폐경의 평균연령이 만 51세인데, 이 여성은 13세에 초경하여 58세에 폐경을 하였으므로 배란 기간이 길다.

2 • 화학치료에 따른 오심과 구토와 관련된 영양 불균형
- 피로, 쇠약감과 관련된 자가간호결핍
- 암의 진행과 관련된 비효율적 개인 대처
- 안녕상태의 변화와 관련된 사회적 고립

3 • 난소암은 수술적 병기, 세포분화도, 원발성 혹은 재발성 난소암의 유무, 기존치료에 대한 반응, 환자의 수행능력에 따라 치료방법이 달라진다.
- 개복하여 난소암의 병기를 결정(초기 난소암)하거나 최대 종양감축술(진행성 난소암)과 수술 후 복합항암화학요법이 표준 치료법이다.
- 양측 난소난관 절제술과 자궁적출술은 진단과 질병 단계, 종양제거 등을 위해 가장 흔히 시행된다. 초기 난소암이며 출산을 원하는 여성은 병기 IA, grade 1,2인 경우 일측 난관난소절제술을 시행할 수 있다.
- 초기 난소암인 경우는 보조적 항암화학요법으로 paclitaxel과 carboplatin 3~6회 투여가 원칙이지만, 병기 IA, grade 1,2에서는 생략할 수 있으며, 진행성 난소암인 경우는 항암화확요법은 6~8회 투여한다.
- 보통 방사선 치료는 효과가 없다.

4 **수용**

질병을 수용하는 단계이므로 남은 생애를 자신이 원하는 대로 마무리 할 수 있도록 즉, 가족과의 시간을 보내고 가족들의 간호를 받을 수 있도록 하는 중재가 필요하고, 추후 호스피스 간호도 필요할 것이다.

: 난소암의 여성은 Kubler-Ross가 서술한 슬픔의 5단계를 경험하므로 각 단계별 지지가 필요한데, 1단계는 부정(Denial), 2단계는 분노(Anger), 3단계는 타협(Bargaining), 4단계는 절망,우울(Depression), 5단계는 수용(Acceptance)으로 위 사례 여성은 수용단계로 볼 수 있다.

⑪ 외음 · 질종양 간호

1 • 5단계가 나타날 수 있다.
　① 1단계 : 부정 ② 2단계 : 분노 ③ 3단계 : 타협 ④ 4단계 : 우울 ⑤ 5단계 : 수용

2 • 발생원인
　• 치료 방법 및 예후
　• 수술 후 자가 관리
　• 전이 유무
　• 수술 부위 크기, 치유기간 등

3 • 소양증
　• 외음부 종괴
　• 병력에 나타나 있지 않으나 외음부 상피내 종양, 또는 인유두종바이러스 감염 여부를 파악한다.
　• 낮은 사회 경제적 지위
　• 당뇨, 고혈압, 비만, 흡연
　• 외음부의 비종양성 질환 병력
　• 인유두종 바이러스
　• 외음부 상피내 종양 등

4 • 조직검사로 확인, 병기에 따라 근치적국소절제술, 근치적 외음절제술 시행한다.
　• 화학요법 및 방사선요법도 실시한다.
　• 병기에 따른 수술은
　① 광범위국소절제와 서혜부림프절절제술 – Ⅰ, Ⅱ, Ⅲ기 외음암
　② 근치적외음절제술과 화학요법– 진행된 병기가 Ⅲ, Ⅳ기 외음암
　③ 림프절침범 시에 추가적 골반방사선치료. 재발 시에는 2차적 절제술 시행 후 방사선 치료

⑫ 생식기 수술, 방사선 화학요법 간호

1 미혼이므로 자궁근종절제술이 좋으나 근종의 종류, 환자의 상태에 따라 수술방법이 달라질 수 있다.

2 • 미혼으로 근종절제술 또는 자궁적출술등 수술 후 임신에 대한 걱정
   • 미혼으로 자궁관련 수술을 한다는 생각 등

3 자궁근종의 불충분한 혈액공급과 여러 가지 요인에 의해 이차 변성 초래
   ① 초자성 변성
   ② 석회화 변성
   ③ 지방변성
   ④ 낭포성 변성
   ⑤ 육종성 변성
   ⑥ 감염
   ⑦ 괴사

제 7 장 사회문화적 건강문제를 가진 여성간호

① 한부모 간호

사례

1 상담 전화를 한 여학생의 정서 심리적 상태를 먼저 공감하면서 지지하여 자신이 직면한 구체적 문제들을 점검할 수 있도록 하고 그와 관련된 결정과 해결방안을 찾는 데 필요한 자원이나 시설 등 실제적 정보를 제공해준다.

2 원치 않는 임신과 출산과 관련되어 다양한 선택을 할 수 있다.
그러나 책임 있는 성행동과 성적 자기결정권에 대한 인식이 필요하다.

3 성상담자는 대상자의 성 건강문제 대해서 긍정적 시각과 자연스러운 태도로 상담하고, 현재 직면한 임신과 관련된 문제들을 표현하도록 격려하고 잘 경청하면서, 대상자 스스로 문제들에 대해서 결정하고 해결방안을 찾는데 도움이 되는 정보들은 솔직하고 구체적으로 제시해야 한다.

4 ① 직면한 문제들은 다음과 같다.
- 정기 산전건강관리가 안되고 의료기관 방문하지 않음
- 영양 불균형, 자신과 태아 건강 문제 가능성
- 학업 복귀와 취업, 경제의 어려움
- 지지체계의 부족 : 남자친구와 연락도 안 되고 가족의 빈곤
- 성지식 부족과 피임 실패
- 임신, 출산, 양육에 대한 지식부족 가능성, 등

② 해결방안으로 다음을 고려해 볼 수 있다.
- 산전, 산후 관리: 적절한 영양섭취, 임신 신체변화 적응과 분만 진통 정보제공
- 미혼모관련 시설, 상담기관, 자조집단 등 안내와 참여지원
- 학업지속을 위한 휴학, 복학, 전학 처리 정보 지원
- 가족과 연계할 수 있는 방안 강구
- 재임신 방지를 위한 성교육 등

② 성폭력 피해 여성 간호

사례

1 성폭력 피해 후 경과된 시간을 먼저 확인해야 한다.

: 응급피임약은 성폭력 피해후 12시간 늦어도 72시간 지나기 전에 복용해야 효과가 있다.

2 • 임신위험을 확인하기 위해서 마지막 월경일, 피임여부, 다른 병력을 확인한다.

• 성폭력 피해 후 72시간이 경과하지 않았다면, 응급피임약을 바로 복용한다.

• 성폭력 피해 후 72시간이 경과했다면, 추후 임신반응검사를 시행한다.

3 • 성폭력 피해 여성은 성폭력 이후 씻거나 옷을 갈아입지 않고 그대로 가능한 빨리 의료기관을 방문해서 문진, 신체검사와 증거물 채취, 임신과 성병예방을 위한 치료, 추후 검사결과 확인과 부인과적 경과를 관찰하고 정신과 상담 등 추후 관리를 받아야 한다.

• 성폭력 피해를 받았을 때 신속하게 신고하고 지원기관을 이용한다.

: 통합지원센터(원스톱지원센터, 해바라기 여성 아동센터), 성폭력상담소, 여성긴급전화(1366), 보호시설(성폭력피해자 보호시설, 쉼터), 장애인상담 및 보호시설 등

4 • 피해자 대상 예방 교육과 가해자 대상 재발 방지 교육

• 주변인과 목격자 중심 교육

: 폭력을 목격했을 때 방관하지 말고 가해자를 막고, 피해자를 지원하는 주변사람들과 목격자의 역할과 책임의 중요성에 대한 교육

• 2차 피해를 예방하기 위해서 성폭력이 발생했을 때 전문기관에 신고해야 함

• 성폭력으로부터 안전한 사회적 환경 조성

: 차이와 다양성을 존중하고, 정의롭고 평등한 가족과 사회

93510

9 791159 553301

ISBN 979-11-5955-330-1

정가 25,000원

www.koonja.co.kr

시뮬레이션 실습

여성건강간호 실무역량

문제해결형 국가시험을 위한

여성건강간호와 비판적 사고 2

김계숙 김경원 김선희 김 수 김영희 김현경 김희숙
박혜숙 배경의 송영아 이선희 정금희 한용희

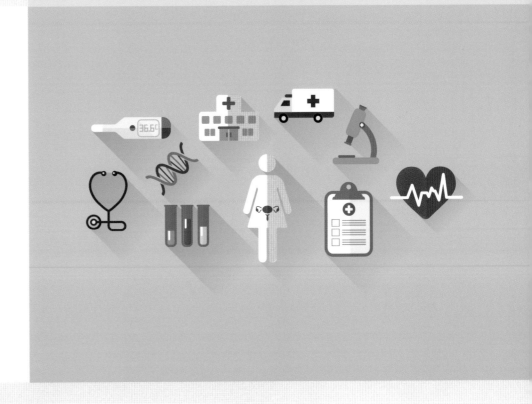

KOONJA

시뮬레이션 실습

여성건강간호 실무역량

문제해결형 국가시험을 위한

여성건강간호와 비판적 사고 2

김계숙 김경원 김선희 김 수 김영희 김현경 김희숙
박혜숙 배경의 송영아 이선희 정금희 한용희

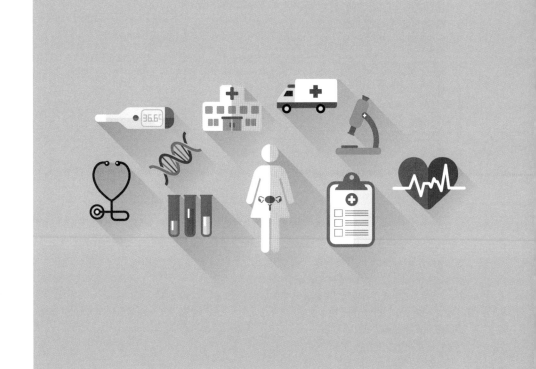

KOONJA

시뮬레이션 실습, 여성건강간호 실무역량, 문제해결형 국가시험을 위한

여성건강간호와 비판적 사고2
Women's health Nursing & Critical Thinking

첫째판 1쇄 인쇄 / 2011년 8월 25일
첫째판 1쇄 발행 / 2011년 8월 31일
둘째판 1쇄 인쇄 / 2018년 6월 28일
둘째판 1쇄 발행 / 2018년 7월 4일

지 은 이 / 김계숙·김경원·김선희·김수·김영희·김현경·김희숙·박혜숙·배경의·송영아·이선희·정금희·한용희
발 행 인 / 장주연
출 판 기 획 / 박문성
편집디자인 / 최윤경
표지디자인 / 김영민
발 행 처 / 군자출판사
등   록 / 제4-139호(1991. 6. 24)

본   사 / (10881) 경기도 파주시 회동길 338(서패동 474-1) 군자출판사 빌딩
대 표 번 호 / (031)943-1888 팩스 (031) 955-9545
홈 페 이 지 / www.koonja.co.kr

ISBN 979-11-5955-330-1

정가 25,000원

저 자 소 개

김계숙 / (전) 안산대학교

김경원 / 대구한의대학교

김선희 / 대구가톨릭대학교

김　수 / 연세대학교

김영희 / 동국대학교

김현경 / KC대학교

김희숙 / 동남보건대학교

박혜숙 / 동양대학교

배경의 / 동서대학교

송영아 / 안산대학교

이선희 / 김천대학교

정금희 / 한림대학교

한용희 / 한림성심대학교

서 문

왜 우리는 '비판적 사고'를 학습하고 훈련해야 하는 것일까? 그것은 바로 성건강간호실무 현장에서 비판적 사고기술과 태도를 간호과정에 적용할 것을 요구하기 때문이다. 간호과정은 대상자의 간호문제해결을 위해 가장 체계적이고 과학적으로 접근할 수 있는 간호실무로서 간호사의 비판적 사고능력을 향상시킬 수 있는 비판적 사고의 도구로 활용된다. 비판적 사고란 신중하고 목적이 있고 사실을 근거로 한 조직적인 인지과정이며 실제적 과정으로 일련의 통합된 능력과 태도를 말한다. 따라서 간호과정을 대상자에게 효율적으로 적용하기 위해서는 다양한 간호 상황의 맥락에서 비판적 사고를 할 수 있는 능력을 개발하고 훈련해야 한다.

간호사나 간호 대학생들이 여성건강간호현장에서 간호과정을 적용할 때에 숙련된 비판적 사고와 자기 성찰적 태도를 갖춘다면 대상자의 문제해결을 위한 간호는 훨씬 효율적일 것이다. 이 점에서 간호과정과 비판적 사고는 상호조화 및 상호동력이 되어 간호교육의 발전과 간호실무의 향상을 위해서 또는 새로운 이슈나 동향에 대해 민감하게 반응할 수 있도록 도움을 줄 것이다.

최근 간호사 면허 국가시험은 간호실무역량 지표인 지식, 기술 및 태도를 정확하게 평가하기 위해 다양한 임상간호 상황을 제시하고, 비판적 사고에 의해 답을 선택하는 문제해결형 문제로 변화되고 있다. 이 책은 간호 대학생들이 다양한 상황에서 우선순위별로 문제를 인식하고 해결해 나갈 수 있는 간호직무기반의 간호역량을 갖추고, 시뮬레이션실습과 임상실습에서 비판적 사고를 통합할 수 있는 능력을 기를 수 있도록 하였다.

본 책은 2010년 초판으로 발행된 이래로 여러 여성건강 간호 전문가들이 최근 임상간호 동향과 간호실무 역량을 평가하는 내용으로 개정하였다. 본 책의 구성은 다음과 같다.

1. 급격하게 변화하는 임상상황에서 발달주기별 여성건강 간호, 여성생식기 건강간호, 사회문화적 여성건강간호에 대한 비판적 사고능력을 확장할 수 있도록 Key point(핵심개념)와 핵심 간호 실무를 제시하였다.

2. 비판적 사고중심 학습영역은 개념적 측면을, 비판적 사고중심 간호실무 영역은 개념적 측면과 실무적 측면을 통합적으로 다루었다.

3. 간호실무능력 평가 영역에서는 여성건강간호 주제별로 문제를 제시하여 간호실무 역량을 평가하도록 하였다.

4. 주제별 관련정보 영역은 재미있고 이해가 쉬운 그림을 사용하여, key point(핵심개념)에 대한 이해를 쉽게 하도록 하였고, 다양한 정보를 제공하여 제시한 문제해결을 위한 비판적 사고능력을 확장하도록 하였다.

앞으로 본 책이 간호 대학생뿐만 아니라 새로운 정보를 필요로 하는 간호사의 계속교육을 위해 핵심 도서로 활용되어지길 기대합니다. 군자출판사와 책 내용에 대해 감수를 맡아주신 고려대학교 산부인과 홍순철 교수님께 깊은 감사를 드립니다. 군자출판사의 임직원 여러분께 깊은 감사를 드립니다.

2018년 6월

김계숙, 송영아, 김희숙

CONTENTS

PART 06 생식기 건강문제를 가진 여성간호

부록 　정답 해설

제 2 권

PART 06　생식기 건강문제를 가진 여성간호

PART 07 · 사회문화적 건강문제를 가진 여성간호

부록 · 정답 해설

PART 6

생식기
건강문제를 가진
여성간호

CHAPTER 05

PART 6

생식기 감염 간호

key point

>> 외음 감염성 질환의 가장 흔한 원인은 칸디다증이며, 외음부의 홍반과 소양증을 동반한다. 외음부의 궤양성 감염질환은 주로 성접촉에 의한 감염질환이다.

>> 질염은 항생제의 사용이나 식이변화, 전신질환 등으로 정상세균총의 변화가 유발되어 발생하는 질내 감염성 질환이다.

>> 성매개 감염(STI)에는 첨형콘딜로마, 클라미디아, 임질, 매독, 단순포진, 후천성면역결핍증, B형 감염, 트리코모나스 등이 있다.

>> 자궁경관염의 원인균은 대부분이 세균성이며, 특히 임균이나 클라미디아, 연쇄상구균 등이다. 급성 경관염은 임균과 클라미디아균에 의한 감염이며, 만성 경관염은 자궁경부의 열상이나 손상을 받은 후 연쇄상구균 또는 임균에 의해서 발생한다.

>> 자궁내막염은 가임기 동안에는 월경이 자궁내막에 방어역할을 하므로 감염은 잘 일어나지 않으나 분만이나 유산 후에 방어기전과 재생이 잘 이루어지지 않아 발생할 수 있는 산후감염이 가장 흔하다.

>> 골반염증성 질환은 자궁, 나팔관, 난소, 복막부분의 염증을 말한다. 원인균은 임균, 트리코모나스, 연쇄상구균, 포도상구균 등이 자궁내막을 통해 나팔관, 복강 내로 상행한다.

사례

28세 미혼 여성의 문진결과는 다음과 같다.

월 경	규칙적	과거력	6년 전에 만성경부염을 앓았음
신 장	168cm	흡 연	하고 있음
체 중	50kg	음 주	주당 1~2회
성관계 경험	있음	가족력	없음

이 여성은 최근 산부인과 외래에 비정상적인 질 분비물이 있어 내원하였다. "예전에는 성관계를 자주 하였고 상대도 많이 바뀌었었어요. 그때 검사에서 암을 유발하는 세포가 의심된다고 했어요. 그래서 정기적으로 6개월에 한 번씩 검사받으라고 하셨는데, 그 뒤로 성파트너도 다양하지 않았고, 성행위 횟수도 적어서 한 번도 검사를 받지 않았어요. 그 후로 질 분비물이 증가될 때마다 질정 약을 꾸준히 넣어주고 있어요. 한 번씩 검사도 받아보고 싶은데 무서워서요. 백신을 맞고 싶은데…."

1 만성경부염의 특징적 증상을 설명하시오.

2 위 여성의 간호문제를 확인하고 간호진단을 세워보시오.

3 검사결과가 만성 자궁경부염이라면 치료적 관리를 설명하시오.

학습목표

- 외음 감염성 질환의 원인, 증상과 징후, 치료를 설명한다.
- 외음 감염성 질환 여성에게 간호과정을 적용한다.
- 질염의 원인, 증상과 징후, 치료를 설명한다.
- 질염의 여성에게 간호과정을 적용한다.
- 자궁경부염의 원인, 증상과 징후, 치료를 설명한다.
- 자궁경부염의 여성에게 간호과정을 적용한다.
- 자궁내막염의 원인, 증상과 징후, 치료를 설명한다.
- 자궁내막염의 여성에게 간호과정을 적용한다.
- 난관염의 원인, 증상과 징후, 치료를 설명한다.
- 난관염의 여성에게 간호과정을 적용한다.
- 골반염증성 질환의 원인, 증상과 징후, 치료를 설명한다.
- 골반염증성 질환의 여성에게 간호과정을 적용한다.

개요

생식기감염이란 내외생식기의 염증을 말한다. 주로 상주균에 의한 비특이성과 성전파성 질환에 의한 특이성이 있다. 주요 생식기의 염증은 크게 외음부, 질, 경관, 자궁의 염증, 부속기의 염증, 골반내 염증으로 나뉜다. 병원체는 상행성 감염을 초래하는 경우가 많다. 치료는 각 원인균에 따른 치료가 중시된다.

❶ 위험요소

- 골반염증성 질환의 발생률은 급속하게 증가하는 추세이다. 재감염으로 인한 높은 재발률을 보인다.
- 다양한 원인균 : Neisseria gonorrhoeae, C. trachomatis, anarobes, 그람음성균, 연쇄상구균, 내막을 통한 경부의 감염은 나팔관, 복강 내로 상행한다.
- 다수의 성 파트너, 조기 성경험, 자궁내장치의 사용, 치료적인 유산, 제왕절개, 자궁난관 검사 등이 요인이 될 수 있다.

② 진단검사

- 자궁내막 DNA 검사나 배양 검사
- CBC(백혈구, C-reactive protein(CRP), 적혈구 침강속도(ESR) 증가
- 복강경 검사

③ 증상과 징후

- 골반통 : 가장 흔히 나타나는 증상으로 둔하고 양측성으로 나타난다.
- 발열 : 특히 심한 임균 감염 시 나타난다.
- 자궁경부의 분비물 : 점액성의 농성 분비물이 나타난다.
- 경부 움직임 시 압통 : 특히 임균 감염 시 볼 수 있다.
- 불규칙한 자궁출혈이 있다.
- 위장관 증상 : 오심, 구토, 농양 시 급성 복통이 나타난다.
- 비뇨기계 증상 : 배뇨곤란, 빈뇨가 나타난다.
- Chlamydia의 증상이 나타난다.

④ 치료관리

- 항생제 : 테트라사이클린, 페니실린, quinoline, cephalosporin 등의 항생제를 상태에 따라 경구 또는 정맥 내로 투여한다.
- Cefotetan(Cefotan) 2g을 정맥 내로 12시간마다, doxycycline 100mg을 경구나 정맥 내로 12시간 마다 함께 투여한다.
- Clindamycin(Cleocin) 900mg을 정맥 내로 8시간 마다, gentamycin(Geramycin)2mg/kg을 정맥 내 또는 근육주사로 초기 용량으로 함께 투여하고 8시간마다 1.5mg/kg을 유지용량으로 투여한다(gentamycin 1회 용량을 매일 투여할 수도 있다).
- Ofloxacin(Floxin) 400mg을 하루에 두 번 경구로, metronidazole 500mg을 14일 동안 하루에 두 번 함께 투여한다.
- Ceftriaxone 250mg을 근육주사로 한 번, doxycycline 100mg을 하루에 두 번 14일 동안 함께 투여한다.

⑤ 합병증

- 농양의 파열과 패혈증
- 난관과 난소의 협착으로 인한 불임증
- 협착 된 난관으로 인한 자궁외 임신
- 배뇨곤란

C 비판적 사고중심 간호실무

1 간호진단

- 골반염증과 관련된 통증
- 발열과 수분섭취 감소와 관련된 체액 부족
- 지식부족과 관련된 감염의 위험성

2 간호중재

1) 간호 진단적 간호중재

- 월경, 피임, 성 파트너의 수나 성병 병력, 증상 등을 포함하는 성적활동에 대해 사정한다.
- 통증의 정도, 발열 또는 활력징후를 사정한다.
- 골반과 복부 검사를 한다. 특히 복부의 압통, 반동성, 방어적이거나 덩어리 등이 있는지 사정한다.
- 성병에 대한 환자의 느낌에 대해 사정한다.

2) 치료적 간호중재

- 증상의 경과가 보이면 정맥 내 치료를 24시간 후 경구용 약물로 변경한다(열이 떨어지고 통증이 감소하며 오심이나 구토가 사라지는 경우).
- 보통 외래 치료를 한다. 진단이 정확하지 않거나 농양이거나 임신한 경우, 감염이 심한 경우, 구강으로 섭취가 불가능한 경우, 임신을 가능하게 하기 위해 집중적인 항생제를 투여해야 할 경우에는 입원하도록 한다.
- 농양을 배출시키거나 또는 후에 협착이나 난관손상을 치료하기 위해 수술이 필요하다.

3) 교육적 간호중재

(1) 통증완화

- 처방된 진통제의 자가 투여를 지도하거나 투여한다.
- 처음 1~3일 정도는 휴식을 취하도록 하고, 편안함 증진을 위해 골반에 온찜질을 하도록 한다.
- 처방대로 항생제의 자가 투여를 지도하거나 투여한다. 투여량을 정확히 지키도록 한다.

(2) 수분 균형의 회복

- 활력징후와 섭취량과 배설량에 대해 주의 깊게 관찰한다.
- 필요시 항구토제를 투여한다.
- 경구로 음식을 섭취할 수 있기 전까지 정맥주사를 통해 수분을 공급한다.
- 처음에는 맑은 유동식을 제공하고 나중에 환자가 섭취 가능한 음식으로 바꾼다.

(3) 감염예방

- 처방된 기간만큼 항생제 치료를 완전히 끝마치도록 한다.
- 추후방문으로 완치를 확인하기 전까지는 성생활을 자제하고 골반 내 안정을 유지하도록 한다.
- 모든 성 파트너(60일 내에)도 검사를 받고 치료를 받도록 한다. 클라미디아나 임질의 진단은 관할 보건소와 배우자에게 알려야 함을 말한다.
- 골반염 환자가 가정에서 치료를 받을 경우 경구 항생제 치료가 효과가 있는지를 측정하기 위해 보통 48시간 안에 재방문하는 것의 중요성을 강조한다.
- 안전한 성생활을 하도록 한다.

③ 간호평가

- 통증 완화를 말로 표현한다.
- 안정된 활력징후, 적절한 소변량, 혈액검사 등을 유지한다.
- 투약 후 통증의 완화를 말로 표현한다(통증이 10에서 3으로 감소되었다).
- 골반을 지지한 자세로 휴식을 취한다.
- 적절하게 온찜질을 20분 동안 적용한다.
- 구토가 없다.
- 섭취량과 배설량이 균형을 이룬다.
- 구토 없이 얼음조각과 물을 몇 모금 마실 수 있다.
- 항생제를 거르지 않는다.
- 금욕에 대한 이해를 보고한다.
- 파트너는 환자에게서 치료에 대한 충고를 들었다고 말한다.
- 적절한 콘돔 사용법을 설명한다.

1 질염과 원인균이 바르게 연결된 것은?

① 노인성 질염 – spirocheta
② 임균성 질염 – tuberculosis
③ 모닐리아 질염 – protozoa
④ 트리코모나스 질염 – fungus
⑤ 비특이성 질염 – gardnerella vaginalis

2 질염의 종류와 관련내용을 바르게 연결한 것은?

① 노인성 질염–소양감, 작열감, 소량의 출혈
② 칸디다성 질염–과립상 딸기모양의 빨간 반점
③ 임균성 질염–질벽과 경부에서 치즈 같은 반점
④ 트리코모나스 질염–냄새나는 푸른 대하가 많고 따가움
⑤ 헤르페스성 질염–관련요인이 임신, 당뇨병, 항생제 장기 사용

3 자궁 경관염으로 전기 소작술을 받은 환자를 위한 간호중재는?

① 소작 후 샤워나 통 목욕을 할 수 있다.
② 소작 후 7~8일이면 완전히 치유된다.
③ 치료받고 1주 이내에 성교를 할 수 있다.
④ 소작 후 에스트로겐 질 크림을 도포해 준다.
⑤ 소작 후 7~8주 동안 침상 휴식을 취하도록 한다.

4 자궁경관염의 국소치료법에 대한 설명으로 옳은 것은?

① 원추절제술은 전신 마취하에 시술한다.
② 레이저요법은 통증이 없어 마취제 없이 시행한다.
③ 냉동치료법은 조직의 완전한 회생에 8일이 걸린다.
④ 부분 자궁절제술로 병변의 원인을 한꺼번에 제거한다.
⑤ 환상투열절제술은 진단과 치료목적으로 시행할 수 있다.

5 성매개 감염(STI)과 원인균 등이 관련된 내용으로 바르게 연결된 것은?

① 연성하감-Ducrey bacillus-서혜부위샘염

② 경성하감-treponema pallidum-매독3기

③ 클라미디아-chlamydia trachomatis-Tzank test

④ 첨형콘딜로마-human papilloma virus-Frei test(+)

⑤ 성병성림프육아종-chlamydia trachomatis-도노반소체

사례 (6~8번 문제)

급성 골반염증성 질환을 가진 17세 여성이 심한 하복부 통증, 질 분비물, 발열과 오심, 구토가 있으며 2일 동안 음식을 먹거나 마시지를 못한다고 말한다. 이 여성은 무기력해 보이고 현기증을 호소한다. 이 여성은 콘돔 없이 새로운 파트너와 성행위한 것을 시인했다. 현재 경구피임을 하고 있으며 마지막 월경은 1주일 전이었다. 질경 검진 소견에서 자궁경부에 화농성 분비물이 있다. 양손을 이용한 검진에서 경부의 움직임이 있을 때 압통이 있으며, 양쪽의 자궁 부속물에 덩어리가 없는 압통이 있다. 골반염증성질환이 진단되었고 항생제 투여가 처방되었다. 활력징후는 BT: 39℃, PR: 98회/분, BP: 94/60mmHg, RR: 24회/분이다.

6 골반염증성 질환(PID)의 특징적 증상으로 다량의 질 분비물과 통증을 호소한다. 이 여성에게 적용할 수 있는 간호중재는?

① 침상안정을 위해 수분섭취를 제한한다.

② 정확한 진단을 위해 진통제는 제한한다.

③ 트렌델렌버그 자세를 취해 부종을 예방한다.

④ 항생제투여는 균 검출이 멈출 때까지 투여한다.

⑤ 하루 2회 이상 운동으로 질 분비물 배설을 촉진한다.

7 위 여성에게 내릴 수 있는 간호진단을 기술하시오.

8 위 여성에게 수행해야 하는 간호중재를 계획하시오.

1. ⑤ 2. ① 3. ① 4. ⑤ 5. ① 6. ④

7.
- 영양섭취 부족과 관련된 영양결핍
- 골반내감염과 관련된 급성 통증
- 체온상승과 관련된 안위 변화
- 성생활과 관련된 감염 위험성

8.
① 월경, 피임, 성 파트너의 수나 성병 병력, 증상 등을 포함하는 성적활동에 대해 사정한다.

② 통증의 정도, 발열 또는 활력징후를 사정한다.

③ 섭취량과 배설량을 모니터한다.

④ 국소화 된 오른쪽 또는 왼쪽 하복부에 방어적이고 반동성이 있는 압통 혹은 촉진되는 덩어리가 있는지 사정한다 (이는 복막의 염증과 함께 난소 농양을 의미한다).

⑤ 처방된 항생제를 경구와 정맥 내로 투여한다. 처방된 진통제를 투여한다. 환자에게 부작용으로 졸릴 수 있다는 것을 알려준다.

⑥ 머리와 발을 약간 올린 상태로 골반을 지지하는 자세를 취하도록 돕는다.

⑦ 처방대로 정맥으로 수액을 주입한다.

⑧ 처방대로 항구토제를 투여한다. 구토가 약 2시간 정도 멈추면 물을 몇 모금 마시거나 얼음 조각을 물게 하여 경구 섭취를 재시도 한다.

⑨ 증상의 악화가 있을 경우 즉시 보고하도록 교육한다.

⑩ 성병에 대한 느낌을 표현하도록 하고, 안전한 성생활을 하도록 교육한다.

⑪ 성 파트너도 검사를 받고 치료를 받도록 한다.

⑫ 환자와 파트너에게 항생제 투여를 교육한다.

⑬ 2주 정도의 추후 치료에 따른 완치가 확인되기 전에는 금욕을 권한다.

⑭ 파트너에게도 치료를 받도록 권유한다.

⑮ 성병의 감염 방지 방법을 지도한다(금욕, 한 명의 파트너, 콘돔의 적절한 사용).

E 관련정보

1. 생식기의 염증

생식기의 염증이란 내외부생식기에 염증이 있는 것을 말한다. 주로 상재균에 의한 비특이성과 성전파성 질환에 의한 특이성이 있다.

- 생식기의 염증은 크게 외음부·질의 염증, 자궁의 염증, 부속기의 염증, 골반 내의 염증으로 나누어진다.
- 병원체는 상행성 감염을 초래하는 경우가 많다. 단 예외적으로 하행성 감염을 초래하는 경우도 있다.
- 치료의 기본은 각 원인균에 따른 화학요법이 중시된다.

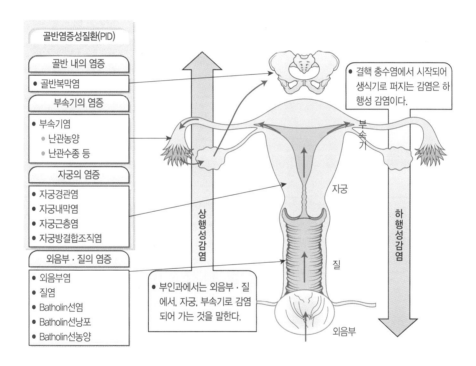

골반염증성질환(PID)

| 골반 내의 염증 |
| 골반복막염 |

| 부속기의 염증 |
| • 부속기염
 • 난관농양
 • 난관수종 등 |

| 자궁의 염증 |
| • 자궁경관염
 • 자궁내막염
 • 자궁근층염
 • 자궁방결합조직염 |

| 외음부·질의 염증 |
| • 외음부염
 • 질염
 • Batholin선염
 • Batholin선낭포
 • Batholin선농양 |

• 결핵 충수염에서 시작되어 생식기로 퍼지는 감염은 하행성 감염이다.

상행성감염

하행성감염

부속기

자궁

질

외음부

• 부인과에서는 외음부·질에서, 자궁, 부속기로 감염되어 가는 것을 말한다.

● **Bartholin선염**

외음부 아래 1/3의 질의 측방에 있는 Bartholin선이 대장균이나 포도구균 등의 원인균에 의해 감염을 일으킨 것이다. 염증으로 배설관이 폐색되면 Bartholin선낭포를 초래하고, 격한 동통이 생긴다. 편측성으로 일어나는 경우가 많다.

● **Bartholin선낭포**

Bartholin선의 배설관 개구부가 염증으로 폐색을 일으켜서, 낭포가 된 것이다. 무통성 종류이지만, 감염이 동반되면 종창 · 동통을 호소하고, 소 · 대음순에 종대된 농양을 형성한다. 치료는 항균제를 투여하는데, 수술에는 절개술, 조대술, 적출술이 있다.

● **생식기결핵**

유방 외의 여성생식기에 발증하는 결핵의 총칭으로, 난관염과 자궁내막염이 가장 많다. 불임의 원인으로 중시되었는데, 현재는 매우 드문 질환이 되었다.

● **매독**

STD의 대표적 질환으로, Treponema pallidum에 의한 전신성 감염증이다. 후천매독과 태아가 태반을 통해서 감염되는 선천매독이 있다. 후천매독에서는 음부의 경성하감에서 시작되어 10년 이상 걸려 신경계 · 심혈관계가 침습된다. 일본에서는 페니실린의 보급 이후 격감하고 있다.

2. 외음부 · 질의 염증

1) 외음질염

외음질염이란 외음부와 질의 염증을 말하며, 원인에 따라서 비특이성과 특이성으로 나누어진다.

	비특이성	특이성
정 의	어떤 원인에 의해서 상재균의 번식이 일어나고, 원인미생물이 특이하지 않은 것	원인미생물이 특이한 것
주요원인	● 대하 · 요로에 의한 오염 ● 이물이나 생리용품에 의한 자극 ● 에스트로겐의 저하	● 성 전파성 질환 (STD) 　● 임균　● 클라미디아 　● 칸디다　● 트리코모나스 　● 단순헤르페스 바이러스 등
증상	● 외음부 · 질의 불쾌감과 소양감 ● 대하의 증가, 악취 ● 점막의 발적, 때로 종창	각 질환에 따른 증상이 출현
치료	원인 제거와 필요에 따라서 항균제 투여	각 질환에 따른 치료

2) 질의 자정작용

성 성숙기의 질은 보통 pH 3.8~4.9의 산성으로 유지되고 있어서, 산성환경에 약한 병원체의 침입이나 증식을 예방하고 있다. 이것을 질의 자정작용이라고 한다.

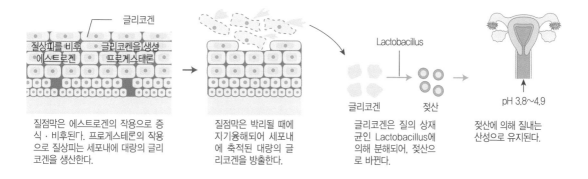

질점막은 에스트로겐의 작용으로 증식·비후된다. 프로게스테론의 작용으로 질상피는 세포내에 대량의 글리코겐을 생산한다.

질점막은 박리될 때에 지기용해되어 세포내에 축적된 대량의 글리코겐을 방출한다.

글리코겐은 질의 상재균인 Lactobacillus에 의해 분해되어, 젖산으로 바뀐다.

젖산에 의해 질내는 산성으로 유지된다.

3) 질염의 병태생리

- 아동기에는 에스트로겐의 분비가 불충분하고 Lactobacillus도 적어서 자정작용이 약하지만, 성교의 기회가 없으므로 감염증이 적다.
- 노년기에는 에스트로겐의 분비가 적고 Lactobacillus도 적어서 질의 자정작용이 매우 약하여 상재균이 번식하기 쉽다.

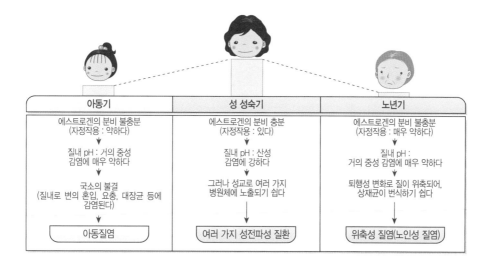

아동기	성 성숙기	노년기
에스트로겐의 분비 불충분 (자정작용 : 약하다) ↓ 질내 pH : 거의 중성 감염에 매우 약하다 ↓ 국소의 불결 (질내로 변의 혼입, 요충, 대장균 등에 감염된다) ↓ 아동질염	에스트로겐의 분비 충분 (자정작용 : 있다) ↓ 질내 pH : 산성 감염에 강하다 ↓ 그러나 성교로 여러 가지 병원체에 노출되기 쉽다 ↓ 여러 가지 성전파성 질환	에스트로겐의 분비 불충분 (자정작용 : 매우 약하다) ↓ 질내 pH : 거의 중성 감염에 매우 약하다 ↓ 퇴행성 변화로 질이 위축되어, 상재균이 번식하기 쉽다 ↓ 위축성 질염(노인성 질염)

4) 질염의 감별

	위축성 질염	세균성 질염*	칸다디성 질염	트리코모나스질염
주요 원인	에스트로겐 저하에 의한 질벽의 비박화나 질의 자정작용 저하에 따른 상재균의 번식 등	호기성균(대장균, Gardnerella vaginalis 등), 혐기성균 (Bacteroides속, Mobiluncus속 등)의 과잉증식	Candida albicans	Tricomonas vaginalis (트리코모나스원충)
대하감	(+)	(+)	(+)	(++)
소양감	(±)	(±)	(++)	(+)
대하의 성상	황갈색 장액성	회백색 크림상	백색 요쿠르트상, 죽상	담황색 포말상
기타	질벽점막의 위축, 발적, 출혈	• 질벽에 대하가 얇게 부착 • 비린내(아민냄새)	질벽에 백색대하가 부착	strawberry cervix
주요 치료	에스트로겐제	• 크로람페니콜 • 메트로니다졸	항진균제 (이미다졸 등)	메트로니다졸

5) 질염의 유형

종류	증상	관리	특성
단순질염(접촉성 질염) • 분비물이 있는 질의 염증. 미생물의 침입과 자극, 불결한 위생이 원인 • 요도가 질과 근접해 있어 자주 질염과 함께 요도염이 동반 • 유발요인: 알레르기원과의 접촉, 심한 발한, 합성섬유로 된 속옷, 불결, 이물질(탐폰, 콘돔, 다이아프람이 너무 오랫동안 남아 있을 경우)	1. 소양감, 발적, 작열감, 부종과 함께 질 분비물 증가 2. 배뇨와 배변 시 증상 악화	1. Döderlien 간균의 증식을 자극하기 위해 베타-유당 질좌약을 삽입한다. 체온에 녹아 당과 반응하게 된다. 2. 약산성 질 세척 실시로 질 내 세균을 강화시키기 위해 물 1,000ml에 식초 15ml를 섞어 시행한다. 3. 배뇨와 배변 후 철저한 청결을 유지한다. 4. 원인물질의 사용을 중지한다.	
박테리아성 질염 • 원인이 '비특이성 질염' • 정상 질세균총의 변화로 혐기성 세균(가드넬라 바지날리스)이 과증식하여 생기는 질염 • 유발요인: 낮은 사회계층이나 자궁내장치의 사용, 다수의 성파트너, 흡연 등이 있으며, 임신부에서 감염 시 조산을 유발할 수 있다.	1. 생선비린내 같은 악취를 동반한 질 분비물 2. 소양감과 작열감이 다른 미생물이 있다는 것을 의미 3. 분비물을 닦아내면 밑의 조직은 건강한 핑크색을 띠는 양성(be-nign) 4. 질의 pH는 5.0~5.5 5. 증상이 없을 수도 있음 6. 질분비물의 현미경 검사 시 Clue cell (질상피세포가 세균으로 덮여있는 것)의 증가 및 백혈구수 감소 KOH를 분비물에 첨가 시 악취발생	1. Metronidazole(Flagyl)을 경구로 7일 동안 1일 1,000mg 투여 또는 국소적인 clindamycin(Cleocin) 1일 600mg 투여 2. Flagyl 치료를 받는 동안은 오심과 현기증을 피하도록 술을 금한다. Flagyl이 기형을 유발할 수 있으므로 임신 중에는 사용하지 않는다. 3. 상태가 재발하지 않으면 성 파트너와의 동시 치료는 논란이 있다. 동시 치료를 할 경우 보통 Flagyl을 사용한다.	
질 트리코모나스 • 알칼리성 환경에서 잘 자라는 원충류(운동성이고 서양배 모양)에 의한 감염이다. 증상이 완화되어도 균은 치료에 저항력을 가지고 요도에 남아 있다.	1. 다량의 냄새나는 분비물, 거품 있는 연녹색의 분비물 2. 소양증, 이상 성감증, 반점 3. 경부에 붉고 딸기 같은 출혈반점 4. 분비물 자극으로 인해 2차적 음문부종, 배뇨곤란, 충혈	1. metronidazole(Flagyl) 2g을 1회 경구로 투여. 주의: Flagyl은 임신 초기에는 금기이다. 남성 파트너도 증상이 없더라도 Flagyl로 동시 치료를 받아 재감염을 막는다. 2. 치료하는 동안 술은 피한다.	
질 칸디다증 • Candida albicans에 의한 진균감염 빈도율 - 여러 요인들이 Candida albicans의 발생에 관여하는 것으로 밝혀졌다. 1. 스테로이드 요법 2. 비만 3. 임신 4. 항생제요법 5. 당뇨병 6. 경구피임약 7. 잦은 질 세척 8. 만성질환	1. 질 분비물은 진하고 자극적이다. 희거나 노란 치즈 같은 반점이 질벽에 부착되어 있음 2. 소양증이 가장 흔한 증상임 3. 작열감, 쓰림, 이상 성감증, 빈뇨, 배뇨곤란을 경험한다.	1. 항진균 질 크림이나 좌약을 3~4회 밤에 투여한다. 2. 증상이 있거나 포경수술을 하지 않은 성 파트너에게 밤마다 항진균 크림을 7일 동안 발라준다. 3. 심하거나 재발하는 경우 전신 항진균 요법을 시행한다.	1. Candida albicans는 위장관에 정상적으로 상주하므로 자주 질을 오염시킨다. 2. 이 진균은 당질이 풍부한 환경에서 빈성하므로 일반적으로 당뇨병 조절이 안되는 환자에게서 볼 수 있다. 3. 일정기간 스테로이드나 항생제 요법(질 내의 자연방어적, 유기체를 감소시킴)을 받은 환자에게서 자주 볼 수 있다.
위축성 질염 • 에스트로겐 감소로 인해 2차적으로 질 점막의 위축이 온다. 폐경기 후에 흔히 나타나며, 감염에 취약하다.	1. 질 소양증, 건조감, 작열감, 이상 성감증, 음부 자극 2. 질출혈 간호시 유의점: 폐경 후 여성에게 질 출혈이 있을 경우 암이 의심되므로 즉시 의사에게 진찰받도록 한다.	1. 전신적인 에스트로겐 감소 증상이므로 경구나 수용성, 자연성 또는 합성 에스트로겐(Premarin)으로 치료한다. 2. 감염이 함께 있을 수 있으므로 치료한다. 3. 에스트로겐 또는 질 크림을 도포한다. 4. 자궁이 건강할 경우 에스트로겐으로 인한 자궁내막 증식을 예방하기 위해 프로게스테론을 함께 투여한다.	

3. 자궁경관염, 자궁경부 미란, 자궁내막염

1) 자궁의 염증

- 자궁은 외음부·질로부터의 상행성 감염의 위험에 노출되어 있다.
- 상행성 감염을 예방하기 위해서, 자궁과 질에는 다음과 같은 감염방어 기구가 있는데, 여기에 이상이 생기면 감염되기 쉬워서 염증이 확대된다.
- 자궁의 염증은 상행성 감염에 의한 경우가 많으며, 자궁경관염 → 자궁내막염 → 자궁근층염 → 자궁방결합조직염으로 염증이 파급되고, 증상도 이 순서대로 심해진다.

(1) 자궁·질의 감염 방어기구　　　　　　　　　**(2) 자궁의 염증**

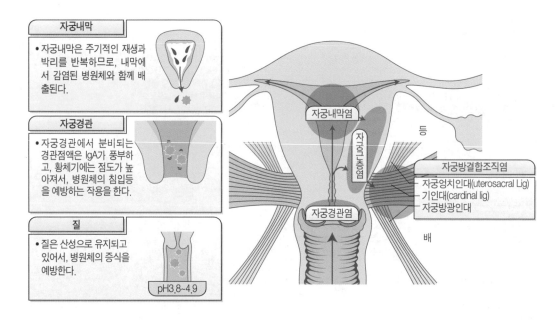

2) 자궁경부 미란

- 자궁경부 미란은 진성미란과 가성미란이 있으며, 후자를 흔히 볼 수 있다.
- 사춘기~성 성숙기 여성에서는 에스트로겐의 작용으로 편평원주상피접합부(SCJ)는 경관 내에서 질측으로 노출되어 있어서, 미란처럼 붉게 보인다(가성미란).
- 에스트로겐 분비가 적은 소아기나 갱년기 이후에는 SCJ는 경관 내로 이동하므로, 가성미란은 보이지 않는다.

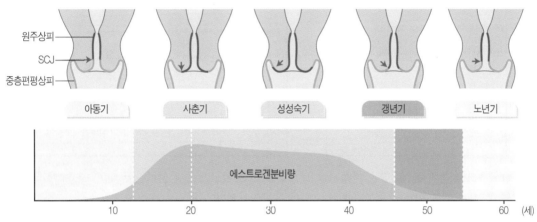

IgA : immunoglobulin A   SCJ : 편평원주접합부(squamo-columnar junction)

3) 자궁경부의 감염

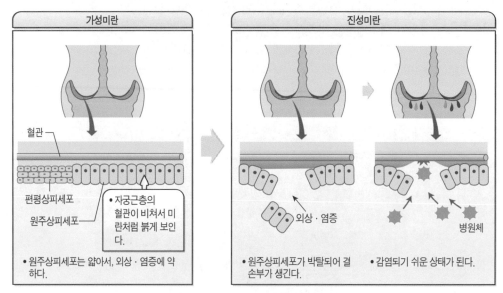

가성미란	진성미란
혈관 편평상피세포 원주상피세포 • 자궁근층의 혈관이 비쳐서 미란처럼 붉게 보인다. • 원주상피세포는 얇아서, 외상·염증에 약하다.	외상·염증 / 병원체 • 원주상피세포가 박탈되어 결손부가 생긴다. • 감염되기 쉬운 상태가 된다.

성성숙기에 흔히 볼 수 있는 가성미란은 성교에 의한 자극으로 진성미란이 되기 쉽다. 그로 인해서 자궁경관은 STD의 초감염부위가 된다.

4) 자궁의 염증 종류

원인균이 세균, 진균, 바이러스, 원충 등 여러 가지이므로, 치료도 원인균에 따라서 화학요법을 한다.

	자궁경관염	자궁내막염	자궁근층염	자궁주위결합 조직염
정의	자궁경관의 염증	자궁내막의 염증	자궁근층의 염증	자궁경부를 지지하고 있는 인대의 염증(parametritis)
원인	• 자궁경부로 기계적 자극 • 성교 • 질내 이물 • 분만 시 경관손상 • 자궁강내 수술에 수반되는 열상 • 경관내 종양 등	• 분만 시나 유산 시의 처치에 의한 손상 • 자궁경부암이나 자궁내막암 등의 악성종양에 수반되는 감염		• 분만 시 연산도의 손상 • 광범위자궁절제술 • 인공임신중절 시 경관손상 등
증상	• 경도인 경우가 많음 • 대하의 증량(점액성, 농성이 되기도 한다)	• 발열 • 하복부통 • 외자궁구에서 농성분비물	• 자궁내막염보다 심함 • 자궁이 종대되어 압통이 있음	• 발열 • 하복부통 • 방광·복막자극증상 • 배변통 등
기타	최근 클라미디아, 임균에 의한 염증이 늘고 있음	• 염증에 의한 경관의 협착이나 폐쇄가 일어나면, 농성분비물이 저류되어 자궁농종(pyometra)을 초래함 • 자궁농종(pyometra)을 초래한 경우, 원칙적으로 경관확장을 하여 배농함		• 내진하면 자궁방결합조직에 압통이 있음 • 골반농양이 형성되어 있으면 배액(drainage)을 함

4. 골반염증성 질환

1) 난관수종과 난관농종

- 부속기염 중에서는 세균, 클라미디아 등에 의해 생기는 병태가 대표적으로, 난관수종(삼출액이 저류)과 난관농종(농이 저류)이 있다.
- 모두 난관의 협착·폐색을 초래하여 불임이나 자궁외 임신의 원인이 된다.

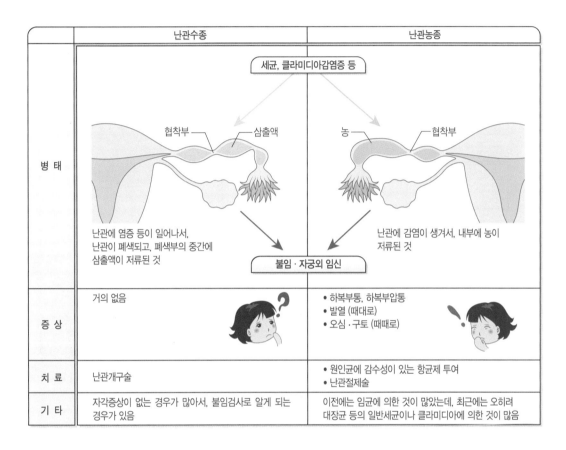

	난관수종	난관농종
병 태	난관에 염증 등이 일어나서, 난관이 폐색되고, 폐색부의 중간에 삼출액이 저류된 것	난관에 감염이 생겨서, 내부에 농이 저류된 것
증 상	거의 없음	• 하복부통, 하복부압통 • 발열 (때대로) • 오심·구토 (때때로)
치 료	난관개구술	• 원인균에 감수성이 있는 항균제 투여 • 난관절제술
기 타	자각증상이 없는 경우가 많아서, 불임검사로 알게 되는 경우가 있음	이전에는 임균에 의한 것이 많았는데, 최근에는 오히려 대장균 등의 일반세균이나 클라미디아에 의한 것이 많음

2) 골반복막염

- 난소는 복강 내에 노출되어 있어서 난소까지 진행된 염증은 골반복막(자궁장막·자궁광간막)으로 파급된다.
- 대부분은 자궁내막염이나 부속기염에 의한 상행성 감염이지만, 대장의 천공이나 급성충수염에 의한 하행성 감염인 경우도 있다.

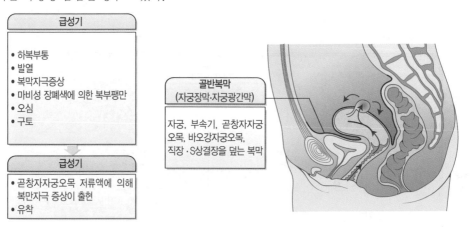

급성기
- 하복부통
- 발열
- 복막자극증상
- 마비성 장폐색에 의한 복부팽만
- 오심
- 구토

급성기
- 곧창자자궁오목 저류액에 의해 복막자극 증상이 출현
- 유착

골반복막
(자궁장막·자궁광간막)
자궁, 부속기, 곧창자자궁오목, 바오강자궁오목, 직장·S상결장을 덮는 복막

3) 트리코모나스 외음질염

편모충류에 속하는 원충(trichomonas vaginalis)에 의해 일어나는 염증성 질환으로, 질과 외음부를 중심으로 나타나는 성전파성질환(STD)이다.

(1) 주요사항

- 여성에서 성교 후 5일~1개월부터, 외음부에 가려움증이 있고, 악취가 나는 황색~옅은 회색, 포말상의 대하의 증가, 질벽의 발적이 보일 경우 질 트리코모나스증을 의심한다.
- 확정 진단은 질분비물의 검사로 트리코모나스원충을 검출한다.

(2) 치료

성파트너도 치료가 필요하다.
- Metronidazole 또는 tinidazole의 경구투여한다.
- 임산부인 경우, 질정을 사용한다.

(3) 보충사항

- 성행위 외에도 의류, 변기, 입욕, 내진, 검진대 등에서도 감염될 수 있다.
- 트리코모나스 원충은 질내뿐 아니라 요로계, 직장 내 등에도 발견된다.
- 메트로니다졸은 태반을 통과하여 태아로 이행되므로, 원칙적으로 임신부에 대한 경구투여는 삼간다.

4) 트리코모나스 원충

- 트리코모나스 원충은 4줄의 편모와 파동막을 사용하여 활발하게 운동한다.
- 크기는 10~40㎛으로 백혈구보다 약간 크다. 악취가 나는 포말상의 질분비물, 딸기모양의 자궁경부, 질분비물의 산도 pH 5.0 이상, 현미경을 통해 운동성을 가진 서양배 모양의 편모를 가진 원충이 발견되면, Whiff test 양성으로 나타난다(습포 도말한 슬라이드에 KOH용액 첨가 시 악취가 있음).

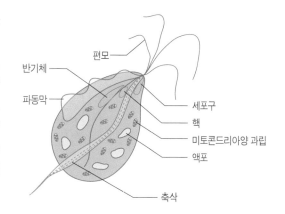

편모
반기체
파동막
세포구
핵
미토콘드리아양 과립
액포
축삭

5) 생식기 칸디다증(genital candidiasis)

상재균인 칸디다속(candida albicans)의 번식으로 일어나는 생식기 염증이다. 성행위로 이행된 칸디다가 번식하거나(외인성감염), 본래 질 내에 상재하고 있던 칸디다가 어떤 요인에 의해 번식하여 (내인성감염) 발증한다.

(1) 주요사항

- 성교 후의 여성
- 당뇨병, 스테로이드복용, 면역억제제 복용, 항생제 복용, 임신부 등
- 외음부 가려움증, 백대하 증가(죽상, 요구르트상), 발적, 악취가 날 경우

(2) 치료

칸디다는 상재균이므로, 무증상인 파트너는 치료할 필요가 없다.

- 유발요인의 제거
- 질세정
- 항진균제(imidazole)의 질정, 외용약

(3) 보충사항

- 대부분은 며칠 만에 치유되지만, 재발을 반복하는 것이 있다.
- 남성은 귀두포피염(balanoposthitis)을 일으키기도 한다.

(1) 병태생리

- 생식기 칸디다증은 감염증이다.
- 칸디다속의 보균율은 비임산부에서 약 15%, 임산부에서 약 30%이다.

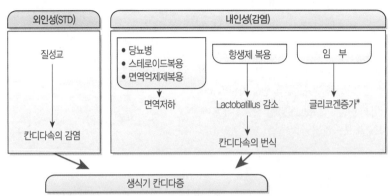

STD : sexually transmitted disease

(2) 증상

외음부의 경도 발적, 종창이 보이며, 질 내에서 백색대하가 확인된다.

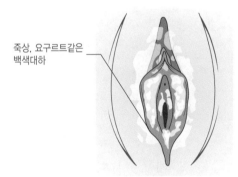

죽상, 요구르트같은 백색대하

(3) 병리소견

Candida albicans가 보인다.

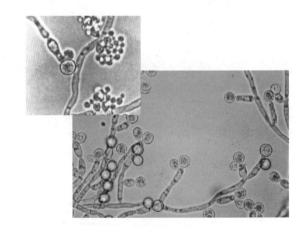

6) 위축성 질염(atrophic vaginitis)

노년기의 여성이나 난소를 적출한 여성에서 일어나는 비특이성 질염이다.

(1) 주요사항
- 폐경 후의 여성이나 난소적출술 후의 환자
- 질·외음의 가려움증이나 대하감, 성교통, 접촉출혈 호소
- 황색~악취를 수반하는 농성대하, 질점막의 점상발적이 보일 경우

(2) 치료
- 에스트로겐제(에스트리올)를 투여한다.

(3) 보충사항
- 에스트라디올은 부정출혈을 초래하는 수가 있어서 사용하지 않는다.
- 부정출혈을 초래한 경우에는 자궁내막암과 감별해야 한다.

Tip

에스트리올(E3)
- OH기가 3개 있는 천연형 에스트로겐으로, 임신중에는 태아부신에서 분비된 안드로겐을 재료로, 태반으로 전환되어 임신부 요중으로 배설된다. 그로 인해서 태아·태반기능검사에 이용된다. 의약품으로는 질점막이나 자궁경관에 대한 작용이 비교적 강하다.

에스트라디올(E2)
- OH기가 2개 있는 천연형 에스트로겐으로, 주로 난소·태반으로 생성된다. 에스트로겐으로서 생물학적 활성은 천연형중에서 가장 강하고, 에스트론(E1)의 약 8배, 에스트리올(E3)의 약 100배이다. 의약품으로는 에스트로겐분비부족(난소기능부전 등)에 대한 보충요법에 사용되고 있다.

(1) 병태생리와 증상

장기간의 에스트로겐저하상태로 인해서 다음과 같은 순서로 증상이 나타난다.

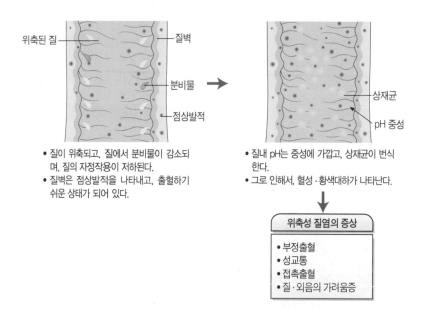

- 질이 위축되고, 질에서 분비물이 감소되며, 질의 자정작용이 저하된다.
- 질벽은 점상발적을 나타내고, 출혈하기 쉬운 상태가 되어 있다.

- 질내 pH는 중성에 가깝고, 상재균이 번식한다.
- 그로 인해서, 혈성·황색대하가 나타난다.

위축성 질염의 증상
- 부정출혈
- 성교통
- 접촉출혈
- 질·외음의 가려움증

5. 성전파성 질환(sexually transmitted disease)

성전파성 질환(STD)이란 성행위에 의해서 감염되는 질환의 총칭이다. 이전에는 매독 등 증상이 심한 것이 중심이었는데, 현재는 생식기 클라미디아 감염증, 임균감염증 등 자각증상이 부족하여 감염을 깨닫지 못하는 질환이 중심적인 문제로 떠오르고 있다. 이 STD의 특징은 여성이 남성에 비해 자각증상이 적어서 불임의 원인이 되거나 감염을 확대시키기 쉽다는 점이다.

1) 성전파성 질환의 감염경로

- 성 파트너의 감염, 부적절한 치료 등 다양한 감염의 가능성이 있다.

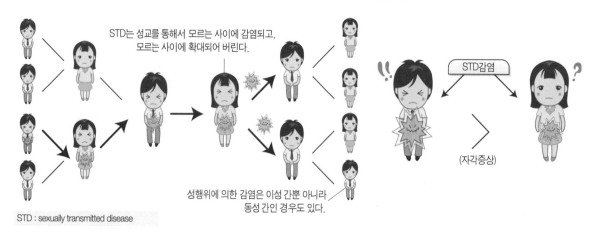

STD는 성교를 통해서 모르는 사이에 감염되고, 모르는 사이에 확대되어 버린다.

STD감염

(자각증상)

성행위에 의한 감염은 이성 간뿐 아니라 동성 간인 경우도 있다.

STD : sexually transmitted disease

2) STD의 종류

성전파성 질환(STD)에는 여러 종류가 있어서, 병원체도 다채롭지만 주된 것은 다음과 같다.

	질환	병원체
세균	임균감염증	Neisseria gonorrheae
	매독	Treponema pallidum subspecies pallidum
	연성하감	Haemophilus ducreyi
클라미디아	생식기클라미디아감염증	Chlamydia trachomatis
	서혜부림프육아종	Chlamydia trachomatis
바이러스	생식기헤르페스	Herpes simplex virus
	첨형콘딜로마	Human papillomavirus
	B형 바이러스성 간염	Hepatitis type B virus
	거대세포바이러스 감염	Cytomegalovirus
	HIV감염증	Human immunodeficiency virus
	후천성면역결핍증후군 (AIDS)	
미코플라즈마	요도염 · 자궁경관염	Ureaplasma urealyticum
진균	생식기칸디다증	Candida albicans, Candida glabrata 등
원충	질트리코모나스증	Trichomonas vaginalis
	아메바성이질 (장관감염증)	Entamoeba histolytica
기생충	옴	Sarcoptes scabiei var, hominis
	사면발이증	Phthirus pubis

3) STD의 치료

- STD의 치료는 환자와 파트너의 동반검사 · 치료가 불가피하다.
- 환자의 치료가 완료되어도, 파트너가 치료를 받지 않으면, 환자는 다시 감염된다(핑퐁감염).

4) STD의 예방

STD의 예방을 위해서는 다음의 3가지가 중요하다.

- 신뢰할 수 있는 특정한 상대와만 성관계를 가진다.
- 콘돔은 피임기구로서도 중요하지만, 무엇보다 STD의 감염예방에 매우 중요하다.
- 감염예방을 위해서는 콘돔을 점막접촉의 개시부터(oral sex도 포함), 마지막까지 제대로 착용해야 한다. 예를 들면 임균에서는 1회 콘돔 미착용의 성관계에서 50%, 매독에서는 15~30%, HIV에서는 0.1~1%가 감염된다.

NO SEX	STEADY SEX	SAFER SEX
신뢰할 수 잇는 사람 외에는 성관계를 하지 않는다.	특정한 상대하고만 성관계를 한다.	성관계 시 콘돔을 바르게 사용한다.

5) HIV 감염증

- HIV 감염증 환자가 AIDS 환자로 발증하기까지는 장기간을 요하는데, 다음과 같은 세포성 면역 부전으로 인해 중증 증상이 나타나며 죽음에 이르는 경우도 있다.
- 감염예방을 위해 교육이 시행되고 있지만, 신규 HIV 감염자를 비롯하여 AIDS 보균자도 계속해서 증가하고 있어서, 세계적으로 증가율이 높은 것이 문제 시되고 있다.
- 다른 STD에 걸려 있으면 국소의 장애 등으로 인해서 HIV에 감염되기 쉽다.

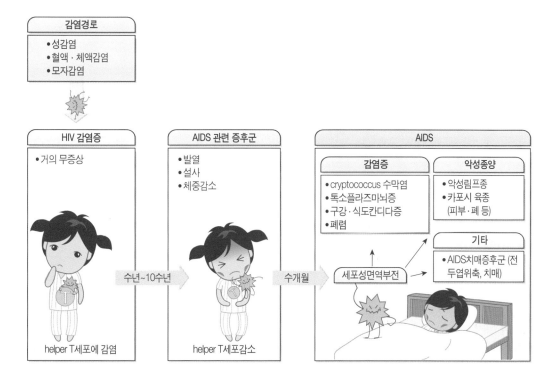

질환명		임균감염	생식기 클라미디아감염	생식기 헤르페스
원인	속성	세 균	클라미디아(세균)	바이러스
	명칭	임 균 Neisseria gonorrhoeae	Chlamydia trachomatis	단순헤르페스바이러스 Herpes simplex virus
잠복기간		2~며칠간	2~3주간	3~7일간
외음부 소견 주요자각증상		• 대부분은 경증 • 외음부 가려움증	• 대부분은 무증상	• 강한 동통을 수반하는 수포 • 얕은 궤양성병변 (회귀감염시는 경증)
대하	양	증량	경도 증량	—
	성상	농성	물같은 투명한 장액성	—
	악취	있음	없음	없음

그 밖의 특징		• 방치하면 상행성감염이 진행. 난관성불임 등을 초래한다.
		• 클라미디아에 비해 증상이
		  강하다.
			• 경우에 따라서 간주위염을
			  초래한다.
				• 세포진에서 핵내봉입체, 다핵거세포

치료		• ceftriaxone • spectinomycin	• macrolide • fluoroquinolone • tetracycline	• acyclovir • valacyclovir

질환명		첨형콘딜로마	질트리코모나스증	생식기 칸디다증
원인	속성	바이러스	원 충	진 균
	명칭	human papillomavirus	Trichomonas vaginalis	Candida albicans, Candida glabrata 등
잠복기간		3주~8개월간(평균 2.8개월)	5일~1개월간	상재균
외음부 소견 주요자각증상		• 양배추상으로 융기된 사마귀성병변(외음부 외에도) • 경도 외음부 가려움증	• 외음부 가려움증	• 외음부 가려움증
대하	양	—	증량	증량
	성상	—	황색~옅은 회색, 포말상	죽상, 요구르트상
	악취	—	있음	있음

그 밖의 특징		• 조직진에서 이상한 각화, koilocytosis
		• 3개월 이내에 재발하는 경우가 많다.
			• 의료, 변기, 입욕, 내진, 검진대
			  등에서도 감염
				• 성교 외에 당뇨병, 항균제복용, 임신 등에
				  서도 발증하는 경우가 있다.

치료		• 전기소작 • 외과적 절제 • 냉동요법 • 항종양제(5-FU 등)	• metronidazole • tinidazole	• 유발요인 제거 • 질세정 • imidazole

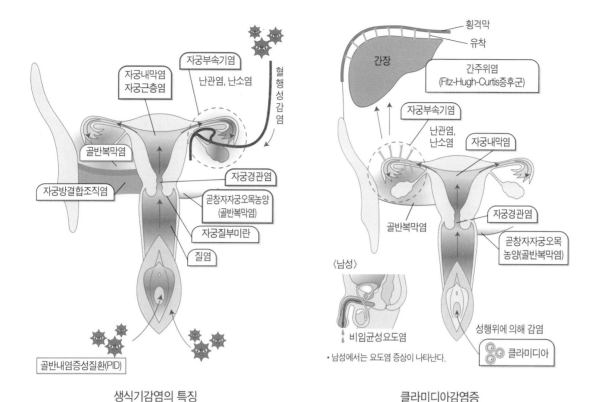

생식기감염의 특징   클라미디아감염증

6) 임균감염(gonococcal infection)

임균(neisseria gonorrhoeae)에 의한 세균감염증에서, 일반적으로 성전파성질환(STD)으로 일어난다. 남성은 감염 후 며칠간 잠복기간을 거쳐서, 요도염을 일으키고 배뇨통과 외요도구에서의 배농을 초래한다. 한편 여성은 자궁경관염, 요도염을 일으키는데, 증상이 가벼워서 방치되기 쉽고, 감염이 장기화되어 불임이나 자궁외 임신의 원인이 된다.

(1) 주요사항

- 여성에서, 성교 후 2일에서 5~7일간 발생한다.
- 농성대하의 증가(악취를 수반한다), 외음부 소양감, 배뇨통, 외요도구에서의 배농이 보일 경우가 있다.
- 발열, 하복부통이 있으며 복막자극증상이 나타나기도 한다.
- 확정 진단은 유전자진단법 또는 배양법으로 한다.

(2) 치료

항생제에 의한 치료가 기본이다.

- 주사약으로 ceftriaxone, spectinomycin을 사용한다.
- 내복약으로 cefixime을 사용한다.
- 최근에는 약제에 대한 내성균이 증가하고 있다.

(3) 보충사항

- 생식기 클라미디아감염증과 더불어 온다.
- oral sex의 증가로 인두감염도 증가하고 있는데, 대부분은 불현성감염이다.
- 자궁경관염, 요도염에 보이는 증상은 시간의 경과와 더불어 경감되는 경우가 많다.
- 골반내 염증성질환(PID)을 일으키면, 발열과 하복부통을 자각한다.
- 예전에는 산도감염으로 신생아에게 결막염(신생아안염)을 초래했는데, 항균제의 예방점안으로 거의 보이지 않게 되었다.
- 임균감염의 20~30%는 클라미디아감염이 합병되고 있다.

(4) 임균과 클라미디아의 연령별 이환율

- 여성에서는 성행위의 저연령화 영향도 있지만, 임균, 클라미디아 모두 10대 전반부터 증가하기 시작하여, 20대 중반에서 이환율이 최고가 된다.
- 증상이 잘 나타나지 않는 클라미디아에서는 진찰을 받을 기회도 적어 감염이 확대되기 쉬우며, 결과적으로 이환율도 높아지고 있다. 한편 증상이 나타나기 쉬운 임균감염증에서는 진찰을 받을 기회가 클라미디아에 비해 많아서, 감염이 확대되기 어렵고, 결과적으로 이환율도 낮아지고 있다.
- 남성은 클라미디아 감염증, 임균감염증 모두 여성보다도 다소 늦은 10대 후반부터 20대에 걸쳐서 증가를 보인다.

(5) 임균감염과 생식기 클라미디아감염의 증상

- 무증상으로 경과되는 경우도 많다.
- 임균감염증이 생식기 클라미디아감염증에 비해서 증상이 강하게 나타나므로, 비교적 빠른 단계에서 감염을 자각하고 의료기관을 방문하는 경우가 많다.
- 모두 감염이 상행함에 따라서, 증상이 악화된다.

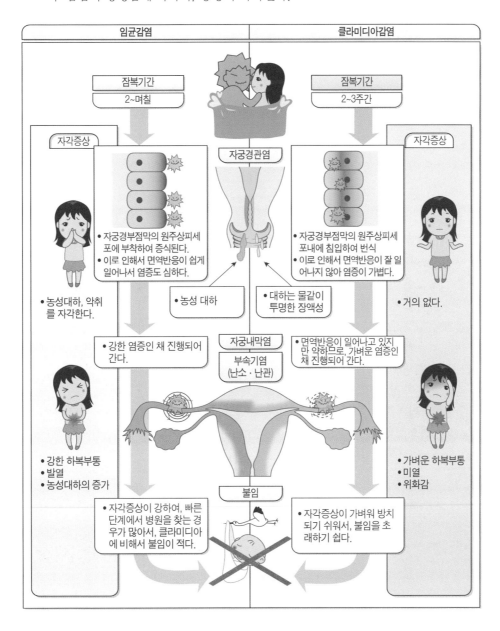

7) 생식기 클라미디아감염(genital chlamydial infection)

클라미디아속 중 Chlamydia trachomatis를 병원체로 하는 성전파성질환(STD)이다. 증상이 매우 가볍고, 자각증상이 확인되지 않는 경우가 많아서 방치되기 쉽다. 따라서 감염이 장기화되고, 불임이나 자궁외 임신의 원인이 된다. 최근 젊은 층을 중심으로 감염자가 많고, STD 중에서 최다이다.

(1) 주요사항

- 여성에서 성교 후 2~3주부터 증상이 나타난다.
- 물같은 투명한 장액성 대하의 증량이 나타난다.
- 확정 진단은 항원검사법으로 유전자진단법에 의해 행해진다.

(2) 치료

성파트너도 치료가 필요하다.

- 항균제：macrolide, fluoroguinolone, tetracycline
- β- 락탐계는 효과가 없다.
- 임산부에서는 macrolide를 사용한다.
- 클라미디아항체가(IgG, IgA, IgM)는 치료효과의 판정에는 이용하지 않는다.

(3) 보충사항

- 구강성교에 의한 인두감염도 많다.
- 증상이 없어서 치료의 기회가 없이 계속 증가하고, 16~25세까지 100만명을 초과하는 감염자가 있다고 일컬어지고 있으며, 특히 여성에게 많다.
- 감염이 상행하고, 골반내염증성질환 ; PID [자궁내막염 · 부속기염]을 일으켜도 증상이 가벼운 경우가 많다.
- 본종의 합병증인 간주위염(이전에는 Fitz-Hugh-Curtis증후군이라고 명명됨)은 중증으로, 젊은 여성이 상복부통으로 응급실로 방문하는 경우가 많다.
- 항원검사법으로 유전자진단법 외에 EIA법(효소면역검출법) 등이 있다.
- 산도감염으로 신생아에게 감염되고, 신생아폐렴이나 신생아 봉입체결막염을 초래한다.

EIA : enzyme immunoassay

(4) 생식기 클라미디아감염 시 합병증

- 임균감염과 마찬가지로, 자궁경관염에서부터 상행성으로 감염된다. 여성이 감염을 자각하지 못하는 사이에 염증이 진행되고, 불임을 비롯하여 여러 가지 합병증을 일으킨다.
- 감염의 자각증상이 잘 나타나지 않아 감염이 장기화되어 불임, 자궁외임신이 잘 초래된다.

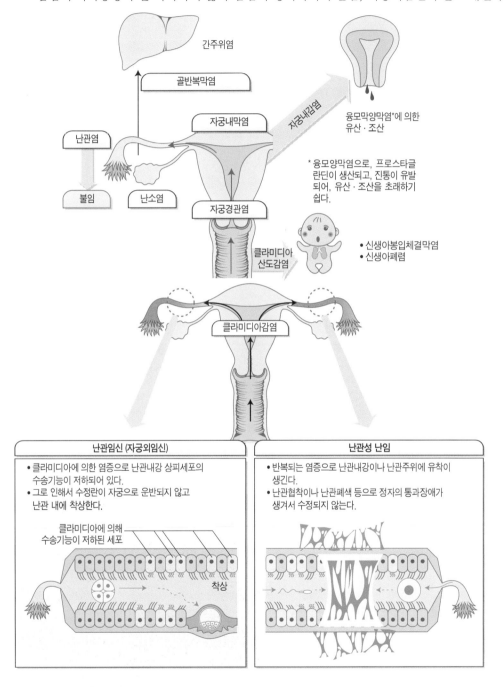

- 클라미디아에 의한 감염이 진행되어, 복강 내에 섬유성 또는 막양유착이 생긴다.

8) 매독

여성건강간호와 비판적사고(1)에서 '태아감염 임부의 간호' 참조

9) 첨형콘딜로마(condyloma accuminatum)

인유두종바이러스(HPV)를 병원체로 하는 성전파성질환(STD)이다. 외음부, 회음, 항문주위 등에 끝이 뾰족한 유두상, 닭벼슬 모양의 사마귀가 생긴다.

(1) 주요사항

- 성교 후 3주~8개월간(평균 2.8개월)부터 나타난다.
- 외음부에 가려움증을 초래한다.
- 외음부, 회음, 항문주위 등에 끝이 뾰족한 돌기상의 무통성 사마귀가 보인다.
- 조직진에서 이상한 각화나 koilocytosis가 보인다.
- 확정 진단은 조직진, HPV의 핵산검출, 혈청항체가의 검출에 의한다.

(2) 치료

- 성파트너도 치료가 필요하다.
- 외과적 요법: 전기소작, 외과적 절제, 냉동요법, 레이저요법 등
- 약물요법: 항종양제(5-FU, bleomycin)의 외용 등

(3) 보충사항

- 분만 시에 수직감염되는 경우가 있는데, 확률은 생식기 헤르페스에 비해 낮다.
- 신생아에게 수직감염되면 유아기에 후두유두종을 초래한다.
- 젊은 여성에게 있어서 HPV의 감염률은 높으며, 또 그 대부분이 자연 소실되는 것을 고려하면, 평생감염률은 상당히 높을 것이라 추측된다.
- 시진상 치료해도 3개월 이내에 약 25%가 재발한다.

HPV : human papilloma virus

(4) 외관소견

- 외음부, 항문주위에 닭벼슬·양배추 모양의 사마귀가 확인된다.
- 그 밖에 질, 자궁경부, 점막과 피부의 경계 등에도 생긴다.

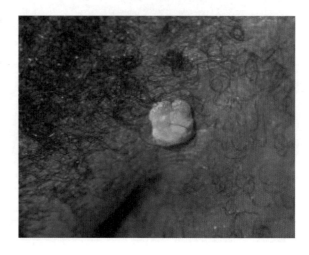

10) 인유두종바이러스

- 인유두종바이러스는 바이러스의 형에 따라서 다양한 변형을 나타낸다.
- 첨형콘딜로마에는 6형, 11형 등의 low risk형으로, 발암이 낮다.
- HPV16형, 18형, 31형, 52형, 58형 등은 발암과의 관련이 지적되고 있어서, high risk형이 된다. 젊은 층의 자궁경부암에서는 high risk형 HPV에 감염되는 경우가 많다.
- high risk형에 의한 첨형콘딜로마는 정기적인 관찰이 필요하다.

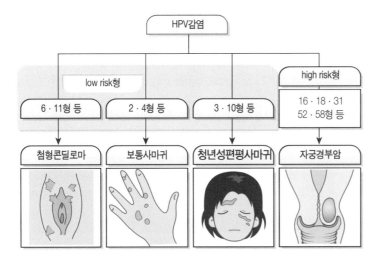

11) 생식기헤르페스(genital herpes)

단순 헤르페스바이러스(HSV) 1형, 2형을 병원체로하는 성전파성질환(STD)이다. 초감염 후에 지각신경절에 잠복감염되고, 면역저하로 다시 활성화되어 재발을 반복한다. 초감염의 증상이 극심하고, 또 재발하는 예도 높다.

(1) 주요사항

- 여성에서 성교 후 3~7일부터
- 외음부에 동통을 수반하는 수포, 또는 좌우대칭성의 얕은 궤양성 병변이 보이고, 배뇨곤란, 보행곤란이 나타난다.
- 세포진검사에서 다핵거대세포, 핵내봉입체가 흔히 확인된다.
- 면역저하가 나타난다.
- 확정 진단은 항원진단법에 의한 HSV항원의 증명이다.

(2) 치료

- 성파트너도 치료가 필요하다.
- Acyclovir의 외용, 내복, 점적, Valacyclovir의 내복

(3) 보충사항

- HSV의 항체가를 측정하여 진단할 수 있다.
- 동통에는 NSAIDs, 리도카인젤리 등을 사용한다.
- 산도감염으로 신생아 헤르페스를 일으키므로, 현성감염에는 제왕절개술이나 acyclovir, valacyclovir의 예방적 투여를 고려한다.

HSV : Herpes simplex virus

- **헤르페스바이러스**

감각신경절에 잠복하는 단순헤르페스바이러스(HSV) 1형, 2형과 분비선·신장 등에 잠복감염하는 거대세포바이러스(CMV), 림프조직에 잠복감염되는 EB바이러스(EBV) 등이 있다.

- **다핵거대세포**

정상세포보다도 현저하게 거대한 세포에서 복수개의 핵을 소유하는 세포이다. 이물반응, 육아종성염증조직이나 바이러스 감염증의 일부, 특수한 종양으로 보인다.

- **핵내봉입체**

바이러스나 클라미디아의 감염세포내에 보이는 구조체의 총칭. 봉입체는 세포 내에서 증식된 바이러스나 클라미디아 또는 감염에 의한 반응생성물이다.

- **Acyclovir**

퓨린누클레어티드 유도체의 항바이러스제. 헤르페스안염, 헤르페스뇌염, 전신성 헤르페스감염증 등에 이용되고 있다.

- **Valacyclovir**

acyclovir의 전구약물(체내에서 대사를 받아 비로소 활성화된 약물)이며, 체내에서 acyclovir로 변환되어 항바이러스 작용을 발현한다.

- **신생아 헤르페스**

단순헤르페스바이러스에 의한 감염증으로, 국재성에서 전신성까지 다양한 증상을 나타낸다. 보통 모체의 생식기감염이 선행하고, 산도를 통과할 때에 감염되는데, 경태반감염도 때로 보인다.

(4) 초감염과 재감염

- 단순헤르페스바이러스(HSV)는 다른 병원미생물과 비교하면 특이적인 감염형태를 취한다.
- HSV의 초감염(초발)에서는 불현성감염인 경우가 많지만, 증상이 출현한 경우에는 국소의 극심한 통증 때문에 배뇨곤란, 보행곤란이 되기도 한다.
- 한번 국소에 감염되면 지각신경이 상행성으로 진행되어, 평생 신경절에 잠복 감염된다.
- 신체적 또는 정신적 스트레스로 면역이 저하된 것을 계기로, 다시 지각신경을 하강하여 재발한다.

	초감염	재감염
감염경로	성교 등으로 HSV에 감염된다.	신경절에 잠복하고 있던 HSV가 활성화되어, 증상이 출현한다.
	무겁다	초감염보다 가볍다
주증상	• 발열 • 림프절종창 • 외음부의 강한 동통을 수반하는 수포, 궤양	• 외음부의 불쾌감 • 발열, 피로 • 외음부의 동통을 수반하는 수포, 궤양 • 림프절종창
경 과	• 며칠간의 잠복기를 거쳐서 발증하고, 2~4주간에 자연치유된다.	• 발열, 피로 등으로 인한 면역저하시에 발증하여 며칠만에 치유된다.

(5) 단순헤르페스바이러스(HSV) 1형과 2형

- 단순헤르페스바이러스에는 1형(HSV-1)과 2형(HSV-2)이 있다.
- HSV-1은 구순에 호발, 소아에게 호발하고, HSV-2는 생식기에 호발하는 STD로 분류되고 있다.
- HSV-1도 생식기헤르페스를 일으킨다. 또 HSV-2라도 구순헤르페스를 일으키기도 한다.

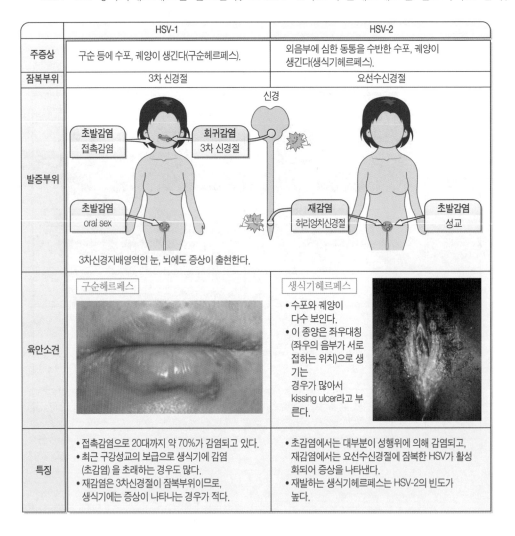

	HSV-1	HSV-2
주증상	구순 등에 수포, 궤양이 생긴다(구순헤르페스).	외음부에 심한 동통을 수반한 수포, 궤양이 생긴다(생식기헤르페스).
잠복부위	3차 신경절	요선수신경절
발증부위	신경 초발감염 접촉감염 / 회귀감염 3차 신경절 초발감염 oral sex 3차신경지배영역인 눈, 뇌에도 증상이 출현한다.	재감염 허리엉치신경절 / 초발감염 성교
육안소견	구순헤르페스	생식기헤르페스 • 수포와 궤양이 다수 보인다. • 이 종양은 좌우대칭(좌우의 음부가 서로 접하는 위치)으로 생기는 경우가 많아서 kissing ulcer라고 부른다.
특징	• 접촉감염으로 20대까지 약 70%가 감염되고 있다. • 최근 구강성교의 보급으로 생식기에 감염(초감염)을 초래하는 경우도 많다. • 재감염은 3차신경절이 잠복부위이므로, 생식기에는 증상이 나타나는 경우가 적다.	• 초감염에서는 대부분이 성행위에 의해 감염되고, 재감염에서는 요선수신경절에 잠복한 HSV가 활성화되어 증상을 나타낸다. • 재발하는 생식기헤르페스는 HSV-2의 빈도가 높다.

(6) 세포진소견

- 수포·궤양면의 세포진 검사에서는 다핵거대세포, 핵내봉입체가 관찰된다.
- 다핵거대세포, 핵내봉입체가 흔히 보이는데, 특징적이라고는 할 수 없다.

자궁내막질환 간호

key point

» 자궁내막질환에는 자궁내막증식증(endometrial hyperplasia), 자궁내막증(endometriosis), 자궁내막암(endometrial carcinoma) 등이 있다.

» 자궁내막증식증은 자궁내막의 비정상적인 선(gland)과 기질(stroma)부위의 증식으로 조직의 구성이 달라진 상태로, 비정형세포(cellular atypia)를 동반하기도 한다. 대부분 양성이나 자궁내막암으로 발전하기도 한다.

» 자궁내막증은 자궁 안에 있어야 할 자궁내막 조직이 자궁 밖에 존재하는 것으로 난소에서 가장 흔하다.

» 자궁선근증은 자궁내막의 선과 기질 조직이 자궁근육층 내에서 발견되는 것을 말한다. 선근증이 진전되면 인접한 평활근의 비대에 의해 자궁을 증대시킨다.

비판적 사고 훈련

2년 전에 결혼한 30세 여성이 아기를 가지려고 노력하였으나 임신은 안 되고 결혼 전부터 있던 월경통이
계속 심해져서 병원을 방문하였다. 의사는 여성이 자궁내막증이고 원발성 불임이라 하였으며, 약물요법으
로 다나졸을 처방하였다.

1 이 여성을 자궁내막증으로 진단하는데 필요한 검사들에 대해 설명하시오.

2 이 여성에게 적용한 치료방법의 결정요인들을 설명하시오.

3 다나졸 약물 치료와 관련된 간호중재를 서술하시오.

B 비판적 사고중심 학습

학습목표

- 자궁내막증식증을 정의하고 종류를 열거하고 증상과 징후를 설명한다.
- 자궁내막증식증의 치료방법을 설명하고 간호과정을 적용한다.
- 자궁내막증을 정의하고 종류를 열거하고 증상과 징후를 설명한다.
- 자궁내막증의 치료방법을 설명하고 간호과정을 적용한다.
- 자궁선근증을 정의하고 종류를 열거하고 증상과 징후를 설명한다.
- 자궁선근증의 치료방법을 설명하고 간호과정을 적용한다.

개요

- 자궁내막증식증은 자궁내막의 비정상적인 증식을 의미하며, 황체호르몬의 길항작용 없이 난포호르몬이 자궁내막을 지속적으로 자극할 때 발생한다.
- 자궁내막증은 성장, 증식 및 출혈과 같은 기능이 있는 자궁내막 조직이 자궁 외 부위에 존재하는 것이다. 난소, 자궁의 인대(원인대, 광인대, 자궁천골인대), 직장 및 질 중격, 자궁난관, 직장, S상 결장 및 방광을 덮고있는 복막, 제와부 개복술 반흔, 탈장낭, 충수돌기, 자궁경부, 회음절제술 반흔, 드물게는 대퇴, 흉막강, 심외막강에서도 발생한다. 심막강에서도 발생한다. 자궁내막증이 난소에 낭종을 형성한 것이 자궁내막종(endometrioma)이다.
- 자궁선근증은 자궁근육 내로 자궁내막이 침윤한 상태로, 고농도의 에스트로겐이나 산후 자궁내막염과 관계가 있는 경우가 많다. 호발연령은 40대이다.

자궁내막질환

1 위험요소

- 폐경 : 에스트로겐 분비 과다 혹은 과소
- 월경과다
- 미산부
- 다산부

2 진단검사

- 자궁내막증식증 : 세포진검사, 조직생검, 소파술과 자궁경검사, 자궁내막생검
- 자궁내막증 : 골반검진, 초음파, MRI. 복강경, 시험적 개복술
- 자궁선근증 : 병리조직학적 검사, MRI, 초음파검사, CA-125

❸ 증상과 징후

- 자궁내막증식증 : 월경과다, 부정자궁 출혈, 지연월경
- 자궁내막증 : 통증, 불임증, 자궁천골인대의 결절, 난소 종괴
- 자궁선근증 : 월경과다, 속발성 월경통, 성교통, 만성 골반통

❹ 치료관리

- 연령, 증상의 정도, 병변부위, 향후 임신 희망 여부 등을 종합적으로 고려하여 치료가 결정되는 것을 설명한다.
- 약물요법을 시행할 경우, 시작시기와 치료기간, 나타날 수 있는 부작용을 설명한다.
- 자궁적출술을 시행할 경우, 폐경으로 나타날 수 있는 건강문제와 골다공증 예방을 위한 교육을 한다.
- 자궁내막질환의 예후에 대해서 설명한다.

1) 자궁내막증식증

- 10대와 가임 여성 : 에스트로겐과 프로게스테론 치료, Depo-provera로 자궁내막의 과도 자극 방지
- 폐경기여성 : 수술, Depo-provera 사용
- 폐경 후 여성 : 자궁적출술 및 난관난소 절제술

2) 자궁내막증

(1) 약물요법

- 프로스타글란딘 생성효소억제제 : 동통완화
- 다나졸 : 저에스트로겐 상태를 초래하여 가성 폐경상태를 유도한다.
- 프로게스테론 제제 경구 및 주사 MPA(medroxyprogesterone acetate) : 탈락 작용과 함께 자궁내막 조직을 위축시켜서 자궁내막증을 치료한다. 하루 30㎎의 경구 투여로 다나졸과 같은 효과가 있으며 비용이 적게 들고 부작용이 적어 우선하여 사용하는 자궁내막증 치료제이다.
- 성선자극호르몬 유리 호르몬 효능제(GnRH antagonist) : 뇌하수체로부터 성선자극호르몬의 방출을 억제하여 성호르몬의 분비를 감소시키므로 자궁내막증의 병변이 위축되고 여러 증상들이 완화된다. 2~4주 정도 약물투여하면 에스트로겐 수치가 난소 절제술을 받은 여성과 유사한 수준으로 감소해서 가성폐경 상태를 유도한다. 용량은 혈청 estradiol치를 검사하면서 결정하며, 20~40pg/㎖ 정도에서 가장 효과가 높다.
- Gestrione-19 : nortestosterone 유도체로서 FSH 분비를 감소시키는 치료제로 1주일에 2번만 복용하면 되고, 다나졸과 같은 효과를 갖는다.

(2) 수술요법

- 자궁내막증이 2cm 이상이거나 자궁내막증으로 인한 유착이나 이형성이 있을 때 수술을 시행한다.
- 보존적 수술은 골반내 해부학적 구조를 정상으로 환원하고 골반통을 완화하고 수정능력을 보존하기 위해서 시행된다.
- 근치적 수술은 자궁내막증이 심하여 수정능력 보존이나 보강할 수 없을 경우 증상을 완화하기 위해 임신을 원하지 않는 여성에게 실시한다. 이때 양측 난관 난소 절제술이 자궁절제술과 함께 실시되기도 한다.
- 복강경 수술은 내막증을 제거하고 협착된 부분을 풀어준다. 완치 시술은 아니며 재발위험이 높다. CO_2 레이저 복강경술은 심하지 않은 내막증의 크기를 줄이기 위해 이용하는 방법으로, 진단과 동시에 시행한다. 임신율이 높다.

3) 자궁선근증

- 약물요법
- NSAID(진통제) : 프로스타글라딘의 합성을 저해
- 저용량 피임약
- 저용량 다나졸
- 수술요법 : 자궁선근증절제술, 전자궁절제술

5 합병증

- 골반통
- 불임증
- 배뇨곤란

1 간호 사정

- 대상자의 위험요소와 월경력과 증상을 사정한다.
- 골반검진으로 자궁의 크기, 종양의 여부를 사정한다.
- 자궁경관 뒤에서 결절이 촉진되는지 확인한다.
- 조직생검, 혈액검사, 소변검사를 시행한다.
- 자궁내막증과 자궁선근증을 구별한다.
- 내막증과 불임이 환자와 배우자 관계에 미치는 영향을 사정한다.
- 증상을 사정하여 질병의 확산범위와 중증도를 사정한다.
- 변병의 양상과 크기, 변병의 깊이, 자궁부속기의 유착과 특성을 사정하기 위해 복부, 골반, 항문검사를 시행한다 복부, 골반, 항문검사를 시행한다.
- 통증의 정도, 위치, 특징을 사정한다.
- 월경통, 월경의 불규칙성, 비뇨기계 증상, 변비 등을 사정한다.

2 간호 진단

- 호르몬 자극, 협착과 관련된 급 · 만성 통증
- 질병 치료의 어려움, 불임과 관련된 자존감 저하

3 간호 중재

- 처방된 약물의 부작용에 대해 교육한다. 다나졸은 목소리에 변화가 있고 체모와 머리카락이 증가하고 여드름, 체중증가, 유방의 크기 감소 등이 있을 수 있다.
- 같은 질환을 가진 자조그룹을 소개한다.
- 처방대로 진통제 사용법에 대해 교육한다.
- 통증이 있는 부위에 온찜질을 한다.
- 심호흡, 연상법, 점진적인 근육이완법 등 통증조절을 위해 이완요법을 지도한다.
- 성교통이 있을 경우 성교 시 체위를 바꿔보도록 한다.
- 환자를 간호계획에 참여시켜 치료방법의 선택 이유를 알게 한다.
- 적절한 휴식과 영양 섭취를 도모한다.
- 감정과 걱정을 표현할 수 있도록 정서적 지지를 제공한다.

4 간호 평가

- 감소된 통증을 말로 표현한다.
- 증가된 자존감을 말로 표현한다.

사례

48세인 여성은 몇 년 전부터 월경을 할 때마다 월경량이 많아지고 월경통증이 심해져서 일상생활이 어려울 정도였다. 병원을 방문해서 내진을 하니 자궁이 커져있고 자궁이 단단하게 촉진되어 CA-125검사, 질초음파, 골반검진을 하고 MRI를 하기로 하였다.

1 이 여성에게 우선적으로 시행될 수 있는 치료방법은?

① 다나졸 치료

② 자궁내막 소파술

③ CO_2 레이저 복강경술

④ 양쪽 난소난관절제술

⑤ 에스트로겐 호르몬 치료

2 이 여성의 질병에 대한 설명으로 옳은 것은?

① 월경이 정상이다.

② 산과력과 관련이 없다.

③ 항암화학요법으로 치료한다.

④ 초경시기부터 증상이 나타난다.

⑤ 에스트로겐 노출과 관련이 있다.

3 질병이 치료되지 않을 경우 나타날 수 있는 증상과 증후는?

① 허리를 누르는 요통

② 액와부 림프절 종대

③ 얼굴의 나비모양 발진

④ 우상복부의 찌르는 듯한 통증

⑤ 포도알 모양의 투명한 조직의 질 분비물

4 이 여성은 진단결과 자궁과 양쪽난소 절제수술을 받기로 결정하였다. 수술 후 예상되는 변화는?

① 월경이 가능하다.

② 성교가 불가능하다.

③ 호르몬의 변화가 없다.

④ 호르몬 약물요법이 필요 없다.

⑤ 홍조, 발한 등의 조기 폐경증상이 생긴다.

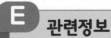

E 관련정보

1. 자궁내막증식증

1) 발생순서

- 자궁내막증식증의 발생에는 에스트로겐이 크게 관여한다.
- 에스트로겐 과잉상태(unopposed estrogen: 에스트로겐에 대한 프로게스테론의 길항작용이 소실된 상태)에 장기간 노출되는 것이 가장 큰 요인이다.

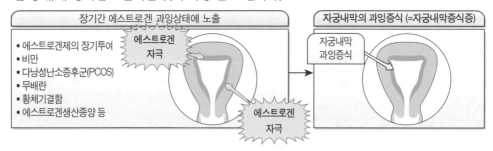

2) 분류

- 선세포의 이형 유무에 따라서, 자궁내막증식증과 자궁내막이형증식증으로 분류된다.
- 자궁내막이형증식증은 자궁내막암의 전암병변으로, 내막암의 병기 0기로 간주된다.
- 단순형 및 복잡형 자궁내막이형증식증(SAH, CAH)은 악성화할 확률이 높다.

자궁내막증식증의 분류와 악성도

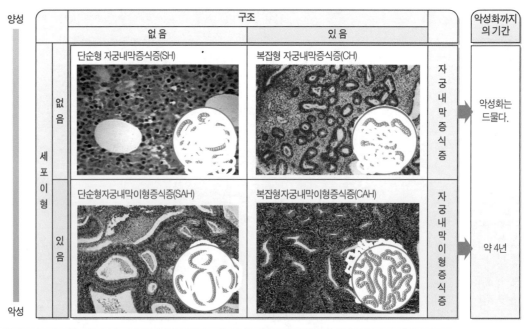

SH : simple(cystic without atytia) hyperplasia　　CH : complex(adenomatous without atypia) hyperplasia
SAH ; atypical endometrial hyperplasia, simple　　CAH : atypical endometrial hyperplasia, complex

3) 치료

- 자궁내막증식증 치료에서는 보존요법을 하고, 자궁내막이형증식증(자궁내막암 0기)에서는 원칙적으로 수술요법을 한다.

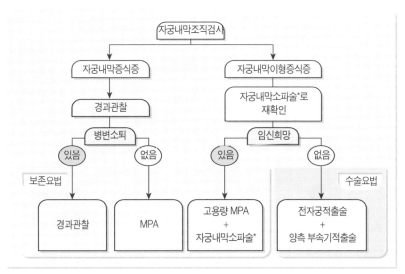

* 자궁내막이형증식증에서는 암의 발생률이 17~50%로 되어 있어서, 암과 감별하기 위해서 반드시 자궁내막소파술을 시행한다. 자궁내막소파술은 검사와 치료의 목적으로 시행한다.

2. 자궁내막증

1) 정의

- 자궁내막증은 자궁강 이외의 곳에서 자궁내막조직과 유사한 조직이 발생하여, 통증·불임 등을 일으키는 질환이다.

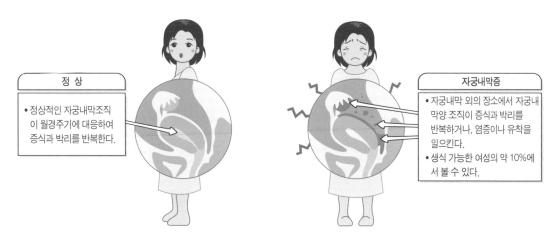

정 상
- 정상적인 자궁내막조직이 월경주기에 대응하여 증식과 박리를 반복한다.

자궁내막증
- 자궁내막 외의 장소에서 자궁내막양 조직이 증식과 박리를 반복하거나, 염증이나 유착을 일으킨다.
- 생식 가능한 여성의 약 10%에서 볼 수 있다.

자궁내막증

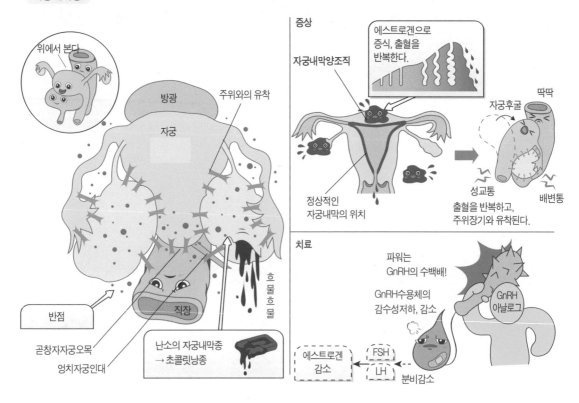

위에서 본다

방광

자궁

주위와의 유착

반점

곧창자자궁오목

엉치자궁인대

직장

난소의 자궁내막종
→ 초콜릿낭종

흐물흐물

증상

자궁내막양조직

에스트로겐으로 증식, 출혈을 반복한다.

정상적인
자궁내막의 위치

자궁후굴

딱딱

성교통

배변통

출혈을 반복하고,
주위장기와 유착된다.

치료

파워는
GnRH의 수백배!

GnRH수용체의
감수성저하, 감소

GnRH
아날로그

에스트로겐
감소

FSH

LH

분비감소

2) 호발연령

- 자궁내막증은 에스트로겐 의존성 질환이다.
- 이 때문에 에스트로겐 분비량이 많은 성 성숙기(특히 20~30대)에 호발한다.
- 초경의 저연령화나 만혼화, 저출산화에 의해서 월경의 횟수가 증가하는 것이 자궁내막증 발생과 관련이 있다.

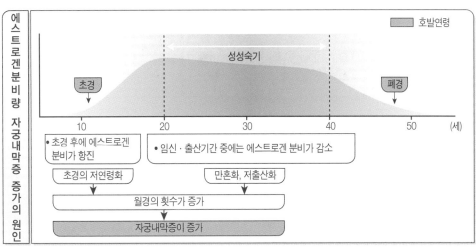

3) 호발부위와 증상

- 자궁내막증은 복막, 난소, 곧창자자궁오목에 호발한다.
- 자궁내막증의 주증상인 통증의 원인은 주로 자궁내막증과 곧창자자궁오목의 병변이다.
- 복막병변이 통증을 일으키는 경우는 적지만, 이는 불임의 원인이 되기도 한다.
- 기타 자궁천골인대, 직장, 난관, 방광, 요관, 충수, 배꼽 등 하복부의 여러 장소에 발생하기도 한다.

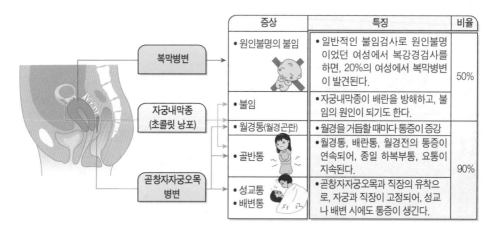

증상	특징	비율
• 원인불명의 불임	• 일반적인 불임검사로 원인불명이었던 여성에서 복강경검사를 하면, 20%의 여성에서 복막병변이 발견된다.	50%
• 불임	• 자궁내막종이 배란을 방해하고, 불임의 원인이 되기도 한다.	
• 월경통(월경곤란)	• 월경을 거듭할때마다 통증이 증강	
• 골반통	• 월경통, 배란통, 월경전의 통증이 연속되어, 종일 하복부통, 요통이 지속된다.	90%
• 성교통 • 배변통	• 곧창자자궁오목과 직장의 유착으로, 자궁과 직장이 고정되어, 성교나 배변 시에도 통증이 생긴다.	

복막병변

자궁내막종
(초콜릿 낭포)

곧창자자궁오목
병변

4) 자궁내막증의 병태생리

자궁내막증의 주요한 병태는 다음의 세 가지로 나누어진다.

	복막병변	자궁내막종	곧창자자궁오목 폐색
진행	 • 커지고, 수가 증가한다.	 • 난소가 종대되어, 주위와 유착된다.	 • 자궁이 후굴되어, 곧창자자궁오목이 폐색된다.
병변의 깊이	표재성		
병변의 성질	염증성 변화	• 탈조직 (내막조직에서의 적혈구 삼출, 혈액, 내막조직 등) 의 저류	• 염증으로 인한 섬유화, 평활근화
자각증상	없는 경우가 많다	심하다	
영상진단의 확인 여부	확인하기 어렵다	확인하기 쉽다	
주요확인방법	복강경	초음파검사	질 · 직장 양손진찰

(1) 복막병변

복막병변에는 '적색병변 → 흑색병변 → 백색병변'의 변화 사이클이 있다.

	적색병변(red lesion)	흑색병변(black lesion)	백색병변(white lesion)
복강경소견			
단면도			
병변의 종류	• 점상출혈반 • 장막하출혈 • 소수포 • 장액성낭포	• blueberry spot (블루베리반점) • 혈성낭포 • 헤모시데린(hemosiderin) 침착	• 유착 • 주름상반흔
병변의 성상	• 혈관증생이 왕성하다.	• 난소호르몬의 변화에 동조하여 출혈을 일으킨다.	• 섬유화되고, 병변은 치유되어 있다.
비고	• 사이토카인을 방출하므로 불임과 관계된다.	• 난소 내에 출혈이 저류되어, 자궁내막종을 형성한다.	• 주위조직과 유착된다.

(2) 자궁내막종

난소에 발생한 자궁내막양 조직에서 월경 때마다 적혈구의 삼출이나 울혈이 생긴다. 박리조직이 배출되지 않아서, 난소가 종대된다.

(3) 곧창자자궁오목 병변

곧창자자궁오목에 존재하는 자궁내막양조직에 의해 자궁후벽과 직장벽에 유착이 생겨 곧창자자궁오목이 폐색된다.

정상	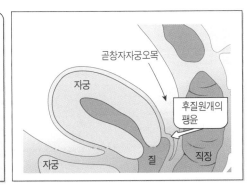	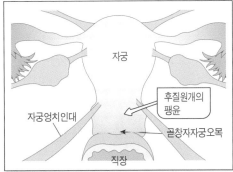
자궁내막증	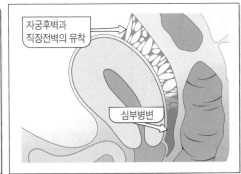	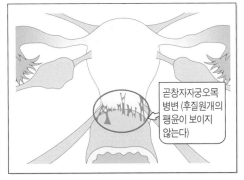

Tip

● **질 · 직장 양손진찰**

● 두 번째 손가락을 질내, 가운데 손가락을 직장내로 삽입하고, 다른 한 손은 복벽 위에 놓고, 자궁후면 및 곧창자자궁오목의 양상을 검사한다.

● 질 내의 두 번째 손가락을 자궁질부를 위로 들어올려 자궁후벽을 직장 내로 돌출시킨다. 곧창자자궁오목에 병변이 있는 경우에는 경결이 촉지된다.

● 곧창자자궁오목병변이 진행되면 자궁의 가동성이 저하된다.

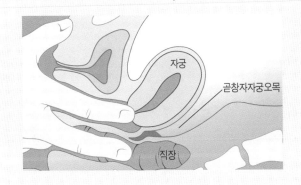

5) 검사

- 자궁내막종, 곧창자자궁오목병변은 자각증상이 쉽게 보이므로, 초음파검사, 질·직장양손진찰, 혈액검사(CA125) 등으로 쉽게 발견된다.
- 한편 복막병변은 자각증상이 없는 경우가 많고 검사로도 발견하기가 어려워서, 확인을 위해 침습이 큰 복강경이 필요하다.
- 불임치료 등에서 복강경검사를 할 때 복막병변이 발견되는 경우가 있는데, 이러한 경우가 아니라면 대개는 복강경검사를 하지 않으므로, 복막병변이 있어도 발견되지 않은 경우가 많다.

CA125 : carbohydrate antigen 125

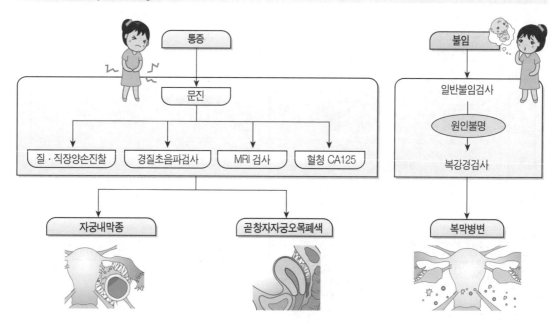

6) 치료

- 자궁내막증 치료에서는 통증의 경감, 불임의 개선이 중요하다.
- 치료법의 선택은 불임, 임신을 희망하는지 여부와 증상의 정도 등을 종합적으로 고려하여 결정한다.

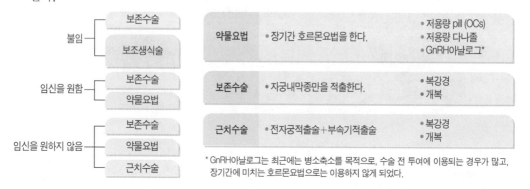

GnRH : gonadotropin releasing hormone

(1) 복강경하수술

- 복강경으로 유착의 박리나 병소를 소작하고, 자궁내막종은 적출한다.
- 낭종을 절개 개방하여 낭종벽을 소작하는 것만으로도 치료효과가 있으므로 낭종절제술을 하지 않는 경우도 있다.
- 질과 직장에 아래 그림과 같이 기구를 삽입하여, 자궁을 전굴시킨 상태에서, 곧창자자궁오목의 병소를 제거한다.

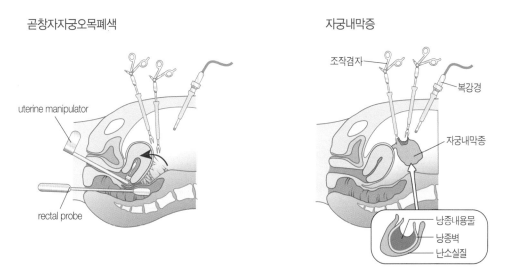

곧창자자궁오목폐색

자궁내막증

(2) 다나졸요법

테스토스테론유도체인 다나졸을 이용하여 저에스트로겐 상태를 만들어, 외부성 자궁내막을 탈락막화, 괴사시키는 요법이다.

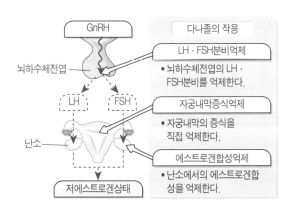

- 다나졸의 부작용을 억제하기 위해서, 저용량(100~200mg/일)으로 장기 투여하는 방법이 주류가 되고 있다.

3. 자궁선근증과 자궁내막증의 비교

- 두 질환 모두 에스트로겐 의존성으로 임신하면 감소하고, 폐경 후에는 감소하거나 개선된다.

	자궁선근증	자궁내막증
병 태	 자궁내막양 조직이 자궁근층 내로 직접 침윤되어, 주위근층의 염증성 종대를 초래함	 자궁의 내강면 외의 장소에 자궁내막양 조직이 생겨서, 염증을 일으키거나, 월경 때마다 증식과 박리를 반복함
호발연령	30대 후반~40대	20~30대
월경통	월경이 거듭됨에 따라 증강됨(자궁내막증보다도 심하다)	월경이 거듭됨에 따라 증강됨
과다월경	수반(자궁 자체가 비대화되므로)	잘 수반되지 않음(자궁 자체가 비대화되지 않으므로)
불 임	과다월경	많음

MEMO

key point

>> 자궁내막암(endometrial carcinoma)은 에스트로겐 의존성 암이며, 프로게스테론이 상대적으로 적은 상태로 에스트로겐에 장기간 노출되었을 때 위험성이 크다.

>> 자궁내막암은 폐경기 후인 50세 이후에 흔히 볼 수 있다. 대부분이 자궁내막에 발생하는 선암이다.

>> 위험요인은 비만, 불임, 미산부이며, 배란장애, 다낭성난소증후군의 과거력 등이 있다.

>> 폐경과 폐경 전·후에 부정출혈이 전형적인 증상이다. 폐경 전에는 월경불순이나 과다월경을 보이며, 출혈이 적은 경우에는 갈색대하로 보인다. 단계가 진행되면 통증 등의 증상이 나타난다.

>> 자궁내막 세포진 검사에서 양성소견과 CA125, CA19-9 종양표지자가 상승한 소견을 보인다. 확진은 자궁내막조직검사에서 선암조직 발견 시 내릴 수 있다.

비판적 사고 훈련

사례

여성은 59세로 폐경 후 비정상적인 질 출혈과 질 분비물이 증가하고 하복부 통증이 있어서 내원하였다. 신장 165cm, 체중 72kg이고, 출산력 1회이고, 자궁내막 생검을 실시한 결과, 자궁내막암 선암 1기로 확진되었다. 여성은 매우 당황하면서 "이제 모든 것이 끝난건가요?"라고 불안감을 호소하였다. 담당의사는 치료를 위해 근치자궁절제술을 권했다. 여성은 간호사에게 "나는 고혈압으로 치료를 계속 잘 받아오면서 운동을 열심히 해야겠다고 생각했지만 질 출혈이 있다고 해서 암일 것이라고는 전혀 생각을 하지 못했어요."라고 말한다. 여성은 자궁절제술로 인해 여성으로서의 기능이 상실될 것을 걱정하고 있었다.

1 여성의 사례에서 자궁내막암의 위험요소는 무엇인가?

2 위 상황에서 간호진단을 우선순위에 따라 나열하시오.

3 간호진단에 따른 간호중재를 설명하시오.

4 자궁내막암의 치료원칙을 기술하시오.

비판적 사고중심 학습

- 자궁내막암의 원인, 증상 및 증후, 치료방법을 설명한다.
- 자궁내막암을 가진 여성을 위한 간호과정을 적용한다.

개요

자궁내막암(endometrial carcinoma)은 자궁내막에 발생한 상피성 악성 종양으로, 조직학적으로는 선암이 약 95%를 차지한다. 호발연령은 50대이며, 90%에서 부정출혈을 보인다. 검사로는 자궁내막 세포진검사와 조직생검이 있다. 질초음파 검사로 자궁내막 비후가 확인되면 조직생검을 시행하는데, 자궁내막증식증이 확인되는 경우에는 치료가 필요하다. 자궁내막소파술을 실시하고, 프로게스테론 제제(medroxyprogesterone acetate, MPA)를 투여한다. 자궁내막암 시 외과적 중재로 전자궁적출술, 근치자궁절제술, 양측부속기절제술, 골반림프절제술을 시행한다.

자궁내막암

1 위험요소

- 40~50대의 비만, 불임, 미산부, 늦은 폐경
- 배란장애, 다낭성난포증후군, 유방암, 자궁암의 기왕력
- 장시간 에스트로겐 요법

2 진단검사

- 골반검사(자궁비대 촉진), 자궁내막세포진 검사상 양성 및 가양성
- 분사식 세척관류법으로 암세포 확인
- 자궁내막조직 흡인생검(aspiration sampling)에서 선암조직 확인
- 자궁내시경(hysteroscopy), 경관개대 소파술(dilatation and curettage)
- 자기공명영상(MRI), 양전자방출단층촬영(PET)
- 내진·직장검진, 질확대경, 자궁경, 방광경, 직장경, 요로조영, 흉부X선, 검사 SCC항원, CEA, CA-125

3 증상과 징후

- 부정 질출혈, 비정상 대하(물같은 악취나는 분비물), 혈성 대하, 하복부 통증, 배뇨곤란, 성교 시 통증, 체중감소, 전신쇠약, 빈혈

4 치료관리

- 자궁내막암은 자궁저부 또는 체부의 내막에 발생하는 흔한 선암이다.
- 1기는 자궁체부, 2기는 자궁경부에 국한되며, 3기는 자궁을 벗어나 골반내 전이가 되고, 4기는 방광, 직장에 전이되고 다른 기관에 전이된 상태이다.
- 수술요법은 자궁절제술, 양측 난소-난관절제술, 림프절 절제술이 있으며, 방사선 치료로는 국소치료, 수술 후 추가(adjuvant) 방사선치료, 외부방사선, 내부방사선 조사 등이 있다. 호르몬 치료도 10~30%에서 반응을 보여 암세포의 성장을 둔화시킨다.
- 자궁내막암의 약 70%는 I, II기에 발견되며, 수술요법이 원칙이다. 근층 침윤, 경관내침윤의 정도에 따라서 다음의 방법을 선택한다. 병기와 치료법의 대응은 자궁경부암만큼 명확하지 않고, 수술 후 적출표본의 결과에 따라서 추가치료(항암학요법이나 방사선요법 등)가 행해진다.
- 자궁내막선암은 조직학적 유형에 따라 세분화하여 분류하며, 이를 치료결정에 이용한다.

Grade1(G1)	고도로 잘 분화된 선암
Grade2(G2)	부분적 충실성 병소가 있는 중등도 분화된 선암
Grade3(G3)	대부분 충실성 병소이고 거의 미분화된 선암

(1) 수술요법

- 전자궁적출술
- 변형 근치자궁절제술
- 근치자궁절제술
- 원칙적으로 양측 부속기절제술, 골반림프절 절제술

(2) 방사선요법

자궁내막암은 대부분이 선암으로, 자궁경부암만큼 방사선요법이 효과가 크지 않지만 고용량 방사선요법으로 재발방지와 잔류암 제거를 위해서 시도한다.

(3) 화학요법

- 자궁내막암의 대부분은 에스트로겐 의존성(I형)이다. 그 때문에, 향후 임신을 희망하는 Grade1(고분화형)의 Ia기의 대상자에서는 호르몬요법으로 고용량 MPA가 이용되기도 한다. 화학요법으로는 Cisplatin/Doxorubicin, Cisplatin/Doxorubicin/Paclitaxel, Carboplatin, Carboplatin/Paclitaxel, Cisplatin, Doxorubicin, Paclitaxel을 중심으로 다제병용요법이 행해진다. 호르몬제제로는 Provera, Megace, Tamoxifen, Aromatase inhibitor 등이 사용된다.

5 합병증

- 자궁내막암의 수술 후 부작용으로 출혈, 장폐색, 혈관손상, 요관손상, 폐렴, 폐색전증, 만성합병증으로 림프부종이 있다.
- 방사선요법의 부작용으로 장점막, 방광점막의 손상, 혈변, 설사, 혈뇨, 장폐색, 질위축 및 경화 등이 있다.

비판적 사고중심 간호실무

❶ 간호 사정

- 월경, 임신, 에스트로겐 대치요법에 대해 사정한다.
- 불규칙한 월경, 폐경 후 출혈, 기타 증상에 대해 사정한다.
- 암진단의 가능성에 대한 환자의 반응(공포감, 죄의식, 부정)을 사정한다.

❷ 간호 진단

- 치료 선택과 관련된 두려움
- 질병 과정, 외과적 치료와 관련된 급성 통증
- 수술적 치료와 관련된 신체상 장애

❸ 간호 중재

- 방사선치료의 합병증에 대한 정보를 제공한다.
  - 급성 합병증 : 출혈성방광염, 항문궤양, 직장염 등
  - 만성 합병증 : 질건조, 질협착, 방광염, 방광기능부전, 직장염, 소장폐색, 누공, 협착, 다리 부종 등
- 폐경 후 질 출혈을 보고하도록 강조한다.
- 진단 과정 동안 환자를 지지하고 가능한 치료방법에 대한 정보를 제공한다.
- 환자의 회복에 대한 긍정적인 면을 강조한다.
- 치료에 대한 반응과 암 확산을 감시하기 위해 추후관리의 중요성에 대해 설명한다.
- 심호흡, 연상법 등 편안감 증진을 위한 이완요법을 사용하도록 권장한다.
- 옷이나 화장 등 가능한 방법을 통해 외모에 자신감을 갖도록 한다.
- 환자가 가능할 경우 활동이나 사회활동에 참여하도록 권장한다.

❹ 간호 평가

- 진단과 선택한 치료에 대해 이해함을 말로 표현한다.
- 통증 완화를 말로 표현한다.
- 불안감 감소와 결정을 내리는 능력이 증진되었음을 보고한다.
- 외모와 여성성에 대해 계속적인 관심을 보인다.

간호 실무능력 평가

1 불규칙한 질출혈로 내원한 60세 여성은 자궁내막 생검 결과 선암으로 진단받았다. 여성이 자궁내막암에 취약한 위험요소가 <u>아닌</u> 것은?

① 12세로 이른 초경연령
② 난소암을 가진 어머니의 가족력
③ 5명의 자녀를 두고 있는 다산부
④ 유방암의 기왕력으로 타목시펜 복용
⑤ 신장 160cm에 체중 80kg의 비만 상태

2 위의 여성이 자궁내막암의 진단이 지연되었을 때 생길 수 있는 증상은?

① 폐경
② 이명
③ 배뇨곤란
④ 질 건조증
⑤ 골다공증

3 위의 여성은 자궁내막암 2기로 진단받고 전자궁적출술과 림프절 절제술을 시행하였고 보조적 외부방사선 요법을 시행하였다. 여성이 방사선 치료로 인해 가질 수 있는 합병증은?

① 탈모
② 질협착
③ 상지부종
④ 어깨통증
⑤ 말초신경병증

4 위의 여성에게 간호사가 퇴원 교육해야 할 내용은?

① "성교는 불가능합니다."
② "지방이 높은 식이를 드십시오."
③ "완치되었으므로 재검진은 오지 않으셔도 됩니다."
④ "지속되는 출혈, 점적출혈이 있으면 바로 내원하십시오."
⑤ "통목욕으로 하반신에 온요법을 하는 것이 도움이 됩니다."

정답   1.③ 2.③ 3.② 4.④

1. 자궁내막암의 증상

- 폐경 전·후에 부정출혈이 전형적인 증상이다.
- 폐경 전에 월경불순이나 과다월경(병변에서의 출혈 때문)으로 나타난다.
- 소량의 출혈인 경우에는 갈색에서 황색 대하가 되며, 자궁감염이 동반되면 농성이 된다.
- 암이 자궁체부를 지나서, 골반내 조직으로 침윤하게 되면 통증이 발생한다.

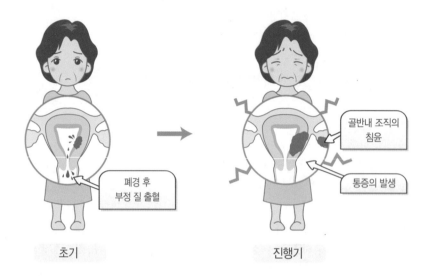

초기   진행기

2. 자궁내막암의 발생과정

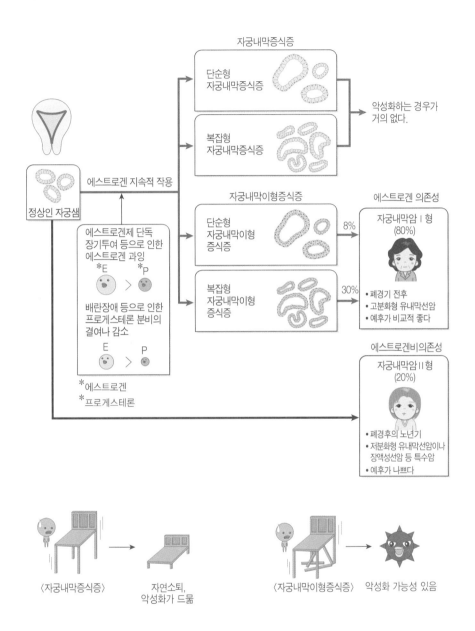

자궁내막증식증

단순형
자궁내막증식증

복잡형
자궁내막증식증

악성화하는 경우가
거의 없다.

정상인 자궁샘

에스트로겐 지속적 작용

에스트로겐제 단독
장기투여 등으로 인한
에스트로겐 과잉
*E   *P
＞

배란장애 등으로 인한
프로게스테론 분비의
결여나 감소
E   P
＞

*에스트로겐
*프로게스테론

자궁내막이형증식증

단순형
자궁내막이형
증식증

복잡형
자궁내막이형
증식증

8%

30%

에스트로겐 의존성

자궁내막암 Ⅰ형
(80%)

• 폐경기 전후
• 고분화형 유내막선암
• 예후가 비교적 좋다

에스트로겐비의존성

자궁내막암 Ⅱ형
(20%)

• 폐경후의 노년기
• 저분화형 유내막선암이나
  장액성선암 등 특수암
• 예후가 나쁘다

〈자궁내막증식증〉 → 자연소퇴,
악성화가 드묾

〈자궁내막이형증식증〉 악성화 가능성 있음

3. 자궁내막암 I 형 위험인자

- I 형에서는 주로 에스트로겐 과잉상태(unopposed estrogen)에 노출되는 것이 위험인자가 된다.
- 유방암 치료에 이용되는 Tamoxiphen은 항에스트로겐제이지만, 자궁내막에는 증식작용이 있어 자궁내막암 I 형의 위험인자가 된다.

비만	에스트로겐제 에스트로겐 생산종양	난소기능이상 (배란장애, PCOS)	불임 · 미분만부
• 지방세포의 아로마타제의 작용으로 콜레스테롤에서 에스트로겐이 합성된다. • 지방세포가 풍부한 비만에서는 에스트로겐생산이 활발해진다.	• 에스트로겐제의 장기 투여 • 에스트로겐 생산종양인 과립막 세포종이나 협막 세포종에서는 종양세포에서의 에스트로겐 생산이 활발해지기도 한다.	• 배란이 없어 황체가 생기지 않으므로 프로게스테론이 분비되지 않는다. • PCOS에서는 프로게스테론 분비 부전이 생긴다.	• 임신상태에서는 임신유지를 위해 프로게스테론이 다량으로 생산되고, 에스트로겐 작용에 길항한다. • 그러나 불임 · 미분만부에서는 이런 상태가 없다.

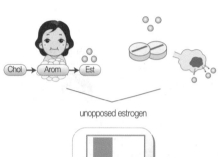

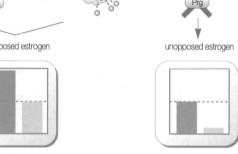

에스트로겐 자극
기간의 장기화

• 임신을 하지 않으므로 장기적으로 에스트로겐 수치가 높아지는 기간이 길어진다.

Tip 에스트로겐 과잉상태(unopposed estrogen)

- 에스트로겐 과잉상태란 프로게스테론의 증가 없이 지속적으로 에스트로겐만 높은 상태를 말한다.
- 호르몬 보충요법에서 에스트로겐제의 단독투여를 장기간 계속함으로써 자궁내막암의 발생률이 상승한다.

정상 • 에스트로겐과 프로게스테론의 작용이 서로 균형을 이루고 있다.

에스트로겐 과잉상태

• 장기간 에스트로겐 과잉상태 노출 시 에스트로겐이 프로게스테론보다 강하게 작용한다.

에스트로겐의 작용이 강해짐

프로게스테론의 작용이 약해짐

자궁내막암의
위험도↑

4. 자궁내막암의 분류

1) 발생순서에 따른 분류

자궁내막암은 에스트로겐 의존성으로 발생하는 것(Ⅰ형)과 그 외 원인으로 발생하는 것(Ⅱ형)이 있다.

	Ⅰ형	Ⅱ형
발생 순서	정상 자궁내막 ← unopposed estrogen → 자궁내막이형증식증 → 자궁내막암 • unopposed estrogen에의 장기간 노출로, 자궁내막이형증식증을 거쳐 암에 이르는 것	정상 자궁내막 → 자궁내막암 • 자궁내막이형증식증을 거치지 않고 악성화되는 것(de novo암)
호발 연령	폐경 전~폐경 조기	폐경 후
빈도	80~90%	10~20%
자궁내막이형증식증	있음	없음
주요 조직형	자궁내막모양선암	장액성선암, 투명세포암 등
분화 정도	고분화가 많음	저분화가 많음
근층 침윤	얕은 경우가 많음	깊은 경우가 많음
예 후	비교적 양호	불량

2) 육안분류에 따른 분류

암의 병소와 암의 발육방향에 따라서 다음과 같이 분류한다.

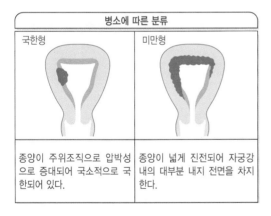

병소에 따른 분류		발육방향에 따른 분류	
국한형	미만형	외향형 발육방향	내향형 발육방향
종양이 주위조직으로 압박성으로 증대되어 국소적으로 국한되어 있다.	종양이 넓게 진전되어 자궁강 내의 대부분 내지 전면을 차지한다.	종양의 발육이 주로 자궁강 내로 결정상으로 돌출되어 있다.	종양의 발육이 주로 근층 내로 진전한다.

3) 조직학적 분류와 빈도

5. 자궁내막암의 전이

- 전이양식으로는 직접침윤과 원격전이가 있다.
- 직접침윤에서는 인접하는 난소, 방광, 직장으로 침윤, 또는 복강 내로 파종되기도 한다.
- 자궁내막암의 전이는 혈행성 전이 또는 림프행성 전이인 경우가 많다.

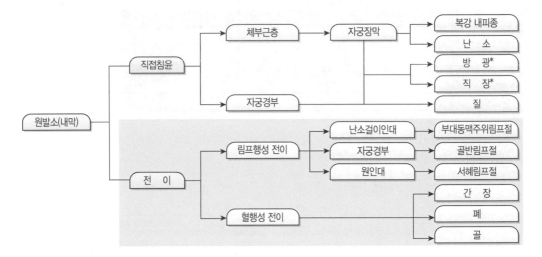

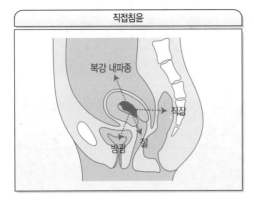

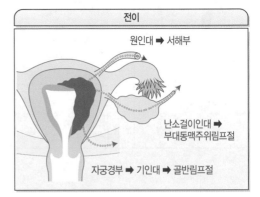

자궁내막암의 전이

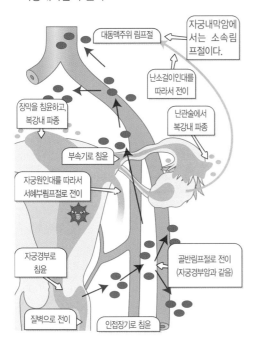

- 대동맥주위 림프절
- 자궁내막암에서는 소속림프절이다.
- 난소걸이인대를 따라서 전이
- 장막을 침윤하고, 복강내 파종
- 난관술에서 복강내 파종
- 부속기로 침윤
- 자궁원인대를 따라서 서혜부림프절로 전이
- 자궁경부로 침윤
- 골반림프절로 전이 (자궁경부암과 같음)
- 질벽으로 전이
- 인접장기로 침윤

6. 자궁내막암의 검사

1) 자궁내막 세포진검사와 조직검사

- 자궁내막암의 증상이 발현되면 자궁내막 세포진검사 및 조직생검을 한다. 증상이 없는 경우에는 경질초음파검사를 하는데, 연령에 맞지 않는 자궁내막의 비후가 확인되면 자궁내막 조직생검을 실시한다. 자궁내막증식증은 악성화하는 경우가 드물지만, 자궁내막이형증식증의 경우 악성화 할 위험이 있으므로 치료가 필요하다.
- 조직생검에서 유내막선암(자궁내막과 유사한 암) 등이 확인되면 자궁내막암의 확정진단을 한다.

자궁내막 세포진검사		자궁내막 조직검사
• 내막암 검출률(감도)은 80~90% • 채취방법에는 찰과법, 흡인법이 있다.	• 양성 • 가양성 • 음성이라도 자궁내막암이 의심스러운 소견(자궁내막용종, 부정질 출혈, 자궁종대 등)이 있는 경우	• 환자의 통증·불안이 심한 경우는 마취한다. 이형증식증이나 내막암이 확인된 경우 • 자궁경부 침윤의 유무를 확인하기 위해서 자궁경검사를 해야 한다.

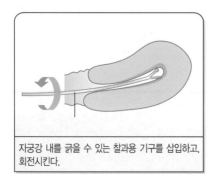

내막세포진(찰과법)

자궁강 내를 긁을 수 있는 찰과용 기구를 삽입하고, 회전시킨다.

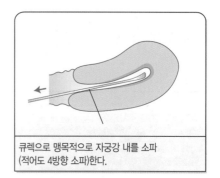

내막조직검사

큐렛으로 맹목적으로 자궁강 내를 소파 (적어도 4방향 소파)한다.

2) 자궁경검사

- 경관을 통해 자궁강 내에 내시경을 삽입하여 자궁강이나 경관 내의 상태를 관찰하는 검사법이다.
- 병변의 표면의 형태나 색깔, 돌출의 정도, 샘 개구 여부, 혈관의 분포와 주행, 궤양 형성, 출혈의 정도 등을 직접 볼 수 있고, 병변이 확장되었는지 확인할 수 있다.
- 부정 질출혈, 자궁내 이물, 반흔, 유착, 잔류태반, 자궁외 임신의 보조진단에도 유용하다.

자궁경검사

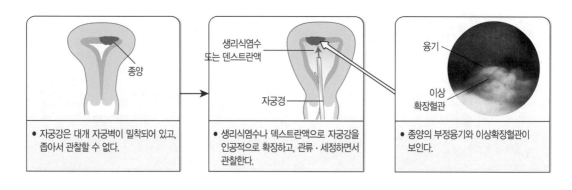

종양

- 자궁강은 대개 자궁벽이 밀착되어 있고, 좁아서 관찰할 수 없다.

생리식염수 또는 덱스트란액

자궁경

- 생리식염수나 덱스트란액으로 자궁강을 인공적으로 확장하고, 관류·세정하면서 관찰한다.

융기

이상 확장혈관

- 종양의 부정융기와 이상확장혈관이 보인다.

7. 최근 FIGO(2009) 자궁내막암 병기분류

- 자궁내막암의 진행기 분류에는 수술적 병기와 임상적 병기가 있다.
- 중요한 예후인자 중 근층침윤의 깊이와 림프절 전이는 수술 후에 판명되므로, 자궁내막암에서는 원칙적으로 수술적 병기를 이용한다.
- 임상적 병기는 수술을 하지 않는 증례에 이용하고, 각종 검사 결과를 근거로 치료방침을 결정한다.

병기	
0기	상피내암(Carcinoma in Situ)
1기	암이 자궁체부에 국한 ● Ⅰa : 자궁근육층 두께의 절반 이내로 침범 ● Ⅰb : 자궁근육층 두께의 절반 이상을 침범한 경우
2기	자궁체부와 자궁경부를 침범했으나 자궁 외로 퍼지지는 않음
3기	자궁 밖으로 퍼졌으나 골반을 벗어나지는 않음 ● Ⅲa : 자궁의 장막 또는 부속기 침범 ● Ⅲb : 질 또는 자궁주변조직 침범 ● Ⅲc : 골반 또는 대동맥 주위 림프절 전이 　－ Ⅲc1 : 골반 림프절 전이 　－ Ⅲc2 : 대동맥 주위 림프절 ± 골반 림프절 전이
4기	골반 밖으로 전이되거나 방광이나 직장 점막 침범 ● Ⅳa : 방광 또는 장의 점막 침범 ● Ⅳb : 복강 내 또는 서혜부 림프절을 포함한 원격 전이

〈FIGO 외과적 병기, 2009〉

8. 자궁내막암의 치료

- 향후 임신을 원하는 경우, 자궁내막이형증식증에 관해서는 자궁을 보존하기 위하여 자궁내막소파술을 시행하고 MPA를 투여한다.
- 자궁내막암의 경우 전자궁적출술을 하며, 원칙적으로 양측 부속기절제술, 골반림프절 절제술을 시행한다.

1) 단순 전자궁적출술

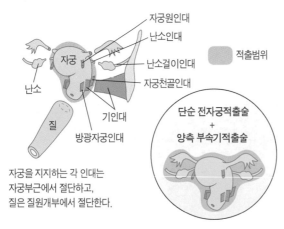

자궁을 지지하는 각 인대는
자궁부근에서 절단하고,
질은 질원개부에서 절단한다.

2) 광범위 자궁적출술

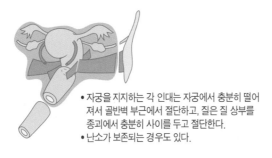

- 자궁을 지지하는 각 인대는 자궁에서 충분히 떨어져서 골반벽 부근에서 절단하고, 질은 질 상부를 종괴에서 충분히 사이를 두고 절단한다.
- 난소가 보존되는 경우도 있다.

3) 복강경 수술

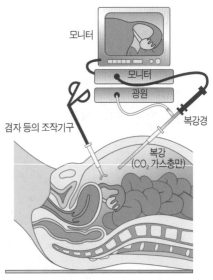

CO_2 가스로 복벽을 거상시켜서,
복강경으로 관찰하면서 수술조작을 한다.

대상질환 : 자궁근종, 자궁내막증, 난소 양성종양,
난관임신, 난관폐색 등

발생부위별 종양(양성종양 · 전암병변 · 악성종양)

- 여성생식기에 발생하는 양성종양 · 전암병변 · 악성종양은 아래와 같다.
- 자궁내막증은 곧창자자궁오목 등의 골반복막에도 발생한다.(융모성질환은 임신이 관련되므로, 여기에서는 제외함)

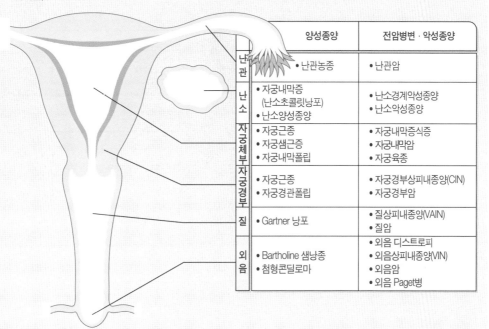

	양성종양	전암병변 · 악성종양
난관	• 난관농종	• 난관암
난소	• 자궁내막증 (난소초콜릿낭포) • 난소양성종양	• 난소경계악성종양 • 난소악성종양
자궁체부	• 자궁근종 • 자궁샘근증 • 자궁내막폴립	• 자궁내막증식증 • 자궁내막암 • 자궁육종
자궁경부	• 자궁근종 • 자궁경관폴립	• 자궁경부상피내종양(CIN) • 자궁경부암
질	• Gartner 낭포	• 질상피내종양(VAIN) • 질암
외음	• Bartholine 샘낭종 • 첨형콘딜로마	• 외음 디스트로피 • 외음상피내종양(VIN) • 외음암 • 외음 Paget병

CIN : cervical intraepithelial neoplasia   VAIN : vaginal intraepithelial neoplasia   VIN : vulvar intraepithelial neoplasia

Tip

에스트로겐 관련 종양

- 에스트로겐의 지속적인 자극이나 에스트로겐 과잉상태(unopposed estrogen exposure)에 의해 발생하거나 혹은 악화되는 질환은 아래와 같다.
- 에스트로겐이 감소함에 따라 갱년기장애 시 볼 수 있는 증상이 쉽게 출현한다.

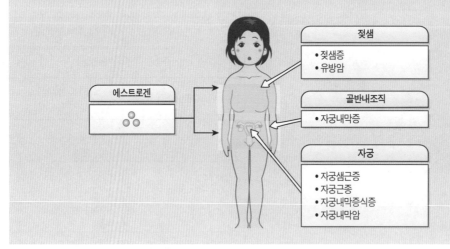

에스트로겐

젖샘
- 젖샘증
- 유방암

골반내조직
- 자궁내막증

자궁
- 자궁샘근증
- 자궁근종
- 자궁내막증식증
- 자궁내막암

MEMO

CHAPTER
08

자궁근종 간호

key point

>> 자궁근종(uterine myoma)은 자궁 내 평활근의 부분적 증식으로 발생하는 가장 흔한 양성 종양이다.

>> 자궁근종은 에스트로겐 반응성 종양으로 임신하면 크기가 커질 수 있고 폐경 후에는 크기가 감소할 수 있다.

>> 자궁근종은 증상이 없지만 종양 덩어리가 촉지되고 월경의 양이 많거나 기간이 길어지며 월경 사이나 폐경기 이후의 출혈도 있을 수 있다.

>> 종양이 근접기관을 압박하면 통증이 있을 수 있고, 근종이 커지면서 무게감이 느껴질 수 있다.

>> 2차적 증상으로 권태, 전신적인 피로감, 빈혈, 하복부 불편감 등이 있다.

>> 자궁내벽의 경계 유무에 따라 자궁근종과 자궁선근증을 감별할 수 있다.

비판적 사고 훈련

사례

54세인 여성은 1년 전부터 월경량이 증가하고, 복부가 불편하고 덩어리가 만져지는 것 같아 병원을 방문하였다. 자궁근종으로 진단받았고 담당의사는 자궁절제술(TAH)과 양쪽난관난소절제술(BSO)을 권하였다. 여성은 여성 생식기를 제거하는 것에 대해 불안하다고 말하였다.

1 여성이 불안해하는 원인을 설명해보시오.

2 여성의 생식기 건강문제를 확인하기 위해 사정해야 할 내용을 설명하시오.
(1장. 여성건강사정 참조)

3 여성 생식기 건강문제의 조기발견을 위한 선별검사 및 임상검사에 대해 설명하시오.

4 자궁절제술과 양측난관난소절제술을 받고나서 고려할 간호문제와 중재를 서술하시오.

개요

자궁근종(uterine myoma)은 자궁근층을 구성하는 평활근에 발생하는 양성종양으로 에스트로겐 의존성 질환이다. 여성생식기질환 중에 가장 흔하며 가임기 여성의 4~5명에 한 명의 비율로 발생한다. 대부분 자궁체부에서 발생하고 다발성인 경우가 많으며, 악성인 경우는 드물다.

자궁근종의 종류는 위치에 따라 분류된다. 가장 흔한 유형으로 근층내근종이 있으며, 장막하근종, 점막하근종, 유경근종, 기생근종으로 나뉜다.

유경근종(pedunculated myoma)은 장막하근종이나 점막하근종이 늘어지면서 나타난다.

기생근종(parasitic myoma)은 유경근종이 복강경이나 장막, 다른 장기에 붙으면서 그곳에서 혈액공급을 받게 되고 나중에 자궁과 붙어있던 부분이 소실되면서 나타난다.

근종은 2차변성에 의해 초자성(hyaline), 낭성(cystic), 감염과 화농, 괴사, 석회화, 육종성(sarcomatous) 변성이 생길 수 있다.

자궁근종

① 위험요소

● 경구용 피임약 복용
● 임신
● 호르몬 치료

② 진단검사

● 단순 복부촉진, 양손검진
● X선 복부촬영
● 초음파 검사
● 복강경 검사
● 자궁경 검사
● MRI

③ 증상과 징후

- 비정상 출혈 : 월경과다, 빈발월경, 부정자궁출혈
- 만성 철결핍성 빈혈
- 하복부 압박감(통증)
- 빈뇨, 배뇨곤란, 변비

④ 치료관리

- 과다월경에 의한 고도의 빈혈, 압박증상, 동통, 근종의 크기와 존재부위, 향후 임신을
  원하는지 등을 종합적으로 사정한다.
- 3~6개월마다 검진을 통해 경과를 관찰한다.
- 평활근종을 줄이고 출혈을 방지하기 위해 약물요법을 적용한다 ▶ GnRH활성제
- 종합적 판단을 통해 수술요법을 적용한다.
  - 근종절제술
  - 전자궁절제술 ▶ 근치요법

⑤ 합병증

- 불임
- 습관성 유산

비판적 사고중심 간호실무

1 간호 사정

- 산과력, 폐경 여부를 사정한다.
- 경구용 피임약 복용, 임신, 호르몬치료의 유무를 사정한다.
- 비정상 출혈, 복통, 월경곤란증, 골반 충만감 또는 압박감을 사정한다.
- 배설문제를 사정한다(골반검진을 포함).
- 자궁절제술이 계획된 여성에게서 심리적 상태를 사정한다.
- 여성에게 자궁과 자궁소실의 의미와 지지체계를 확인한다.
- 수술 후 신체변화에 대한 지식과 이해정도를 사정한다.
- X선 복부촬영과 초음파 검사로 근종의 유무를 사정한다.
- 복강경 검사와 자궁경 검사로 근종을 확인한다.
- 자궁근종에 대한 이해 정도를 사정한다.

2 간호 진단

- 불확실한 진단과 치료와 관련된 불안
- 생식기 수술 관련 지식부족
- 생식기 수술과 관련된 여성성의 상실
- 수술부위 절개와 관련된 통증

3 간호 중재

- 암으로 진행가능성을 확인하기 위해 세포진 검사, 소파술, 경부 생검을 우선적으로 실시한다.
- 근종이 악성으로 변할 가능성은 아주 적지만 규칙적으로 암 검사를 받도록 한다.
- 증상의 악화나 출혈이 심해지는 것은 근종의 비대로 인한 것이며 치료가 필요하므로 보고한다.
- Gonadotropin 분비 호르몬 길항제요법(GnRH agonis ; Lupront)을 시행한다.
  - 해당 약물과 다른 약물의 작용, 부작용, 주입방법에 대해 교육한다.
  - 치료가 중단된 후 근종의 재성장이 나타날 수 있음을 알린다.
- 외과적 수술요법을 시행한다.
- 절개부위와 질 부위의 출혈을 사정한다.
- 장음을 사정하고 장기능을 감시한다.
- 섭취량과 배설량을 측정한다.
- 감염증상에 대해 복부의 절개 부위나 질을 사정한다.
- 수술 후 합병증 증상을 관찰한다.

- 복식 자궁절제술 : 상처 절개부위의 폐색전, 혈전성 정맥염, 폐렴, 장폐색, 절개부위 출혈 또는 질 출혈 증상
- 질식 자궁절제술 : 비뇨기계 감염, 요정체, 상처감염, 질 출혈 증상
- 진통제의 작용과 부작용에 대해 교육한다.
- 장시간 서 있지 않도록 하고, 편안함을 증진하고 골반이 이완될 수 있는 체위를 취하도록 한다.
- 확장된 방광의 압력이 높아지는 것을 막기 위해 자주 배뇨하게 한다.
- 심리적 상태를 사정한다.
  - 우울이나 다른 정서적 반응
  - 지지체계
  - 성적 관심사
- 변비 예방을 위해 고섬유식이를 섭취하도록 한다.

④ 간호 평가

- 대상자는 진단과 치료방법과 관련된 불안이 감소된다고 말한다.
- 치료방법의 선택을 이해한다고 말한다.
- 수술 후 통증이 감소되었음을 말로 표현한다.
- 수술이 성기능과 관련 없음을 이해한다고 말한다.

여성은 47세로 두 명의 자녀가 있으며, 규칙적인 월경을 해 오던 중 월경량이 많아지고 월경기간이 길어져 산부인과 외래를 방문하였다. 초음파 검사에서 2cm 크기의 자궁근종 3개가 자궁강 내로 돌출되어 있음이 발견되었다. 여성은 지속적으로 추후검진을 받았으나 6개월 전부터 월경과다와 현기증 증상이 동반되고 Hb 수치가 8.0mg/dl로 수혈을 받았으며, 수혈 후 Hb 수치는 다시 10.3mg/dl이 되고 출혈도 멈추었다. 주치의는 추후 관찰하면서 폐경 이후에 수술을 결정하자고 하였다. 그러나 이틀 후 다시 출혈이 시작되어 여성은 수술을 받아야 하는지 궁금해하면서 자신의 건강상태에 대해서 불안하다고 하였다.

1 여성의 자궁근종의 종류는 무엇인가?

① 근층내 근종　　　　　② 점막하 근종
③ 장막하 근종　　　　　④ 복막하 근종
⑤ 인대내 근종

2 여성에게 수술을 권한다면 그 이유는 무엇때문인가?

① 근종이 자궁강 내로 돌출되어 있다.
② 직경 2cm의 근종이 3개 존재한다.
③ 비정상적인 출혈로 빈혈이 나타난다.
④ 증상이 적을 때 수술해야 회복이 빠르기 때문이다.
⑤ 여성은 불안감을 느끼고 수술을 진행하길 원하고 있다.

3 수술을 폐경 이후로 미루는 확실한 이유는?

① 에스트로겐의 양이 증가하기 때문이다.
② 출혈이 다시 나타날 수 있기 때문이다.
③ 근종 크기가 감소할 수 있기 때문이다.
④ 근종의 이차변성을 관찰하기 위함이다.
⑤ 자궁경부암이 될 가능성이 없기 때문이다.

4 여성의 상황에서 가장 적합하다고 권유되는 수술의 종류는?

① 소파술　　　　　　　② 근종절제술
③ 자궁절제술　　　　　④ 광범위 근치자궁절제술
⑤ 베르트하임식 근치자궁절제술

정답　1.② 2.③ 3.③ 4.③

관련정보

1. 자궁근종의 종류

- 자궁근종의 약 95%가 자궁체부에서, 약 5%가 자궁경부에서 발생하고, 드물게 자궁질부에서도 발생한다.
- 자궁근종은 근종의 위치에 따라서 다음과 같이 분류된다.
  - 근층내근종 : 자궁근층 내에 생긴 근종
  - 점막하근종 : 자궁내막층(자궁의 내강측)에 생긴 근종
  - 장막하근종 : 근의 장막 바로아래(복막측)에 생긴 근종

	점막하근종	근층내근종	장막하근종
빈도	5~10%	약 70%	10~20%
정의	• 근종이 자궁내막 바로 아래에 발생하고, 자궁강 내를 향해서 발육되는 것	• 근종이 자궁근층 내에 발생·발육되는 것	• 근종이 자궁장막 바로 아래에 발생·발육되는 것
특징	• 가장 증상이 심하다.	• 가장 많이 나타나고, 다발성이다.	• 증상이 없는 경우가 많고, 염전되면 급성 복통이 초래된다.
	유경성 점막하근종 자궁내막 근종분만	자궁근층 근층내근종	유경성 장막하근종 자궁장막 ※ 난소종양과의 감별이 중요
육안소견	자궁 자궁근종		

다발성 자궁근종

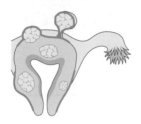

- 자궁근종의 60~70%는 다발성이다.
- 위의 3종류 중, 같은 종류가 다발성인 것과 혹은 다른 종류가 동반되어 다발성인 것이 있다.

자궁근종과 합병되는 질환

자궁내막증과 합병	자궁선근증과 합병
• 약 20%의 자궁근종에 자궁내막증이 합병되고 있다. 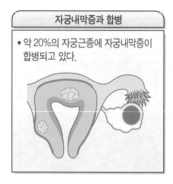	• 자궁근종과 자궁선근증은 높은 빈도로 합병된다. 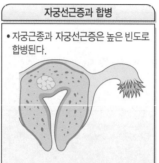

- 모두 월경곤란증이 동반된다.

2. 자궁근종의 변성

- 근층내근종 중에는 자궁강 내로 발육되어 점막하근종이 될 수도 있고, 자궁장막(복강) 측으로 발육되어 장막하근종이 되는 것도 있다.
- 근종 내는 혈행장애가 있어서 근종이 충혈되거나, 초자화, 낭포화, 석회화, 지방변성, 괴사 등 다양한 속발성 변성을 초래한다.

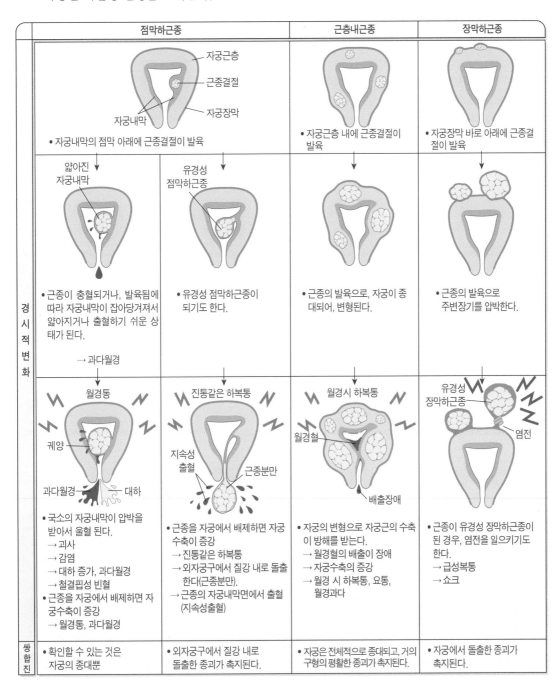

	점막하근종		근층내근종	장막하근종
경시적 변화	• 자궁내막의 점막 아래에 근종결절이 발육		• 자궁근층 내에 근종결절이 발육	• 자궁장막 바로 아래에 근종결절이 발육
	• 근종이 충혈되거나, 발육됨에 따라 자궁내막이 잡아당겨져서 얇아지거나 출혈하기 쉬운 상태가 된다. → 과다월경	• 유경성 점막하근종이 되기도 한다.	• 근종의 발육으로, 자궁이 종대되어, 변형된다.	• 근종의 발육으로 주변장기를 압박한다.
	• 국소의 자궁내막이 압박을 받아서 울혈 된다. → 괴사 → 감염 → 대하 증가, 과다월경 → 철결핍성 빈혈 • 근종을 자궁에서 배제하면 자궁수축이 증강 → 월경통, 과다월경	• 근종을 자궁에서 배제하면 자궁수축이 증강 → 진통같은 하복통 → 외자궁구에서 질강 내로 돌출한다(근종분만). → 근종의 자궁내막면에서 출혈(지속성출혈)	• 자궁의 변형으로 자궁근의 수축이 방해를 받는다. → 월경혈의 배출이 장애 → 자궁수축의 증강 → 월경 시 하복통, 요통, 월경과다	• 근종이 유경성 장막하근종이 된 경우, 염전을 일으키기도 한다. → 급성복통 → 쇼크
쌍합진	• 확인할 수 있는 것은 자궁의 종대뿐	• 외자궁구에서 질강 내로 돌출한 종괴가 촉지된다.	• 자궁은 전체적으로 종대되고, 거의 구형의 평활한 종괴가 촉지된다.	• 자궁에서 돌출한 종괴가 촉지된다.

3. 자궁근종의 치료관리

- 자궁근종을 가진 여성의 절반이 무증상이다. 에스트로겐 의존성 질환이므로 폐경 후에는 근종이 축소된다.
- 증상이 심한 경우나 종양이 큰 경우, 종양의 증대 속도가 빠른 경우에는 치료를 하고, 경증의 경우에는 경과를 관찰한다.
- 근종의 크기가 아주 작아도 악성이 될 가능성이 높고, 악성이 의심된다면 경증이라도 수술을 한다.
- 에스트로겐 의존성 질환이므로, 약물요법으로써 GnRH 아날로그는 향후 임신을 원하나 지금 당장은 임신을 희망하지 않는 경우에 시행하는 경우가 많다(GnRH 아날로그에 의해 배란이 멈추므로).
- 수술 전에 가폐경요법을 하여 근종을 축소시키고 난 후 수술을 하기도 한다.
- 폐경 후에는 근종이 축소되는 경향이 있으므로 폐경직전의 환자에게는 가폐경요법을 시행하여 폐경기를 기다리는 경우(대기법)도 있다.
- 혈액검사에서 LDH상승이 보인 경우에는 자궁육종을 의심해야 한다. 단, 똑같은 소견이 근종의 변성이나 출혈에서도 보일 수 있으므로 정밀검사가 필요하다.
- 수술을 희망하지 않는 환자에게는 자궁동맥색전술(자궁으로 흐르는 동맥중 및 근종으로 가는 혈관을 막게 해서 혈행을 끊는 방법)이나 고주파 근종용해술로 자궁근종 자체를 소작하여 근종의 축소를 시도하기도 한다.

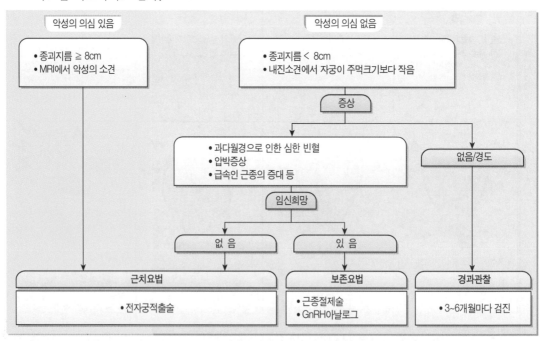

> **Tip** ● **자궁동맥색전술**
> 발에 있는 동맥에 가는 관을 통과시키고, X선으로 관의 위치를 확인하면서 근종에 영양을 공급하고 있는 동맥에 젤라틴과 유사한 물질을 흘려 보내 혈관을 폐쇄하여 혈류를 차단한다. 통증이나 발열 등이 나타날 수 있다.

◢ 자궁근종절제술

- 불임이나 향후 임신을 원하는 환자에게 하는 수술법이다.
- 임신능력을 유지하기 위해 자궁을 보존하고 근종만을 제거한다.

자궁근종절제술의 종류

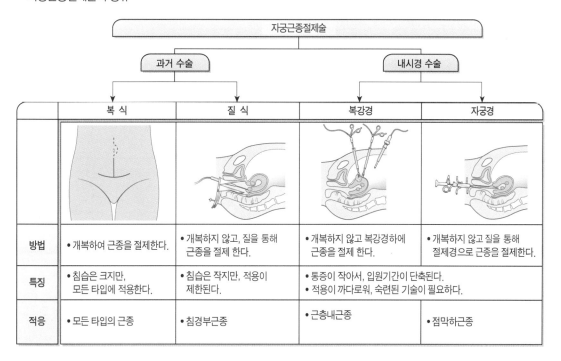

자궁근종절제술			
과거 수술		내시경 수술	
복 식	**질 식**	**복강경**	**자궁경**

	복 식	질 식	복강경	자궁경
방법	• 개복하여 근종을 절제한다.	• 개복하지 않고, 질을 통해 근종을 절제 한다.	• 개복하지 않고 복강경하에 근종을 절제 한다.	• 개복하지 않고 질을 통해 절제경으로 근종을 절제한다.
특징	• 침습은 크지만, 모든 타입에 적용한다.	• 침습은 작지만, 적용이 제한된다.	• 통증이 작아서, 입원기간이 단축된다. • 적용이 까다로워, 숙련된 기술이 필요하다.	
적응	• 모든 타입의 근종	• 침경부근종	• 근층내근종	• 점막하근종

복강경과 자궁경에 의한 근종절제술

- 현재는 내시경하 수술이 주로 시행되고 있다.
- 복강경 수술과 자궁경수술에 대한 적응증과 차이점은 다음과 같다.

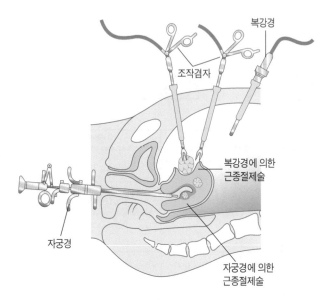

	복강경	자궁경
수술 후 합병증	복벽을 통한 조작 ↓ 복벽에 상처가 나므로, 주변장기와 유착이 생길 수 있음	질을 통한 조작 ↓ 주변장기에 영향이 없어서, 유착이 생기지 않음
수술 후의 임신·분만	자궁근에 상처를 냄 ↓ 자궁파열의 위험성이 있음 ↓ 제왕절개를 고려	자궁근에 상처가 나지 않음 ↓ 자궁파열의 위험성이 없음 ↓ 정상분만이 가능

MEMO

CHAPTER

09

자궁경부암 간호

key point

>> 자궁경부암(cervical cancer)은 자궁경부에 발생한 악성종양으로 40대에 호발한다.

>> 첫 성교 연령이 어리거나 성교 대상이 많은 사람, 임신과 출산 횟수가 많은 사람에게 발생률이 높으며, 인유두종바이러스 감염이 가장 큰 원인이다.

>> 자궁경부암 증상은 초기상태에서는 무증상이나, 종양세포가 혈관을 침식하면 접촉출혈, 부정출혈을 나타낸다.

>> 수술요법은 가임여부에 따라 원추절제술을 할 수 있으며, 전자궁적출술은 0기나 1기 초기에, 근치적 자궁절제술은 Ia나 IIb기에 주로 시행한다.

>> 방사선요법은 III기 혹은 IV기에서 화학요법과 동시에 병행하여 진행할 수 있으며 고령, 합병증 등으로 수술이 어려운 I기와 II기에 시행한다.

>> 화학요법으로는 Cisplatin, Buleomycin 등을 사용한다.

비판적 사고 훈련

사례

55세인 여성이 산과력 4-0-0-4, 초경 14세, 폐경 52세로 결혼은 18세에 하였다. 현재 신장 161cm, 체중 61.6kg이다. 여성은 비정상적 질출혈, 간헐적인 하복부 통증, 피로감으로 산부인과에서 세포진검사와 조직 검사를 한 결과 Cervix Ca IIa(Squamous Cell Carcinoma)라는 진단을 받고 내원하여 다인실에 입원 하였다. Cisplatin(원발병소의 크기를 감소시켜 근치수술을 용이하게 하기 위한 유도화학요법제)을 2차례 치료받았다. 23일 후에 자궁근치수술을 받기 위하여 재입원 하였으며, 1주일 후 전신마취 하에 자궁근치수술이 시행되었다. 수술 후 상태는 양호한 편으로 Hemovac, 유치도뇨관, PCA를 가지고 있다. 여성은 수술 후 방사선요법이 시행되는 것을 알고 있으며, 질병에 대한 두려움으로 매우 불안해하고 있는 상황이다.

1 이 여성의 경우 자궁경부암의 위험요소는?

2 위 상황에서 간호진단을 우선순위에 따라 나열하시오.

3 간호진단에 따른 간호중재를 설명하시오.

학습목표

- 자궁경부암의 원인, 증상 및 징후, 치료방법을 설명한다.
- 자궁경부암을 가진 여성을 위한 간호과정을 적용한다.

개요

자궁경부암은 이행대인 편평원주상피 접합부에 호발하며, 조직학적으로는 편평상피암이 약 85%, 선암이 약 10%를 차지한다. 자궁경부암은 조기발견이 되면 가임력을 보존할 수 있고 완치 가능한 암으로 조기 선별검사가 중요하다.

자궁 악성종양

1 위험요소

- 성행위 등의 자극
- 인유두종바이러스(HPV) 감염
- 다산부
- 호발연령 40대

2 진단검사

- 경부 세포진검사에서 Class분류 Ⅲa 이상(대부분 Class Ⅴ)
- 질확대경검사(colposcopy)에서 이상 이행대(붉은 반점, 모자이크), 침윤암 소견
- 조직생검에서 편평상피암, 선암 등을 확인
- 내진·직장검진, 바륨관장, 질확대경, 자궁경, 방광경, 직장경, 요로조영, 흉부X선 검사
- SCC항원, CEA, CA125

3 증상과 징후

- 전구질환은 만성 경관염과 첨형콘딜로마
- 성교 후 접촉출혈 등의 부정출혈, 악취가 나는 질 분비물
- 말기의 둔통, 요통, 다리와 둔부로 방사되는 통증
- 직장 출혈, 혈뇨, 빈뇨, 빈혈, 발열

4 치료관리

1) 수술요법
- 원추절제술 : 0기, Ia1기 ▶ 임신 희망 시
- 전자궁적출술 : 0기~Ia1기
- 근치 자궁절제술 : Ia2~IIb기
  - ▶ Ia2기에서는 변형 근치 자궁절제술을 하기도 함
2) 방사선요법 : III, IV기 ▶ 경우에 따라서 IIb기
- 화학요법 병용
- 방사선요법은 고령, 합병증 등으로 수술이 어려운 I, II기에서 시행함
3) 화학요법 : III, IV기

Tip

- 이형성과 0기 암 : 경부 쪽으로 4~5mm를 관통하여 동결법, 레이저치료, 전기소작, 냉동치료 등을 외래에서 시행한다. 질 분비물, 출혈, 통증, 경련 등이 나타날 수 있지만 회복은 빠르다.
- 미세침습 단계 : 외과적 동결법(국소 또는 전신마취 하에 경부조직을 크게 절개)
- 침습적 경부암 : 범위가 단계를 결정하며 자궁적출술, 방사선요법, 화학요법 등 시행

1) 수술

일반적인 자궁경부암에서의 자궁절제술은 자궁 및 질의 상부 1/3~1/2, 자궁천골인대와 자궁방광인대 및 양측 자궁방결합조직을 암의 진행 정도에 따라 제거하며, 주요 골반림프절을 제거하는 것이다.
- 단순자궁적출술 : Ia단계에서 시행
- 근치자궁적출술과 양측림프절제거술 : Ib나 IIa단계에서 시행
- 골반적출술 : 환자가 원할 경우 진행된 병변일 때 시행
- 질, 자궁, 난관, 난소, 방광, 항문을 제거하고 장배출구와 인공항문수술

2) 방사선요법

- 강내조사 : 초기단계의 국소적 병변
- 외부조사 : IIb부터 IVb 단계까지 광범위한 용량을 사용
- 항암제의 방사선 감작(Radiosensitize) 효과를 이용하여 방사선 치료와 항암화학 요법의 상승효과를 기대하여 시도하는 방법으로 Cisplatin, 5-fluoruracil, Paclitaxel 등의 약물이 주로 사용되고 있다.

3) 화학요법

국소적으로 진행된 병변이나 재발이 잘되는 전이성 질환의 경우, Cisplatin이 방사선요

법과 병행되어 사용된다. Cisplatin 스케줄은 3~4주에 1회 투여, 매주 투여, 매일 투여, 지속 투여 등 다양한 방법이 시도되고 있다. 가장 유의해야 할 부작용으로는 신독성 (Nephrotoxicity), 상부 위장관독성, 골수억제 등을 들 수 있다. 5-FU는 매 3~4주마다 1주 또는 4~5일간 지속 투여하며 주요 독성으로는 설사, 골수억제가 있다.

4) 약물 관리

화학요법으로는 Cisplatin을 중심으로 복합 항암화학요법이 주로 시행되며, 편평상피암에서는 Bleomycin도 이용된다.

5) 치료적 관리

자궁경부암의 치료방법으로 냉동요법, 레이저요법, 화학방사선요법, 외과적 절제, 루프환상투열절제술 등이 있다.

- 냉동요법 : 이산화탄소나 질산가스를 사용하여 조직을 파괴시키는 방법으로 자궁경관 내구의 침입이 없을 때 시행한다.
- 레이저요법 : 병변이 넓고 경관내구에 침입된 경우 시행한다. 자궁절제술은 Ia1기 이상에서 주로 시행하는데, 복강경을 이용한 수술은 회복기간이 빠르고 출혈이 적어 주로 사용된다.
- 화학방사선 요법 : 자궁경부암 초기이지만 연령, 내과적 질환 등으로 수술적 치료가 어려운 경우, 외부 골반방사선치료, 자궁강내 방사선치료와 동시에 항암제 사용을 병행한다.
- 자궁목절제술(trachelectomy) : 임신력 보존을 위해서 Ia2~Ib1단계의 자궁경부암 환자에게 자궁보존을 위해 시행한다.

⑤ 합병증

침윤성 자궁경부암의 재발률은 치료 2년 이내에 60%, 5년 이내에 90%이다. 치료 후 첫 2년 간은 3개월마다, 3년 간은 6개월마다, 이후 1년마다 추적조사한다.

C 비판적 사고중심 간호실무

① 간호 사정

- 자궁경부암 진단과 치료에 다음의 신체적, 심리적, 교육적 요소를 사정한다.
- 현재 복용 중인 약물, 통증 부위를 사정한다.
- 호흡기, 위장관, 영양 상태를 사정한다.
- 혈액검사, 소변검사, 심전도, 흉부방사선 검사를 수술 전에 시행한다.
- 대상자의 불안, 죄의식, 스트레스, 두려움, 자궁의 여성성을 사정한다.
- 진단과 치료법에 대한 지식을 사정한다.
- PAP 도말검사, 성생활, 과거의 성병 경험 등에 대해 사정한다.

② 간호 진단

- 자궁경부암 치료에 대한 정보부족과 관련된 불안
- 신체기관 상실로 인한 자아개념 손상
- 수술 후 회복과정과 관련된 통증
- 성기관 상실과 관련된 성기능 장애

③ 간호 중재

- 수술 전 마취, 수술 방법, 회복 과정에 대한 정보를 제공한다.
- 자궁에 대한 의미와 상실감을 표현하도록 격려한다.
- 성기능 장애, 폐경증상, 우울, 성생활의 변화에 대하여 정보를 제공한다.
- 수술 전 불안을 경감하기 위하여 이완법을 중재한다.
- 배우자와 함께 수술에 대한 정보를 제공한다.
- 수술 전 저섬유식이로 가볍게 저녁 식사를 하고 하제로 관장한다.
- 피부준비를 위해 전날 목욕하고 수술부위를 삭모한다.
- 수술 후 자가통증 조절장치와 진통제 사용에 대하여 설명한다.

④ 간호 평가

- 자궁절제술에 대한 감정을 표현한다.
- 수술 후 자궁상실로 인한 우울감과 신체상 저하가 나타나지 않는다.
- 수술 후 성기능 변화와 호르몬 변화에 따른 증상에 대해 이해한다.
- 마약성 진통제와 비마약성 진통제를 적절히 사용하여 통증이 조절된다.
- 수술 부위와 호흡기, 비뇨기, 순환기의 감염성 합병증이 없다.
- 퇴원 시 변화된 신체상태에 따른 요통, 신체움직임 저하, 쇠약감, 식욕감퇴, 체중감소에 대하여 적응한다.

1 자궁경부암 검진을 위해 생애 처음 pap smear를 계획하고 있는 30세 미산부인 여성에게 간호사가 검진 전에 설명해야 하는 사항은?

① "월경 중이라도 검진을 오십시오."

② "검진 전에 물로 질 세척을 하고 오십시오."

③ "검진 전날 저녁부터는 금식하고 오십시오."

④ "검진 전에 성관계를 피할 필요는 없습니다."

⑤ "검사 3일 전부터 탐폰이나 질정을 사용하지 마십시오."

2 위의 여성에게서 pap smear 검사 결과 정상으로 판정되었다. 여성에게 자궁경부암을 예방하고 조기 발견하기 위해 간호사가 제공할 교육은?

① "인두유종바이러스 감염은 예방할 수 없습니다."

② "가다실 접종은 나이가 많아 예방효과가 없습니다."

③ "5년에 한 번 pap smear 검사를 하는 것을 추천합니다."

④ "아이를 적게 낳을수록 자궁경부암 발병률이 높습니다."

⑤ "성 파트너의 수가 많은 경우 자궁경부암 발병률이 높습니다."

3 산과력 3-0-1-3인 45세 여성은 3년 전부터 성교 후 질 출혈 증상이 나타나 자궁경부암 검사를 위하여 내원하였다. 이 여성에게 병변을 확대하여 이상세포를 시진하기 위한 검사는?

① 레이저수술

② 원추절제술

③ 루프환상투열술

④ 자궁질확대경검사

⑤ 냉요법(cold knife)

4 산과력이 0-0-1-0인 35세 여성은 자궁경부에 국한된 1a 2기의 1cm의 미세한 자궁경부암을 진단받았으며, 림프절의 전이는 없는 상태이다. 여성은 자녀를 원하고 있는 상황에서 권장될 수 있는 수술법은?

① 전자궁적출술

② 자궁목절제술

③ 근치 자궁절제술

④ 질식 전자궁적출술

⑤ 양쪽 난소난관적출술과 전자궁적출술

정답   1.⑤ 2.⑤ 3.④ 4.②

1. 자궁경부암의 발생과정

자궁경부는 질측에서부터, 자궁질부, 질상부, 자궁협부로 나누어진다. 질측에 있는 자궁질부에서는 질점막(중층편평상피로 덮임)이 자궁경부점막(고원주상피로 덮임)으로 이행되고 있으며, 이곳을 편평원주상피접합부(SCJ)라고 한다. 성 성숙기에는 SCJ가 외자궁구보다도 질측에서 보이며, 자궁경부점막이 질측으로 노출되어 있다. 고원주상피세포는 얇고 미란처럼 보이므로, 이 노출부분을 가성 미란이라고 한다. 이 노출부분은 당연히 상처를 입기 쉬우므로, 예비세포라는 미분화된 세포가 모여서 편평상피가 되어 노출부분을 지키려고 한다. 이것을 편평상피화생(squamous metaplasia)이라고 하며, 이 것이 일어나고 있는 부분을 이행대(transformation zone)라고 한다.

이 이행대에 성행위 등의 자극과 HPV감염이 중복되어 일어남으로써 암이 발생하게 되는 것이다. 자 궁경부암의 대부분은 이와 같은 과정으로 발생한 편평상피암이지만, 선암도 드물게 볼 수 있다.

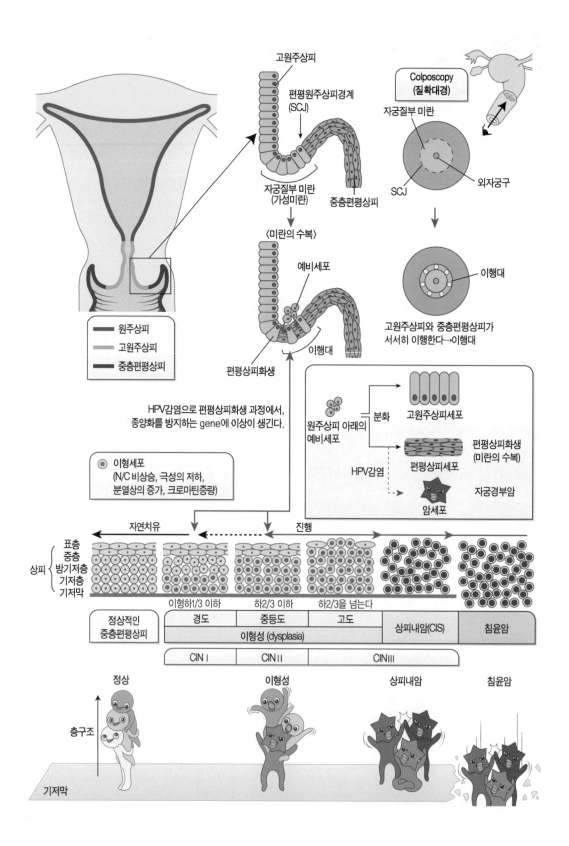

고원주상피

편평원주상피경계
(SCJ)

자궁질부 미란
(가성미란)

중층편평상피

Colposcopy
(질확대경)

자궁질부 미란

SCJ

외자궁구

〈미란의 수복〉

예비세포

이행대

이행대

고원주상피와 중층편평상피가
서서히 이행한다→이행대

원주상피

고원주상피

중층편평상피

편평상피화생

HPV감염으로 편평상피화생 과정에서,
종양화를 방지하는 gene에 이상이 생긴다.

원주상피 아래의
예비세포

분화

고원주상피세포

HPV감염

편평상피세포

편평상피화생
(미란의 수복)

암세포

자궁경부암

이형세포
(N/C 비상승, 극성의 저하,
분열상의 증가, 크로마틴증량)

자연치유

진행

표층
중층
방기저층
기저층
기저막

상피

이형하1/3 이하

하2/3 이하

하2/3을 넘는다

정상적인 중층편평상피	경도	중등도	고도	상피내암(CIS)	침윤암
	이형성 (dysplasia)				
	CIN I	CIN II	CIN III		

정상

이형성

상피내암

침윤암

층구조

기저막

2. 최근 FIGO (2009) 자궁경부암 병기분류

병기	
0기	상피내암
1기	● Ⅰa : 임상증상 없이 현미경 소견에서만 발견, 3mm 이내 침윤 및 수평 7mm 이하 − Ⅰa1 : 3mm 이하 침윤, 수평 7mm 이하 침윤 − Ⅰa2 : 기저상피세포에서 수직으로 3~5mm 침윤, 수평 7mm 이하 침윤 ● Ⅰb : 육안으로 병변이 관찰, 5mm 이상 침윤된 병소 − Ⅰb1 : 4cm 이하 병소 − Ⅰb2 : 4cm 이상 병소
2기	자궁경부이상 전파, 골반벽이나 질 하부 1/3 침범은 없는 상태 ● Ⅱa : 육안으로 병변이 관찰, 5mm 이상 침윤된 병소 − Ⅱa1 : 4cm 이하의 병소 − Ⅱa2 : 4cm 이상의 병소 ● Ⅱb : 자궁 주변연부 조직의 침윤이 있음.
3기	종양이 골반벽이나 질 하부 1/3까지 침범 ● Ⅲa : 골반벽까지 전파되지 않음 ● Ⅲb : 골반벽 전파, 수신증 또는 신부전증(신장기능이상)
4기	진골반 밖으로 전파 또는 방광이나 직장점막 침범(수포성 부종이 있는 경우 4기에 포함하지 않음) ● Ⅳa : 인접장기로 전이 ● Ⅳb : 원격장기로 전이

3. 자궁경부암의 전이

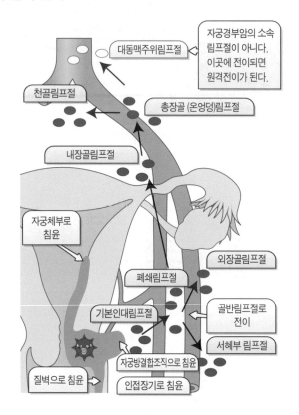

대동맥주위림프절

자궁경부암의 소속 림프절이 아니다. 이곳에 전이되면 원격전이가 된다.

천골림프절

총장골 (온엉덩)림프절

내장골림프절

자궁체부로 침윤

외장골림프절

폐쇄림프절

기본인대림프절

골반림프절로 전이

서혜부 림프절

자궁방결합조직으로 침윤

질벽으로 침윤

인접장기로 침윤

4. 자궁경부암의 검사

1) 자궁경부암 선별검사

- 과거에는 만 30세 이상의 여성을 대상으로 자궁경부암을 검진해 왔는데, 최근에는 만 20세 이상, 성 행위를 하는 여성을 대상으로 하는 경우가 많아졌다.
- 자궁내막암 검진은 자궁경부암 검사를 받은 군에서 고위험군에 속한 경우 행해진다.

자궁암검진

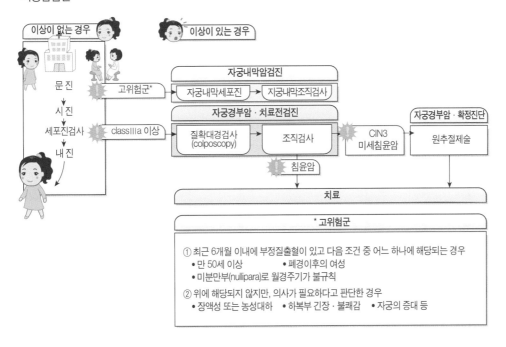

2) 세포진 선별검사

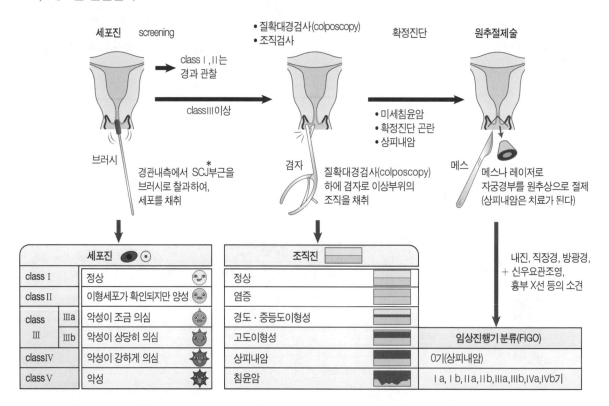

세포진 ⚫ ⊙		
class I	정상	😊😊
class II	이형세포가 확인되지만 양성	😐😐
class III	IIIa	악성이 조금 의심	😐
	IIIb	악성이 상당히 의심	😣
classIV		악성이 강하게 의심	😖
class V		악성	😠

조직진 ▭	
정상	▭
염증	▭
경도 · 중등도이형성	▬
고도이형성	▬
상피내암	▬
침윤암	▬

임상진행기 분류(FIGO)
0기(상피내암)
I a, I b,II a,II b,III a,III b,IVa,IVb기

* SCJ : squamocolumnar junction

3) 질확대경검사

- 이상소견이란 질확대경검사(colposcopy)로 확인된 경부암의 전구병변이나 초기병변의 존재를 의미한다.
- 이상소견의 대부분은 이행대 내에서 확인되지만, 이행대 밖에서 존재하기도 한다.

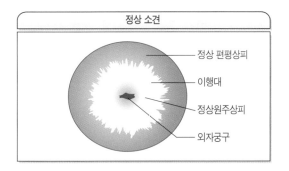

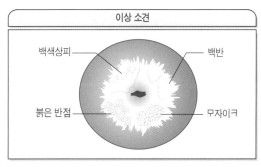

백색상피

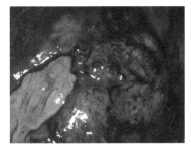

- 초산가공 후에 보이는 국한성 이상 병변이다.
- 상피의 두께가 두꺼워질수록, N/C*비가 높은 크로마틴이 세포 내 다량으로 구성되며, 핵밀도가 상승된 경우에는 백색이 증가된다.

모자이크

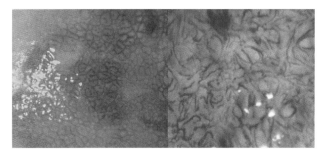

- 모자이크 모양을 나타내는 국한성 이상 병변이다.
- 백색이 강하고, 소퇴가 늦으며, 모자이크 내에서 붉은 반점이 보이는 경우는 고도의 소견이다.

백반
- 백반은 초산가공 전부터 확인된다.
- 조직학적으로는 과각화(hyperkeratosis)나 부전각화(parakeratosis)에 해당된다.
- 대부분의 백반은 양성이며, 단순한 각화(keratosis)이므로 면봉 등으로 쉽게 박리된다.

붉은 반점
- 경도 병변에서는 경도 백색상피를 기반으로, 점상혈관이 비교적 규칙적으로 보이며, 붉은 점의 크기도 비교적 일정하다.
- 고도 병변에서는 고도의 백색상피를 기반으로, 붉은 점이 커져서, 크고 작으며, 붉은 점간의 거리도 불규칙해진다.

* N/C비 : nuclear-cytoplasmic ratio, 이형세포(양성, 악성)에서는 N/C가 증대한다.

5. 자궁경부암과 자궁내막암의 비교

	자궁경부암	자궁내막암
환자의 전형적인 예	 • 30대에 자녀가 있다.	 • 50대에 비만체형
위험 인자	• HPV감염이 일어나기 쉬운 상황에 있는 사람 　(예 : 성교 상대가 많다 　　　임신·출산횟수가 많다 　　　성교의 시작 연령이 낮다 등)	• 비만, 고혈압, 당뇨병 • 미분만부(미혼, 기혼에 상관없이) • 에스트로겐제의 장기사용 등
조직형	85% : 편평상피암 10% : 선암 5% : 기타	95% : 선암 5% : 기타
호발연령	30~60세(40대에 최대)	40~60세(50대에 최대)
초기증상	접촉출혈(성교 시)	부정 출혈
전암병변	CIN(이형성, 상피내암)	내막증식증
주요 발생인자	HPV감염(주로 16,18형)	에스트로겐 과잉상태
주요 종양표지자	SCC(squamous cell carcinoma)	CA 125, CA 19-9

key point

» 난소종양(ovarian tumor)은 암세포의 기원에 따라 상피세포성, 생식세포성, 성기삭 간질성 종양으로 분류되며, 양성과 악성으로 구분한다.

» 상피세포성 양성종양은 비종양성(기능성) 종양과 신생성 종양으로 구분한다.

» 상피세포성 악성종양에는 장액성 종양, 점액성 종양, 자궁내막양 종양, 투명세포암, 브래너종양 등이 있다.

» 생식세포성 난소종양에는 성숙 기형종(mature teratoma, 유피낭종), 미분화배세포종, 내배 엽동 종양, 미성숙 기형종, 배아암종, 융모암종, 혼합원시생식세포종양 등이 있다.

» 성기삭 간질성 종양은 과립막 기질세포종양, 남성화 배세포종양이 있다.

사례

2년 전에 남편과 사별한 60세 여성은 13세에 초경을 하였고, 58세에 폐경을 하였다. 5년 전 고혈압을 진단받고 약물치료 중이며, Para 1-0-0-1이다. 10개월 전부터 하복부의 팽만감, 식욕감퇴, 변비, 위장장애가 있어서 내원하였다. 초음파 검사에서 한쪽 난소가 증대된 소견을 보였고 혈청 종양표지자검사에서 CA125 수치가 상승되어 있었다. 여성은 3기 난소암으로 진단을 받았고 1차 종양감축술로 전자궁절제술, 양쪽 난관난소절제술, 림프절 절제술을 시행한 후 현재 platinum(플라티늄, 백금)과 paclitaxel(파클리탁셀, 백금 착제 항암제)로 구성된 항암요법으로 종양의 크기를 줄이고 전이를 예방하는 치료를 받고 있다. 이 여성은 항암요법과 관련된 오심과 구토로 힘들어 하고 스스로 일상생활을 수행하는데도 힘들어지면서 얼마 살지 못한다고 생각하여 가까운 가족들과 더 시간을 나누고 함께 있고 싶어했고 가족들이 간호해주기를 원하고 있다.

1 위 사례에서 난소암의 위험요소 모두를 고르시오.

2 위 여성에게 우선순위에 따른 간호진단을 내리시오.

3 난소암의 치료원칙을 기술하시오.

4 위 여성은 Kubler Rose의 상실단계에서 해당되는 관계와 간호중재를 서술하시오.

- 난소낭종의 정의, 원인, 종류, 증상 및 징후, 치료방법을 설명한다.
- 난소낭종의 여성에게 간호과정을 적용한다.
- 난소양성종양의 정의, 원인, 종류, 증상 및 징후, 치료방법을 설명한다.
- 난소양성종양의 여성에게 간호과정을 적용한다.
- 난소암의 정의, 원인, 종류, 증상 및 징후, 치료방법을 설명한다.
- 난소암의 여성에게 간호과정을 적용한다.
- 융모상피암의 정의, 원인, 증상 및 징후, 치료방법을 설명한다.
- 융모상피암의 여성에게 간호과정을 적용한다.

개요

- 난소의 양성종양 중 상피세포성 양성종양으로 난포낭종, 루테인낭종, 황체낭종, 다낭성 난소낭종, 자궁내막성 낭종이 있으며, 이들은 비종양성 또는 기능성 종양이다.
- 상피세포성 난소종양은 난포낭종, 루테인낭종, 황체낭종, 다낭성난소낭종, 자궁내막성 낭종이 있고 비종양성(기능성) 종양이다.
- 상피세포성 난소종양의 신생성 종양에는 장액성 낭선종, 점액성 낭선종, 복막하 점액종, 낭성섬유종이 있고 종양성(비기능성) 종양이다.
- 상피성 종양은 난소암의 90% 이상을 차지하고, 배아상피세포(embryonic coelomic epithelium)에서 기원하며 장액성 종양, 점액성 종양, 자궁내막양 종양, 투명세포종양으로 분류한다.
- 생식세포성 종양은 난소종양의 15~20%를 차지하고 젊은 연령층에 많이 나타난다. 성숙 기형종(mature teratoma), 미분화배세포종, 내배엽동 종양, 미성숙 기형종, 배아암종, 융모암종 등이 있다.
- 성기삭 간질성 종양은 에스트로겐 생산종양인 과립막 기질세포종양과 안드로겐 생산 종양인 세르톨리라이디히 세포종 등이 있다.

상피세포성 양성종양

① 진단검사
기능성 낭종은 촉진이나 초음파 검사로 진단 가능하다.

1) 난포낭종
- 난포낭의 크기가 3cm 이상일 때 진단이 가능하며, 기능성 낭종과 종양성 낭종을 구

별하기 위해서 몇 주간을 관찰한다.

- 기능성 종양은 자연적으로 파열되어 없어지지만, 낭종성 낭종은 크기가 커져서 수술을 할 수 있다.

2) 루테인낭종

- 촉진이나 초음파를 통해 진단하며, 크기가 30cm까지 커질 수 있다.

3) 황체낭종

- 질경 검사 또는 복강경검사로 확진하며 크기가 2cm 이상인 경우 진단한다.
- 자궁외 임신이 의심될 경우, 임신반응 검사를 통해 자궁외 임신과의 감별이 필요하다.

4) 다낭성 난소낭종

- 난소에서 황체가 관찰되지 않으며 육안적으로 난소가 정상 난소보다 커져 있다. 진주같은 흰 피막 속에 다량의 작은 소낭포를 가지고 있다.
- 혈중 내 프로게스테론 농도가 결여되어 있고, 혈중 황체화호르몬의 증가($\geq$25mlU/ml), 혈중 안드로겐 증가를 보인다. 에스토로겐 중 E_1은 증가하고, E_2는 정상이거나 감소한다.

5) 자궁내막성 낭종

- 초콜릿같은 물질이 충만한 낭종이 관찰된다.

② 증상과 징후

1) 난포낭종

- 대부분 증상 없이 우연히 발견된다.
- 월경 이상을 보이며, 낭종이 큰 경우에는 낭종 부위에 중압감과 둔통을 호소할 수 있다.

2) 루테인낭종

- 증상은 다른 낭종과 비슷하나, 임신과 관련이 있으며 대부분 양측성이다.
- 포상기태나 융모상피암이 있을 때 자주 동반된다.

3) 황체낭종

- 호르몬 생산이 계속되면 무월경과 불규칙적인 자궁출혈이 나타난다.
- 낭종 내 갑작스런 출혈이 있으면 골반통이 발생한다.

4) 다낭성 난소낭종

- 무월경, 무배란이 있을 수 있다.
- 남성화 현상은 드물지만 다모증이 나타날 수 있다.
- 비만증, 불규칙한 무통성 자궁출혈이 흔히 나타난다.

5) 자궁내막성 낭종

- 월경불순, 과소월경, 무월경이 나타난다.
- 비교적 큰 낭종이 나타난다.

③ 치료관리

1) 난포낭종

- 보통 4~8주 이내 자연 소실된다.
- 작은 낭종일 경우 단순히 바늘로 찔러 유동액을 뽑아내거나 절제하며, 낭종이 큰 경우에는 정상 난소조직은 보존하면서 낭종만 제거할 수 있다.

2) 루테인 낭종

염전이나 자연파열로 인한 출혈이 없는 경우, 포상기태나 분만 후 hCG의 과다자극의 원인이 제거되면 낭종도 자연 사라진다.

3) 황체낭종

- 대부분이 자연적으로 소실되므로 관찰하며 기다린다.
- 크기가 매우 크거나 복강 내 출혈이 있을 경우에는 낭종을 절제한다.
- 피임약을 2개월 정도 투여하여 낭종의 소실 여부를 보고 종양성 낭종을 감별한다. 피임약 투여 후에도 낭종이 계속 자라면 종양성 낭종일 가능성이 크다.

4) 다낭성 난소낭종

- 선천성 부신증식증이 있으면 코티손을 투여하거나 난소를 쐐기모양절제(wedge resection)한다.
- 기능성 자궁출혈을 치료하거나 다모증의 치료 등 대증요법을 시행한다.
- 불임증의 치료목적인 경우, 클로미펜으로 배란을 촉진한다.
- 고프로락틴 혈증 시 브로모크립틴을 투여한다.

상피세포성 악성종양

① 진단검사

1) 장액성 종양

- 초음파검사에서 한쪽 또는 양쪽 난소 증대(10cm 이상), 낭포벽의 비후와 유두상의 충실부분을 확인할 수 있으며 25%에서 사종체(psammoma body)가 보인다.
- 혈청 CA 125가 증가되어 있다.

2) 점액성 종양

- 초음파검사에서 한쪽 난소가 매우 크게 증대되어 있고(15cm 이상), 표면은 매끈하며 다낭성 낭종을 확인할 수 있다.
- 혈청 CEA와 CA19-9가 증가하고, CA-125는 뚜렷하게 증가하지 않을 수 있다.

3) 자궁내막양 종양

초음파 검사에서 난소가 커져있다. (12cm 이상)

4) 투명세포 종양

초음파 검사에서 난소가 증대해 있으며(12cm 이상), 낭포 내에서 충실(solid)부분이 확인가능한 다방성 낭포종류를 나타낸다.

② 증상과 징후

하복부 팽만감이 공통적 증상과 증후이다.

③ 치료관리

1) 장액성 종양, 자궁내막양 종양

수술과 수술 후 항암화학요법이 기본 치료법이다.

2) 점액성 종양, 투명세포종양

항암치료는 효과가 없는 것으로 알려져있고, 수술치료를 시행한다.

> **Tip**
>
> ● 수술요법은 양측 부속기 절제술, 전자궁적출술, 대망절제, 골반 및 부대동맥램프 절제술(또는 생검)을 시행하는 것을 말한다.

④ 합병증

인접 기관으로 직접 전이되며 림프를 통해 간과 폐까지도 전이된다.

> **Tip**
>
> ● CA19-9
> 사람 대장암 세포주 SW1116에 대해 작성된 단클론 항체를 인식하는 당사슬 항원으로, 암의 보조진단이나 치료 후 경과관찰 평가에 이용된다. 췌장암, 담도계암, 위암, 대장암 등 소화기암을 중심으로 유용성이 높다.
>
> ● CEA(carcinoembryonic antigen; 배아암종 항원)
> 대표적인 종양표지자의 하나로 면역항체를 이용하여 혈중농도가 측정된다. 대장, 위, 폐, 젖샘 등의 암에서 양성을 나타내고, 암의 보조진단과 치료의 경과관찰에 이용된다. CEA는 소화관 점막이나 백혈구 중에도 미량으로 존재하고, 흡연자나 양성 질환에서도 양성을 나타내기도 한다.

① 진단검사

1) 성숙 기형종(mature teratoma, 유피낭종)

- 내진으로 압박하면 함요되어 잘 복원되지 않는 특이한 감촉의 난소종괴를 편측성으로 확인할 수 있다.
- 초음파검사에서 모발, 지방을 발견할 수 있다.
- 복부 단순X선 검사에서 석회화 등이 보인다.

② 증상과 징후

1) 성숙 기형종

대부분은 무증상이나 복통, 종괴, 비정상 자궁출혈을 보이기도 한다.

③ 치료관리

1) 성숙 기형종

기본적으로 난소종양절제술이 시행된다.

2) 미분화 배세포종

한쪽 난소난관절제술로 완치된다.

1 진단검사

1) 과립막 기질세포종양

- 내진(소아에서는 직장진) 시 편측 부속기에서 충실성(solid) 종괴가 촉지될 수 있다.
- 초음파검사에서 충실성 난소종괴를 확인할 수 있다.
- 혈청 에스트라디올이 증가한다.

2) 남성화 배세포종양

- 테스토스테론, 안드로스테네디온(androstenedione), AFP를 분비한다.
- 초음파검사에서 충실성 난소종양을 확인할 수 있다.

2 증상과 징후

1) 과립막 기질세포종양(여성화종양)

- 폐경기 전후의 여성에서 부정 질출혈이나 위축된 유방·성기의 재비대, 피부콜라겐 증가가 나타난다.
- 사춘기 이전의 여아에서 조발월경, 조기부터 유방발육, 음모·액모의 발생(성 조숙증) 등이 나타난다.

2) 남성화 배세포종양

- 희발월경, 무월경, 생식기와 유방의 위축을 보인다.
- 남성화 체형, 음핵비대, 다모, 음성의 저음화(탈여성화) 등을 보인다.

3 치료관리

1) 과립막 기질세포종양

- 가임기 여성은 병기가 IA인 경우 일측 난소난관절제술을 시행한다.
- 병기 II~IV에서는 수술 후에도 재발의 위험성이 높아 BEP(bleomycin, etoposide, cisplatin), EP(etoposide, cisplatin), PAC(cisplatin, doxorubicin, cyclophosphamide) 등의 복합항암화학요법을 시행한다.
- 폐경이 여성은 전자궁절제술 및 양측 난관난소절제술을 시행한다.
- 수술 후 보조항암화학요법을 시행하기도 하나, 병의 재발을 막지는 못하는 것으로 알려져있다.

2) 남성화 배세포종양

- 임신을 원하는 여성인 경우, 일측 난관난소절제술을 시행한다.
- 폐경기 여성인 경우, 전자궁절제술 및 양측 난관난소절제술을 시행한다.
- 예후가 불량한 경우, 복합 항암화학요법 VAC(vincristine, actinomycin-D, cyclophosphamid) 또는 BEP(bleomycin, etoposide, cisplatin)을 추가로 시행한다.

비판적 사고중심 간호실무

난소낭종(Ovarian cysts)

1 간호 사정

(1) 임상증상
- 무증상이거나 약간의 골반통
- 불규칙한 월경
- 압통이 있는 덩어리 촉진
- 파열 시 급성 통증과 민감성이 나타나 충수염이나 자궁 외 임신과의 구별이 필요함

(2) 진단검사
- 크기와 특성 파악을 위한 골반초음파
- 자궁 외 임신과의 구별을 위한 임신반응 검사
- 의심이 가는 낭종은 생검(수술 시) 시행

2 간호 진단
- 비정상적 크기 성장과 관련된 급성 통증
- 종양 제거로 인한 복부내압의 변화와 관련된 수술 후 체액부족 위험성

3 간호 중재

1) 진단적 간호중재
- 성생활의 과거력, 피임방법, 자궁 외 임신을 감별하기 위한 골반 내 염증 질환의 과거력을 조사한다.
- 최근의 월경력 조사한다. 불규칙한 출혈과 혈액이 묻어나는 것은 포상낭종이며, 장기간의 출혈 후 지연된 월경은 황체성 낭종의 징후이다.
- 복부를 검진하여 압통이나 반동성 등을 검사한다.

2) 치료적 간호중재
- 5cm 미만의 낭종은 호르몬성 피임약을 1~3개월 정도 투약하여 낭종의 크기를 억제한다.
- 크거나 파열된 낭종은 복강경수술이나 개복술을 시행한다.

3) 교육적 간호중재
- 대부분 난소 기능이 남아 있으므로 임신이 가능하다는 것을 설명한다.
- 낭종이 악성일 경우는 아주 드물다는 것을 설명한다.
- 낭종을 내과적인 방법으로 치료할 때, 증상이 재발하거나 통증이 심해지면 의료인에게 알려달라고 한다.

4) 통증 감소를 위한 간호중재

- 처방된 진통제를 투약하도록 한다.
- 처방된 경우, 호르몬성 피임약의 적절한 투여법과 부작용을 설명한다.
- 낭종이 없어졌는지 매달 검사하도록 한다.
- 무거운 것을 들거나 힘든 일, 성적 접촉은 통증을 유발할 수 있다는 것을 설명한다.

5) 체액량 유지를 위한 간호중재

- 낭종의 파열과 관련된 오심, 구토, 단단한 복부, 활력징후의 변화를 모니터한다.
- 처방된 정맥수액을 주입하고 유지하며, 복부의 단단함이 사라질 때까지 금식한다.
- 증상이 사라질 것임을 환자에게 설명한다.
- 크거나 비침습적인 낭종의 경우 수술을 위한 대상자 준비를 한다.
- 수술 후 활력징후를 자주 측정하고, 금식하는 동안은 정맥 투여를 유지하도록 한다.
- 복막강에 수분과 가스가 찰 수 있으므로 복부팽만감을 확인한다.
- 복부팽만을 방지하기 위해 복대를 적용한다.
- 안위유지를 위해 환자를 반좌위로 앉히고 복부팽만감을 완화하기 위해 조기이상을 격려한다.
- 처방되었을 경우 항구토제를 투여하고 비위관을 삽입한다.
- 복부팽만이 완화되면 장음을 사정하여 천천히 경구 섭취를 시작한다.

난소암(Ovarian cancer)

① 간호 사정

1) 임상증상

- 초기증상은 없다.
- 최초의 증상은 복부불편감, 소화불량, 고창, 식욕부진(위장관계 증상), 골반압박감, 체중변화, 난소비대 등이 나타난다.
- 후기증상으로는 복통을 포함한 복수, 복막강 삼출, 장폐색 등이 있다.

2) 진단검사

- 골반검진 : 난소의 비대나 결절, 부동 등을 찾기 위해 시행하며, 폐경기 여성에서 난소가 촉진되는 것은 비정상 소견이다.
- 골반 초음파검사(복부초음파, 질초음파) 및 CT scan : 치료를 모니터하기 위해서는 유용하지만 조기발견에는 도움을 주지 못한다. 8~10cm 이상의 난소종양은 악성을 의심한다.
- 복막천자, 흉곽천자 : 난소암의 증상이나 징후가 있을 경우 시행한다.
- 개복술 : 질병의 단계를 수술적으로 보기 위해 시행한다.
- CA 125 : 증가하는 것은 질병의 단계와 밀접한 관계가 있음을 의미한다.

② 간호 진단

- 암의 진행과 관련된 비효율적 개인 대처
- 화학치료에 따른 오심, 구토와 관련된 영양 불균형
- 화학치료에 따른 모발손실과 관련된 신체상 장애
- 수술과 관련된 급성 통증

③ 간호 중재

1) 진단적 간호중재

- 불규칙한 월경, 통증, 폐경 후 출혈 등의 병력에 대해 사정한다.
- 모호한 위장관 관련 불편감 호소에 대해 사정한다.
- 다른 악성종양 과거력, 유방암 또는 난소암의 가족력이 있는지 사정한다.
- 수술이나 다른 부가적인 치료에 대한 내성을 알기 위해 환자의 전반적인 건강상태를 사정한다.

> **Tip**
>
> 장기간의 난소기능부전과 지속적인 위장관의 불편감이 함께 있을 경우 난소암일 가능성이 있다. 폐경 후의 여성에서 난소가 촉진되는 것은 비정상이며, 가능한 한 신속하게 검사를 해야 한다.

2) 치료적 간호중재

- 양측 난소난관 절제술과 자궁적출술 : 진단과 질병 단계, 종양제거 등을 위해 가장 흔히 시행된다.
- 화학요법 : 종양이 최적의 상태로 제거된 후 효과적이다. 질병의 진전이 흔하므로 보통 수술 후 병행한다. IV나 복막강을 통하여 주입한다.
- 방사선 요법 : 일반적으로 효과가 없다.
- 호르몬 요법 : 항에스트로겐 제제를 tamoxifen(Tamofen)과 같이 투여한다.
- 개복술 : 생검을 실시하고 치료 효과를 확인하기 위해서 2차적 개복술을 실시한다.

3) 교육적 간호중재

- 난관절제술 후 나타나는 폐경증상에 대해 교육한다.
- 임상검사와 함께 개복술을 시행할 수 있다는 것을 교육한다.

4) 대처강화를 위한 간호중재

- 환자의 감정을 환기시키고 긍정적인 대처기전을 격려하여 정서적인 지지를 제공한다.
- 처방된 안정제와 진통제를 투여하고 약물에 대해 교육한다.
- 지역사회 내 지지 그룹을 알려준다.
- 유동식과 소량의 음식을 자주 섭취하도록 돕고 좋은 영양상태를 유지하도록 돕는다.
- 오심과 구토가 있을 경우 항구토제와 정맥주사를 투약할 수 있다.

5) 신체상 유지를 위한 간호중재

- 화학치료 시 신체상의 변화에 대해(모발 손실) 환자가 준비할 수 있도록 한다.
- 터번이나 가발, 모자 등을 준비할 수 있도록 한다.
- 화장, 옷, 보석 등 환자가 사용했던 것들을 이용하여 외모를 강화할 수 있도록 격려한다.
- 치료에 대한 긍정적인 면을 강조한다.

6) 수술과 관련된 간호중재

- 필요시 수술을 시행할 경우 준비하고 교육한다.
- 수술 후 필요에 따라 진통제를 투여하고, 투약 후 약간 졸린 상태가 되는 것에 대해 환자에게 설명한다.
- 자주 자세를 바꾸어주고 편안함 증진과 부작용 방지를 위해 조기 보행을 격려한다.

1 32세 여성이 무월경으로 외래를 방문하여 초음파 검사를 하였는데, 왼쪽 난소에 3cm의 황체낭종이 확인되었다. 간호사의 적절한 설명은?

① "왼쪽 난소를 절제해야 합니다."

② "왼쪽 난관난소를 절제해야 합니다."

③ "낭종 절제를 위한 준비를 해야 합니다."

④ "낭종의 소멸 여부를 관찰하며 기다려야 합니다."

⑤ "낭종이 파열될 수 있으니 즉시 입원해야 합니다."

2 몇 년째 임신이 되지 않아 외래를 방문한 여성의 검사결과에서 에스트로겐과 안드로겐 수치가 상승되어 있고 프로게스테론 수치는 감소되어 있는 것을 확인하였다. 외관상 얼굴과 턱, 윗입술에 털이 많이 나 있으며, 월경은 불규칙적이라고 하였다. 이 여성에게 의심할 수 있는 난소 종양은?

① 난포낭종

② 황체낭종

③ 루테인낭종

④ 자궁내막성 낭종

⑤ 다낭성 난소낭종

3 난소암의 위험이 가장 높은 여성은?

① 3명의 자녀를 출산한 45세 여성

② 15세 초경 후 45세 첫 임신한 여성

③ 3명의 자녀를 낳아 모유수유한 45세 여성

④ 유방암, 난소암의 가족력을 가지고 있는 45세 미혼 여성

⑤ 17세 초경 후 경구피임약을 장기간 복용한 45세 폐경 여성

4 20세 여성이 급성 복부통증으로 내원하여 초음파 검사를 시행한 결과, 오른쪽 난소 낭종에서 머리카락, 치아, 뼈 등이 관찰되었다. 치료적 관리는?

① 관찰하며 기다린다.

② 오른쪽 난소절제술을 한다.

③ 오른쪽 낭종절제술을 한다.

④ 양측 난관난소절제술을 한다.

⑤ 양측 난소절제술과 자궁절제술을 한다.

5 10세 여아가 질 출혈을 주호소로 내원하였는데, 신체검진 상 유방 발육, 음모, 액모 등이 관찰되었다. 초음파 검사 상 오른쪽에 충실성 난소종괴가 확인되었으며, 혈액 검사에서 에스트로겐이 상승되어 있었다. 여아에서 의심할 수 있는 질환은?

① 성숙 기형종

② 과립막 세포종

③ 생식세포 종양

④ 다낭성 난소종양

⑤ 세르톨리 레이디그 세포종

E 관련정보

1. 난소종양

난소는 세포분열이 활발하고 이에 따라 다양한 종류의 종양이 발생한다. 난소종양은 종양의 발생 기원에 따라서 분류할 수 있다.

- 상피(난소표층) 또는 간질(난포나 황체가 존재하고 있는 부분) → 표층상피성·간질성종양 (60~70%) : 악성률이 높다.
- 난포 또는 황체 → 성기삭 간질성 종양(5~10%) : 여성호르몬이나 남성호르몬을 생산한다.
- 난자 → 배세포(술잔세포)성 종양(15~20%) : 미분화이므로 여러 가지 종양(배세포종, 기형종 등)이 존재한다.
- Krukenberg tumor : 위나 결장에서 전이되며, 예후가 매우 나쁘다.

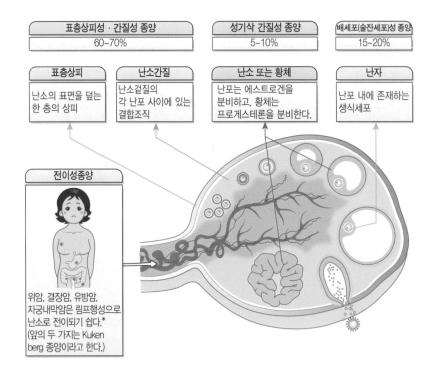

2. 발생과 분류

난소종양은 그 조직성분에 따라서 상피세포성 종양, 성기삭 간질성 종양, 생식세포성 종양의 세 가지로 분류할 수 있으며, 이를 양성, 경계성, 악성으로 나눈다.

- 경계성이란 전암병변이 아닌, 낮은 악성도의 암을 말한다.
- 일반적으로 상피세포성 종양 중 악성인 것을 난소암이라고 한다.

	양성 종양	경계성 종양	악성 종양	
표면상피종양	장액성 낭종	장액성 낭종, 경계성	장액성 선암	난소암
	점액성 낭종	점액성 낭종, 경계성	점액성 선암	
		자궁내막양 선섬유종, 경계성	자궁내막양 선암	
	투명세포종	투명세포선 섬유종, 경계성	투명세포 선암	
	선섬유종	선섬유종, 경계성	선암 표면유두낭선암 혼합상피종양(악성)	
	표면유두종	표면 유두상종양, 경계성		
	Brenner종양	Brenner종양, 경계성	악성 Brenner종양 이행상피암	
			미분화암**	
성기삭 간질성 종양	난포막세포종	과립막세포종		
	섬유종		섬유육종	
	Sertoli · Leydig 종양 (고분화형)	Sertoli · Leydig 종양 (중분화형)	Sertoli · Leydig 종양 (미분화형)	
		남여성 세포함유종 (gynandroblastoma)		
생식세포종양	성숙 기형종	미성숙 기형종(G1, G2)***	미성숙 기형종(G3)*** 악성전환을 수반하는 성숙낭포성 기형종	
	난소갑상선종양 (struma ovarii)	칼시노이드 (carcinoid)	미분화세포종 난황낭종 배아암종 다배아종 비임신성 융모막암종	
기타	비특이적 연부종양	성선아종(순수형)	암종 육종 악성림프종(원발성) 2차성(전이성) 종양	

1) 상피세포성 악성종양

- 배란자체가 난소암의 위험요소가 되며, life style이 크게 관여된다.

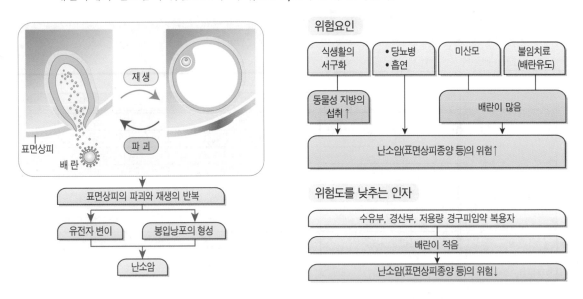

- 난소, 난관, 자궁은 태아기의 체강상피에서 발생, 분화되는 장기이므로 표면상피가 종양화되는 경우, 뮬러관에서 파생하는 난관이나 자궁의 세포를 모방하는 경우가 많다.

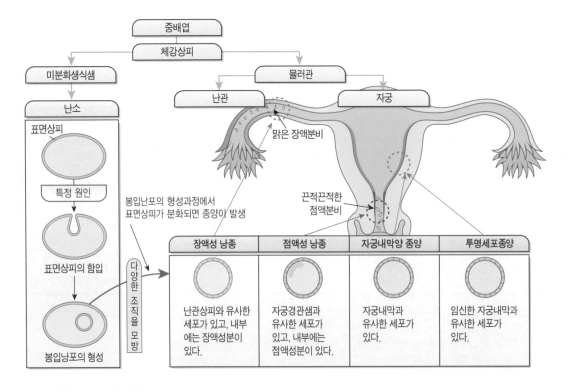

● 장액성 종양과 점액성 종양의 임상경과 비교

	장액성 종양	점액성 종양
진행	빠르다	느리다
악성도	높다	낮다
크기	작다	크다
특징	암이 작은 시기부터 복막 파종되는 경우가 많다. ↓ 조기에 증상이 잘 나타난다. ↓ 내원시 2/3는 3기 이상이다.	전이가 잘 일어나지 않는다. 자각증상이 잘 나타나지 않는다. ↓ 암이 커진 후 내원해도 2/3은 1기이다.
예후	나쁘다	좋다

• 표면상피세포 종양의 비교
 – 초음파검사로 종괴의 크기나 내부형태, 복수의 유무로 감별할 수 있다.

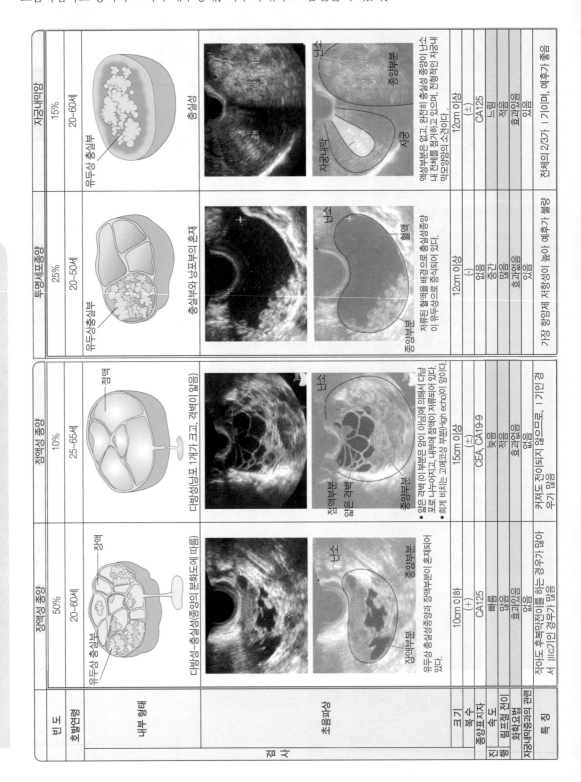

구분	장액성 종양	장액성 종양	투명세포종양	자궁내막암
빈도	50%	10%	25%	15%
호발연령	20~60세	25~65세	20~50세	20~60세
내부형태	유두상 충실부 / 장액 (유두상~충실성(종양)과 장액부분이 혼재되어 있다.)	점액 / 유두성충실부 (다방성(낭포 1개가 크고, 격벽이 얇음))	유두상충실부 / 충실부와 낭포부분이 혼재	유두상충실부 / 충실성
초음파상	다방성~충실성(종양)의 장액부분이 분화도에 따름	· 얇은 격벽(이 부분은 많이 아님)에 의해서 다방포로 나누어지고, 내부에 점액이 저류되어 있다. · 희게 보이는 고에코성 부분(high echo)이 많다.	저류된 혈액을 배경으로 충실성종양이 유두상으로 증식되어 있다.	해성부분은 없고, 완전히 충실성 종양이 난선 내 전체를 점거하고 있으며, 전형적인 자궁내막암양의 소견이다.
크기	10cm 이하	15cm 이상	12cm 이상	12cm 이상
복수	(+)	(±)	(-)	(±)
종양표지자	CA125	CEA, CA19-9	없음	CA125
림프절 전이	빠름	없음	중간	느림
속도	많음	적음	많음	적음
화학요법	효과있음	효과없음	효과없음	효과있음
자궁내막증과 관련	없음	없음	있음	있음
특징	작아도 후복막전이를 하는 경우가 많아서 IIIc기인 경우가 많음	커져도 전이되지 않으므로, I기인 경우가 많음	가장 항암제 저항성이 높아 예후가 불량	전체의 2/3가 I기이며, 예후가 좋음

2) 생식세포성 종양

생식세포성 종양의 발생과 분류는 다음과 같다.

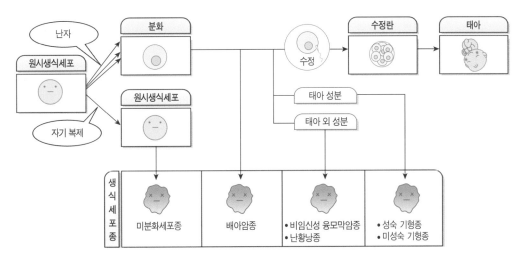

(1) 성숙 기형종

양성종양으로 가장 빈도가 높다.

(2) 악성종양

① 미분화 배세포종 : 악성 생식세포성 종양의 50%를 차지하는 가장 흔한 종양으로, 전체 난소암의 1~3%를 차지한다. 주로 젊은 여성에게 발생하며 예후는 좋은 편이다.

② 내배엽동 종양 : 원시 난황에서 유래되었으며 생후 14개월에서 45세에 호발한다. 악성 생식세포종으로 종양의 증식이 빠르다.

③ 미성숙 기형종

- 미성숙 기형종의 50%가 10~20세에 발생하며, 폐경기 후에는 거의 발생하지 않는다.
- 성숙 기형종은 기본적으로 양성이며, 30세까지 대부분이 내원하여 진단된다. 35세 이상에서는 1~2%의 확률로 악성화(대부분이 편평상피암)된다.
- 미성숙 기형종은 미분화된 신경조직의 분화도에 따라서 Grade 1~3으로 분류된다.

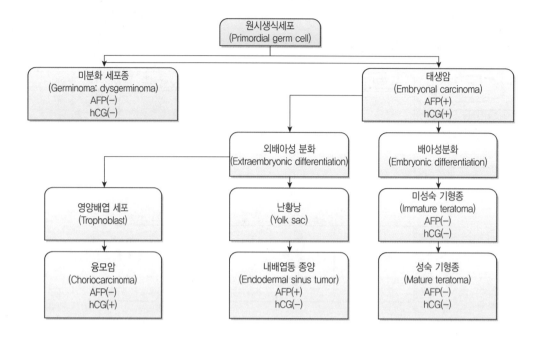

Tip

● 조직학적 분화도

종양 발생에 있어서 종양 세포와 정상 세포의 유사도를 나타내는 척도이다. 정상 세포와 발생기원이
유사하거나 형태 및 기능이 비슷할 경우 분화가 높은 종양이라고 하고, 정상 세포와 차이가 현저한 것
을 분화도가 낮은 종양이라고 한다. 분화도가 낮은 암일수록 악성도가 높고(high grade), 반대로 분화
도가 높은 암일수록 악성도가 낮다(low grade).

(3) 융모상피암(choriocarcinoma)

① 정의

임신이 종료된 후(유산·조산이나 포상기태를 포함)에 자궁에 발생하는 융모세포에서 유래되는 암으로, 선행임신(만삭분만, 유산·조산, 포상기태 등)이 중요한 영향을 미치며 특히 폐나 뇌로 전이되기 쉬운 점이 특징이다.

② 증상

- 월경이상, 부정출혈, 요중·혈중 hCG ↑
- 기침, 혈액이 섞인 가래, 의식장애, 뇌압항진 증상
- 흉부X선 촬영에서 크고 작은 결절상 음영이 복수로 확인

③ 진단

- 초음파검사, CT, MRI로 내부가 불균일한 원형 병변 확인
- 융모상피암은 혈류가 풍부하여 골반혈관 조영에서 구름모양의 종양상과 종양중심부의 음영결손이 확인됨
- 적출 병소의 조직소견으로 확진하며, 융모구조가 소실되어 있는 점이 특징적임(포상기태는 낭포화되어 있지만 융모구조가 남아있음)

④ 치료

- 화학요법 : 향후 임신을 원하는 경우
  - EMA/CO 요법 : etoposide, methotraxzte, Act D, cyclophosphamide, vincristine
  - MEA 요법 : methotraxzte, etoposide, Act D
  - MAC 요법 : methotraxzte, Act D, cyclophosphamide
- 수술요법 : 임신능력 보존을 원하지 않는 경우는 전자궁적출술, 전이에 대한 수술 등
- 방사선요법 : 뇌, 간 전이 시 시행

Tip

- 최근 기태만출 후 추후관리로 포상기태에 속발하는 융모상피암 발생이 감소되었다.
- 조기부터 혈행성 전이를 초래하기 쉽다.
- 뇌, 폐, 질, 회음 등으로 전이된다.
- 항암화학요법에 의한 치료 결과의 향상으로 현재 완화 및 치료율이 85~95%에 이른다.

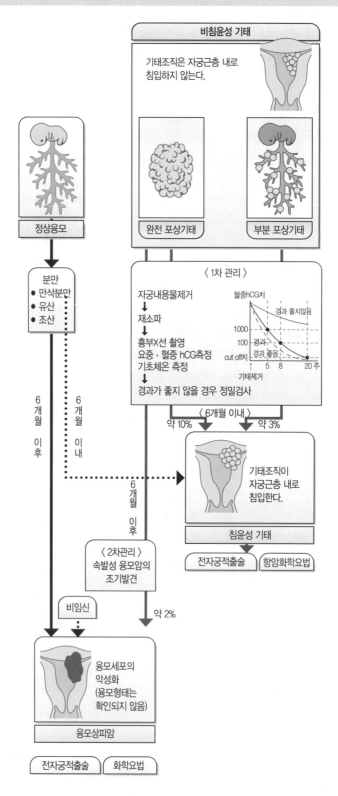

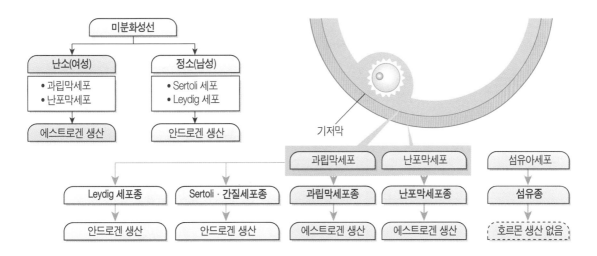

	과립막세포종, 난포막세포종	Sertoli · Leydig 세포종		
병 태	에스트로겐↑(여성화)	안드로겐↑(남성화)		
호발연령	폐경전후	20대		
증 상	**재여성화증상** • 피부콜라겐의 증가 • 유방의 재비대 • 성기의 재비대 • 질출혈 • 자궁내막증식*	**탈여성화증상** • 유방위축 • 내·외생식기의 위축 • 희발~무월경 **남성화징후** • 음성의 저음화 • 다모 • 남성화체형 • 음핵비대	폐경기 이후 → 에스트로겐↑ → 고령인데 젊어짐	아동기 → 안드로겐↑ → 젊은 여성인데 남성화

증상이 쉽게 나타난다.

4) 섬유성 난포막종 : Meigs 증후군

- 난소의 양성종양임에도 불구하고, 흉수(복수)가 저류되는 상태를 Meigs 증후군이라고 한다.
- 난소종양을 적출하면 저류된 흉수가 자연히 소실된다.

Tip　양측 흉막삼출을 보여주는 흉부 X-ray

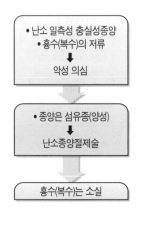

- 난소 일측성 충실성종양
- 흉수(복수)의 저류
↓
악성 의심

- 종양은 섬유종(양성)
↓
난소종양절제술

흉수(복수)는 소실

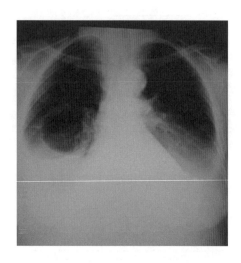

3. 난소암의 병기

- 난소암의 병기 결정은 수술 후 적출표본의 병리학적 진단에 근거한다.
- 난소는 복강 내 장기이므로 종양이 발생해도 자각증상이 부족하고, 또한 자궁경부암에서의 세포진검사와 같은 screening법이 없어서, 난소암의 약 반수 정도가 Stage Ⅲ, Ⅳ 기의 진행암에서 발견된다.

병기	Ⅰ기 난소 내 국한병소		
	Ⅰa	Ⅰb	Ⅰc
정의	다음 조건을 충족시킴 • 한쪽 난소에국한 • 암성 복수(-) • 피막표면 침윤(-) • 피막 파괴(-)	다음 조건을 충족시킴 • 양쪽 난소에국한 • 암성 복수(-) • 피막표면 침윤(-) • 피막 파괴(-)	종양병속이 Ⅰ 또는 Ⅰb이며, 다음 중 1가지 이상을 충족시킨다. • 암성 복수(+) • 피막표면 침윤(+) or (-) • 피막 파괴(+) or (-)
그림	골반 / 기인대		
5년 생존율**	90%		

병기	Ⅱ기 골반 내로의 진전이 확인		
	Ⅱa	Ⅱb	Ⅱc
정의	다음 중 1가지 이상을 충족시킴 • 자궁으로의 진전 또는 전이 • 난소으로의 진전 또는 전이	다른 골반 내 장기로 침윤*	종양병속이 Ⅱa 또는 Ⅱb이며 다음 중 1가지 이상을 충족시킴 • 암성 복수(+) • 피막표면 침윤(+) • 피막 파괴(+)
그림			
5년 생존율	70%		

병기	Ⅲ기
정의	• 종양이 한쪽 또는 양쪽 난소에 존재하고, 또 골반 이외 복막파종 및 후복막 또는 서혜부의 림프절 전이가 확인되는 것 • 원발종양은 진골반내에 국한되어 있는데, 소장이나 대망에 대망에 조직학적 전이 또는 간표면으로의 전이가 확인되는 것

	Ⅲa	Ⅲb	Ⅲc
정의	다음 조건을 충족시킴 • 림프절 전이(-) • 현미경적 복강 내 파종(+)	다음 조건을 충족시킴 • 림프절 전이(-) • 직경 2cm 이하의 복강 내 파종(+)	다음 중 1가지 이상을 충족시킴 • 후복막 또는 서혜부림프절 전이(+) • 직경 2cm를 넘는 복강 내 파종(+)
그림	현미경적 파종	복강내파종	림프절전이(좌측)
5년 생존율**	25%		

병기	Ⅳ기
정의	• 종양이 한쪽 또는 양쪽 난소에 존재하고, 원격전이를 받는 것 • 암성 흉수(+) • 간 실질로의전이는 복강 내 장기이지만, Ⅳ기라고고본다
그림	폐 / 간
5년 생존율**	10%

4. 난소종양의 양성, 악성 감별

1) 영상학적 감별

- 양성, 악성의 감별은 우선은 영상진단(주로 초음파검사)으로 한다.
- 가장 중요한 것은 종양 내부에서 충실부의 유무와 그 성상이다.
- 표면 상피종양의 영상학적 양성, 악성의 감별은 아래와 같다.

		양 성	악 성
		단방성·낭포성	충실부 / 유착
종양표면		일정	불규칙하고 주변과의 유착이 있다.
내부	내부구조	단방성으로 낭포성	다방성으로 충실성
	격벽	얇게 균일	비후된 부분 (충실부)
복수		드묾	높은 비율로 존재

2) 종양표지자

- 종양표지자는 암의 screening, 종양의 양성 및 악성 감별, 암의 치료효과 판정, 추적관리 시 재발의 발견에 이용된다.
- CA 125는 난소암(표면상피 종양) 전체의 표지자로 뛰어나다.
- 난소종양에서 이용되는 종양표지자의 종류는 아래와 같다.

	종양표지자	양성이 되는 주요 난소종양
표면상피 종양	CA 125	• 장액성선암 • 자궁내막모양암 • 이행상피암 • 자궁내막증 • 자궁샘근증
	CEA, CA19-9	• 점액성선암 • 자궁경부선암 • 자궁내막암
성기삭 간질성 종양 (호르몬생산 종양)	에스트로겐	• 과립막세포종 • 난포막세포종
	안드로겐	• Sertoli-Leydig 종양
생식세포 종양	CA19-9	• 성숙기형종
	AFP	• 난황낭종 • 배아성암 • 미성숙기형종
	hCG	• 비임신성 융모막암종 • 태아성암 • 미분화세포종
	LDH	• 미분화배세포종
전이성 종양	CEA	• Krukenberg 종양

CA : carbohydrate antigen / AFP : α−fetoprotein / hCG : human chorionic gonadotropin
LDH : lactate dehydrogenase / CEA : carcinoembryonic antigen

Tip

● **종양표지자**

특정한 종양이 혈액 속에 분비하는 물질을 말한다. 예를 들면 위암에서는 CEA, 간세포암에서는 AFP
라는 물질이 생산되는데, 그 혈중 농도는 암의 존재나 종류·크기 등의 지표가 된다. CA 125는 월경 중
이나 임신 중 등에도 상승되는 경우가 있다.

5. 난소종양의 검사 및 치료

난소종양 중 가장 흔한 표면 상피종양의 양성과 악성(난소암)의 검사와 치료과정이다.

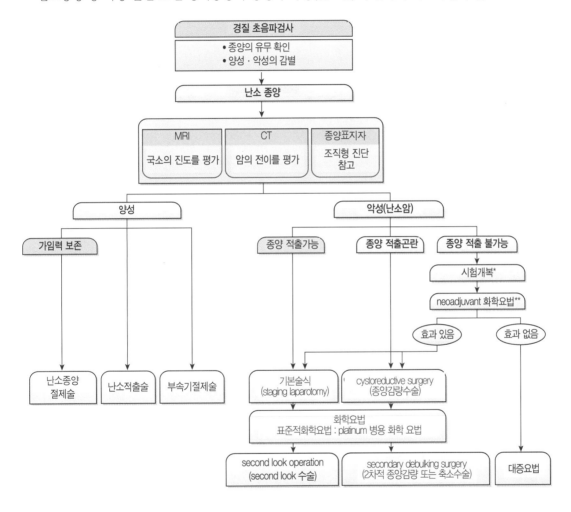

● 악성이 의심스러운 경우는 원칙적으로 개복하여 난소암의 진행기를 결정한다.

- 경계성은 악성도가 낮은 암으로 취급하여, 원칙적으로 기본술(양측 부속기절제술, 자궁절제술, 대망절제술)을 한다. 가임력 보존을 요하는 경우는 편측 부속기절제술, 대망절제술을 한다.
- 난소암은 병리학적 진단을 위해서는 개복수술(시험개복)을 해야 한다. 즉 시험개복은 치료가 아니라, 검사를 주목적으로 하고 있다.
- 시험개복에 이어서, 화학요법을 함으로써 수술이 불가능했던 암이 가능해지기도 한다. 이를 선행 항암화학요법(neoadjuvant chemotherapy)이라고 한다.
- Second look operation(second look 수술)은 잔존 종양의 유무에 의한 수술 후 화학요법의 효과판정과 중지를 판단하기 위해서 행해진다. 그러나 치료적인 의의가 부족하며, 잔존 종양이 확인되지 않은 경우라도 재발할 가능성이 있어서, 최근에는 적극적으로 시행하지 않는다.
- Secondary debulking surgery(2차적 종양감량 또는 축소수술)는 계획된 첫 회 화학요법 종료 후에 확인되는 잔존·재발 종양을 절제하는 수술로, 종양감량수술(cytoreductive surgery)의 하나이다.

	기본술식(staging laparotomy)	종양감량수술	시험개복	second look operation
정의	• 난소암수술의 기본이 되는 술식 • 진행기의 확정에 필요	병소의 완전적출 또는 가능한 종양축소에 필요한 기법을 포함한 수술	원발종양의 적출이 어려운 경우에 생검과 진행기 확인에 머무는 수술	수술요법과 수술 후 화학요법을 하여, 임상적 완화가 된 환자에서 잔존종양의 유무를 검사하기 위해서 다시 개복하는 수술
구체적인 수술법	• 복강세포진 • 양측 부속기절제술 • 자궁적출술 • 대망절제술 • 골반·부대동맥림프절제술(또는 생검)	규정 없음	규정 없음	규정 없음

Tip

선행 항암화학요법(neoadjuvant chemotherapy)
- 암을 수술 가능 한 상태로까지 축소시키는 것을 목적으로 하는 항암화학요법이다. 종양감량수술, 시험개복 수술법은 현 단계에서는 특정되어 있지 않고, 시설에 따라서 다르다.
- cystoreductive surgery 시험개복 수법은 현 단계에서는 특정되어 있지 않고 시설에 따라서 다르다.

MEMO

외음·질 종양 간호

 key point

>> 외음암(vulvar cancer)은 외음부에 생기는 악성종양이며 편평상피세포암이 가장 흔하다.

>> 외음암은 주로 60대에 주로 발생한다

>> 외음암의 증상은 계속되는 외음부 소양증, 통증, 출혈, 외음부 종괴이며 주로 대음순에 호발한다.

>> 질암(vaginal cancer)은 부인과 악성종양의 1~3%를 차지한다. 발병은 70세~90세 사이 가 50% 이상이다.

>> 질암의 원인은 만성 질 자극, 외상(trauma), 바이러스 감염(인유두종 바이러스)이다.

>> 질암의 증상은 무증상이거나 성교나 검사 후 출혈, 성교통 및 물같은 분비물이다.

A 비판적 사고 훈련

사례

57세 여성은 para 6-0-3-5이고, 17세에 초경 후 매달 규칙적이며 보통의 양으로 월경을 하였으며 47세에 폐경이 되었다. 외음부 소양증이 있었으나 치료하지 않았고, 내원 4~5개월 전부터 음핵부위와 서혜부에 종괴가 만져져 인근 의원에서 조직검사 후 편평상피암 진단을 받았다. 여성은 현재 추가검사 및 확진을 위해 종합병원에 내원한 상태로, 외견상 우측 대음순에 2.5cm x 5cm 정도의 무통성 종괴가 있고 양측 소음순의 내면에 백반증 병소가 있었으며, 서혜부 림프절은 촉지되지 않았다. 외음부 종괴 조직검사로 침윤성 편평상피세포암으로 판명되었고, 자궁경부세포진 검사는 정상이었다. 치료는 화학-방사선 요법을 시행한 이후에 외음부 절제술을 시행할 계획이다.

1 위 여성과 가족들이 어떻게 정서적 반응을 나타낼 것이라고 생각하는가?

2 위 여성과 가족들이 가장 알고 싶어하는 정보는 무엇인가?

3 위 사례에서 외음암의 위험요소를 열거하시오.

4 외음암의 치료원칙을 기술하시오.

- 외음종양의 원인, 증상, 징후, 예방과 치료방법을 설명한다.
- 외음종양의 간호과정을 적용한다.
- 질종양의 원인, 증상, 징후, 예방과 치료방법을 설명한다.
- 질종양의 간호과정을 적용한다.

개요

- 외음과 질종양은 양성종양과 악성종양으로 나뉜다. 외음부 및 질의 양성 낭종 또는 양성 종양은 대부분 모발피지선(pilo-sebaceous gland), 피지선(sebaceous gland), 아포크린한선 (apocrine sweat gland) 등에서 발생하며 증상이나 감염소견이 없으면 꼭 치료할 필요는 없다. 가장 흔한 양성종양은 모발피지선 또는 모낭이 막혀서 생기는 상피봉입낭종(Epidermal inclusion cyst)이다.
- 바르톨린샘낭종은 바르톨린선에 발생한 낭종이고, 피지 또는 봉입낭종은 기름샘의 염증성 폐쇄로 발생하는데, 이는 치즈와 같은 피지로 차 있고 농양을 잘 형성하며, 대음순과 소음순 내측에 잘 호발한다.
- 외음암 및 질암은 여성생식기관에서 발생하는 원발성 악성종양이다. 파제트병(Paget's disease)은 외음부에 생기는 상피내종양(intraepithelial neoplasm)으로 약 20%에서는 침윤성선암 (adenocarcinoma)을 동반한다. 외음상피내암은 폐경 후 50~60대에 자주 발생하며 병변은 다소성이고 착색되어 있으며 질에서 이형성 비후는 외음암과 관련성이 높다.

외음 질 양성종양

1 위험요소

- 낮은 사회 경제적 지위
- 당뇨, 고혈압, 비만, 흡연
- 외음부의 비종양성 질환 병력
- 인유두종바이러스 감염
- 외음부 상피내 종양

2 진단검사

- 조직검사로 진단하며, 병변이 작은 경우 절제함

③ 증상과 징후

- 지속적인 외음부 소양증
- 통증
- 수개월 동안 만져지는 외음부 종괴(초기 증상은 백반증이 있다가 발적, 착색, 궤양이 발생할 수 있음)
- 분비물이나 출혈(2차적 감염으로 인해 악취가 남)
- 박테리아의 요도침범으로 인한 배뇨곤란
- 조직부종
- 림프선종

④ 치료관리

1) 외음종양

(1) 바르톨린샘 낭종

- 바르톨린샘 낭종이 커서 진통 및 분만에 방해가 될 때는 바늘을 이용한 흡인, 감염이 되어 화농성 물질들이 채워지면서 통증을 유발하는 염증성 종괴가 되면(바르톨린샘 농양) 광범위한 항생제를 쓰고 배액을 해야 한다.
- 수술 후 간호는 좌욕, 살림, 진통제 사용 등으로 통증을 완화시키고, 재발을 예방하기 위해 절개부위의 치유와 감염증상 관찰 및 처방된 항생제를 투여한다.

(2) 파젯트병(Paget's disease)

광범위 국소절제술을 시행하며, 대부분 육안적 병소의 경계부위보다 더 넓고 깊게 절제를 해야 한다. 림프절 전이가 없다면 완치가 가능하다.

(3) 외음부 상피내 종양(vulva intraepithelial neoplasia, VIN)

침윤의 증거가 없는 작은 단일병변인 경우 국소절제나 레이저 소작술을 한다. 경과 관찰을 위해 처음 2년간은 3개월마다 질 확대경 검사를 하여 침윤성 암으로의 진행여부를 확인한다.

(4) 외음암

- I, II, III기 외음암 : 광범위국소절제와 서혜부림프절절제술
- III, IV기 외음암 : 근치적외음절제술과 화학요법
- 림프절침범 시에 추가적 골반방사선치료
- 재발 시에는 2차적 절제술 시행 후 방사선치료

2) 질종양

(1) 질상피내 종양(vaginal intraepithelial neoplasia, VAIN)

- VAIN I은 대부분 자연적으로 소실되기 때문에 치료하지 않으며 VAIN II 는 국소절제, 레이저 소작술을 시행한다. 다발성 병소인 경우는 질내로 5-FU(fluorouracil)를 투여한다. 재발이 잘되므로 질확대경으로 주기적인 추적관찰이 필요하다.

(2) 질암

- I기, II기 수술요법(광범위절제술 및 질상부절제술)을 시행한다. 직장질 또는 방광질 누공이 동반된 4기 질암은 전골반내용적출술(Pelvic exenteration)을 시행한다.
- 하부 질의 2/3 이상 침범된 I기 및 II기 또는 III내지 IV기인 경우에는 방사선 단독치료를 시행한다. 화학요법은 질암 치료에 효과적이지 않다.

⑤ 합병증

- 림프절 확산
- 외음절제술 후 합병증 흔하다.
- 림프부종, 다리의 봉와직염, 질 협착 등

⑥ 예후

수술적 치료 후 5년 생존율은 약 75%이며, 가장 중요한 단일 예후인자는 서혜부로 전이된 림프절의 개수다.

C 비판적 사고중심 간호실무

1 간호 진단

- 암과 근치적 수술과 관련된 두려움
- 수술과 관련된 조직손상
- 외음절제술과 관련된 성기능 장애
- 외음부 외형상 변화와 관련된 자긍심 저하
- 수술부위 감염과 관련된 피부손상

2 간호 중재

1) 간호진단적 간호 중재

- 병변 발견 시기, 외형상의 변화 등에 대해 사정한다.
- 과거의 감염에 관한 부인과적 병력을 사정한다.
- 치료에 대한 내성 등 전반적인 건강상태를 사정한다.
- 지지체계와 개인적인 대처기술에 대해 사정한다.

2) 교육적 간호 중재

(1) 필요시 추가적인 치료를 받기 위해 추후 방문을 하도록 한다.

(2) 정기적인 검진으로 암과 다른 노화로 인한 질병에 대한 진료를 받도록 한다.

(3) 의심이 가는 병변이나 출혈, 분비물 등에 대해 초기에 검사 받도록 한다.

  ① 수술 전 간호 : 두려움 완화
   - 환자 자신의 문제에 대해 어떻게 이해하고 있는지 말하게 한다.
   - 처방된 치료교육에 대한 긍정적인 면을 강조한다.
   - 수술을 위해 환자를 준비시키고, 수술 후 수액투여 및 도뇨관, 상처배액에 대해 설명해준다. 외음절제술은 미관을 손상시키므로 대상자, 배우자에게 수술방법을 충분히 설명하고 대상자와 배우자가 결정하도록 한다.
   - 피부 준비 : 회음부, 외음, 서혜부를 포함하는 넓은 부위를 면도한다. 외음을 수술 전날 밤에 hexachlorophene이나 povidone−iodine으로 씻는다.
   - 수술 전에 장을 비우기 위해 관장을 한다.
   - 수술 후 상처 회복을 위해 반유동식과 저섬유식이를 설명한다.

  ② 수술 후 간호 : 조직회복 증진
   - 부종의 원인이 될 수 있고 상처회복을 지연시킬 수 있는 수분을 제거하기 위해 배액관을 유지하고 조직을 압박해준다.

- 수술부위의 불편감과 치유를 위해 좌욕과 heat lamp를 해준다.
- 처방대로 멸균된 드레싱으로 자주 갈아준다.
- 조직에 순환과 산소를 증가시키기 위해 heat lamp를 대준다.
- 배변이나 배뇨 후(도뇨관이 제거된 후)에 좌욕이나 회음부 간호를 하도록 한다.
- 소변으로 인한 오염을 막기 위해 도뇨관을 개방된 상태로 유지한다(약 10일 정도).
- 봉합 부분에 압력을 감소시키기 위해 무릎을 약간 올린 상태로 낮은 반좌위를 취해 환자가 편안할 수 있도록 한다. 통증 조절을 위해 처방된 투약을 한다.
- 찌꺼기가 적은 음식물을 제공함으로써 배변으로 인한 압력을 방지한다.
- 침상안정을 하는 동안 심부정맥 혈전증을 예방하기 위한 약물을 투여하고, 혈전과 색전 형성을 예방하기 위해 다리 운동을 격려한다. 회음의 긴장을 예방하기 위해 조심스럽게 운동을 격려한다.
- 장기간 앉거나 다리를 꼬지 않도록 한다.

③ 성기능 회복
- 신체상의 변화와 성기능의 변화에 대한 감정을 환기시키도록 한다.
- 질이 있을 경우 질 삽입이나 질을 통한 분만이 가능하다는 것을 환자에게 알려준다.
- 수술에 따른 변화가 있을 곳을 알려준다(즉, 음핵이 제거되었을 경우 감각소실을 경험할 수 있다).
- 성적 만족감을 증진시키기 위한 다른 방법을 찾아본다.

3) 치료적 간호중재

수술의 선택은 림프절의 침범, 병변의 위치와 범위에 따라 좌우되며, 질병의 치료와 함께 보존적인 수술을 선택한다.

① Ⅰ기, Ⅱ기, Ⅲ기 : 광범위 국소절제와 림프절 절제술
② Ⅲ기 Ⅳ기 : 근치적외음절제술과 부가적인 화학요법
③ 조직검사에서 림프절 침범이 있으면 추가적으로 방사선 치료 시행
④ 재발인 경우 이차 절제술 시행 후 방사선치료 시행

③ 간호 평가

- 두려움의 완화를 말로 표현한다.
- 합병증 없이 외음부가 회복된다.
- 만족한 성기능에 대해 이야기한다.

1 외음암 진단을 받고 근치적 외음절제술을 시행한 여성의 자가 간호를 돕기 위한 교육으로 적절한 것은?

① 부종을 방지하기 위해 수분 섭취를 줄인다.

② 다리의 부종감소를 위해 오랫동안 서 있다.

③ 옷이 달라붙지 않는 화학섬유 속옷을 입는다.

④ 림프액 순환을 돕기 위하여 위에서 아래로 쓸어준다.

⑤ 헤어 드라이어나 heat lamp를 이용하여 수술 부위를 말린다.

2 외음 파젯트병에 대한 설명이다. 바르게 설명한 것은?

① 동양인 및 흑인에게 발병률이 높다.

② 주증상은 가려움증과 외음부 궤양이다.

③ 확진을 위한 조직검사가 필요하지 않다.

④ 양성종양으로 추적조사가 필요하지 않다.

⑤ 상피내 종양으로 악성으로 전이가 되지 않는다.

3 외음 상피내 종양의 발생 가능성이 높은 여성은?

① 음주를 자주하는 여성

② 다양한 성 파트너가 있는 여성

③ 잦은 난소 낭종이 생기는 여성

④ 잦은 포도상구균에 감염된 여성

⑤ 인유두종바이러스에 감염된 여성

4 질암의 발생빈도가 낮은 경우는 어느 것인가?

① 주로 편평상피세포암이다.

② 부인과 악성종양의 10~30%를 차지한다.

③ 4기 질암은 전골반내용적출술을 시행한다.

④ 발생 빈도가 낮으며 평균 발생 연령은 55세이다.

⑤ 인유두종 바이러스가 원인인 자궁경부암과 관련이 있다.

정답   1.⑤ 2.② 3.⑤ 4.②

1. 외음종양

1) 양성종양

양성낭종으로 바르톨린샘 낭종, 스킨샘 낭종(skene's gland cyst), 상피봉입낭종(Epidermal inclusion cyst), 피지낭종(Sebaceous cyst), 아포크린한샘 낭종(apocrine sweat gland cyst) 등이 있다.

(1) 바르톨린샘 낭종

외음부의 가장 흔한 양성병변으로 임균감염에 의해 분비물이 바르톨린샘관을 폐색하여 낭포성 확장을 일으킨다.

급성 증상은 감염이 되었을 경우 통증과 압통 및 성교불쾌감이 있고, 주위조직은 부종과 염증이 있다.

무균성으로 올 때는 비염증성 낭종을 일으키며, 전신 증상이나 감염의 증후는 일어나지 않는다. 그러나 바르톨린샘 낭종이 커서 진통 및 분만에 방해가 될 때는 바늘을 이용한 흡인이 도움이 될 수 있으며, 감염이 되어 화농성 물질들이 채워지면서 통증을 유발하는 염증성 종괴가 되면(바르톨린샘 농양) 광범위한 항생제를 쓰고 배액을 해야한다.

수술 후 간호는 좌욕, heat lamp, 진통제 사용 등으로 통증을 완화시키고, 재발을 예방하기 위해 절개부위의 치유와 감염증상, 처방된 항생제 투여를 교육한다.

(2) 양성고형 종양(Benign solid tumor)

지방종(lipoma), 혈관종(hematoma), 첨형 콘딜로마(condyloma acuminatum), 모반 등이 있다.

2) 악성종양

(1) 외음부 전암 병변

① 파젯트병(Paget's disease)

외음부에 생기는 상피내 종양으로 약 20% 정도에서는 침윤성 선암을 동반한다.

60세 이상의 여성에서 흔히 발생하며, 만성 염증성변화를 보인다.

외음부 소양증, 성교통, 통증, 작열감 등이 흔한 증상이며 병변은 벨벳같은 적색 피부병변, 습진성 피부병변과 백색판 등으로 관찰된다. 확진은 조직검사를 시행한다.

치료는 광범위 국소절제술을 시행하며, 대부분 육안적 병소의 경계부위보다 더 높고 깊게 절제를 해야 한다. 림프절 전이가 없다면 완치가 가능하다.

② 외음부 상피내 종양(Vulva intraepithelial neoplasia, VIN)

외음부 상피세포 내에 이형성으로 인유두종바이러스 16, 18감염이 주요원인 인자이다. 약 60% 환자에서 자궁경부상피내 종양을 동반한다.

위험요인: 첨형 콘딜로마, 흡연, 면역억제상태가 위험요인이다. 젊은 연령층은 다발성병소를 보이며, 침윤성 암으로의 진행이 빠르다. 고령에서는 단일병소가 흔하며, 침윤성 암으로의 진행은 비교적 느리다. 폐경 이후인 50~60대에서 호발 한다.

- 진단 : 질 확대경(colposcopy)과 생검을 하여 확진한다.
- 증상 : 외음부 소양증, 자극증상, 무증상 등이 나타난다. 육안적으로 다발성 병소 또는 흰색, 적색, 색소침착이 된 융기, 편평한 병변이 관찰된다.
- 치료 : 치료하지 않으면 침윤성 암으로 발전한다. 침윤의 증거가 없는 작은 단일병변인 경우 국소절제나 레이저소작술을 한다. 경과 관찰을 위해 처음 2년간은 3개월마다 질확대경 검사를 하여 침윤성 암으로의 진행여부를 확인한다.

(2) 외음암

외음암은 부인과 암의 약 3~4% 정도로 주로 노인에게 발생하며 60세 이상에서 발생률이 높다. 낮은 사회경제적 상태, 비위생적 상태, 당뇨, 고혈압, 비만, 외음부의 인유두종바이러스 감염이나 외음부 상피내 종양과 연관된다.

편평상피세포암이 가장 흔하며 85-90%가 주로 대음순에 호발하며, 병변의 양배추 양상의 덩어리 또는 단단한 궤양성 경결을 볼 수 있다.

전이는 주로 림프선을 통해서나 질, 요도, 항문 등으로 직접 전이하기도 한다.

- 증상 : 지속되는 외음부 소양증, 통증, 출혈, 외음부 종괴, 초기에는 염증소견에서 홍반성 병변으로 관찰되며, 진행되면 병변이 부풀거나 궤양을 형성한다.
- 치료 :
  - I, II, III기 외음암 : 광범위국소절제와 서혜부림프절절제술
  - III, IV기 외음암 : 근치적외음절제술과 화학요법
  - 림프절 침범 시에 추가적 골반방사선치료
  - 재발 시에는 2차적 절제술 시행 후 방사선 치료
- 예후 : 예후를 결정하는 인자는 서혜부로 전이된 림프절의 개수이다. 수술 치료 후 5년 생존율은 약 75%이다.

Tip

- **외음암 병기**

  Stage 0 상피내 종양, 파젯트병

  Stage I 종양 〈 2cm, 외음과 회음부에 국한, 림프절 침범(-)

  Stage II 종양 〉 2cm, 외음과 회음부에 국한, 림프절 침범(-)

  Stage III 종양 크기에 상관없이

  　　　　1. 하부요도 또는 항문 가까이 침범

  　　　　2. 일측 림프절 전이(대퇴 또는 서혜부 림프절)

  Stage IV 종양이 다음을 침범한 경우

  　　　　IVa 인접장기 및 양측 인접 림프절 전이

  　　　　IVb 골반 림프절을 포함한 원격 전이

2. 질종양

1) 양성종양

- 질의 양성종양으로 봉입낭종(inclusion cyst)과 가트너관낭종(Gartner duct cyst)이 있다.
- 봉입낭종은 질하부 끝부분 후면이나 회음부 열상봉합 시 점막층이 내번된 조직에서 잘 발생한다. 내용물은 치즈와 같은 피지물이 있다.
- 가트너관낭종은 울프관의 하단에 있던 가트너관의 흔적에서 발생하며 질강의 외전벽 부위에서 발생한다.

2) 악성종양

(1) 질상피내 종양(Vaginal intraepithelial neoplasia, VAIN)

질상피내 종양은 40대 중반 이후에서 호발하며, 50% 이상 환자에서 자궁경부 상피내 종양 등이 공존한다.

자궁경부 상피내 종양, 자궁경부암, 첨형콘딜로마, 인유두종바이러스 감염병력과 관련되어 있다. 병변은 상피층에 국한되어 있다. 병기는 I, II, III 등급으로 분류한다.

- 증상 : 대부분 무증상
- 진단 : 자궁경부 세포도말검사에서 비정상소견이 관찰된다. 자궁경부 세포도말검사에서 비정상소견을 보이는 경우 질확대경으로 검사하며, 병변이 관찰되는 경우 조직검사를 실시한다.
- 치료 : VAIN I은 대부분 자연적으로 소실되기 때문에 치료하지 않으며 VAIN II 병변은 국소절제, 레이저소작술을 시행한다. 다발성 병소인 경우는 질 내로 5-FU(fluorouracil)를 투여한다. 재발이 잘되므로 질확대경으로 주기적인 추적관찰이 필요하다.

(2) 질암(Cancer of the vagina)

부인과 악성종양의 1~3%를 차지한다. 발병은 70세에서 90세 사이가 50% 이상이다. 확실한 원인은 아직 밝혀지지 않았지만 만성적인 질 자극, 외상(trauma), 바이러스 감염(인유두종바이러스)과 관련이 있다. 대부분은 편평상피세포암(squamous cell carcinoma)이 대부분이다. 15세에서 30세 사이에 발병은 자궁 내 DES 노출과 관계가 있다.

원인은 분명하지 않지만 만성 질 자극, 질 부위 상처(trauma), HPV와 같은 바이러스 감염에 노출이다.

발생 부위는 주로 질후벽과 질상부 1/3에서 발생한다. 전이는 초기에 발생하고 주로 림프선을 통해 방광 또는 직장으로 전이된다.

- 증상 : 무증상이거나 성교나 검사 후 출혈, 성교통 및 물같은 분비물이다. 방광으로 전이되면 긴박뇨, 빈뇨 등의 증상, 직장으로 전이되면 배변 시 동통이 나타난다.
- 진단 : 무증상인 경우, PAP 결과가 비정상적이므로 질확대경검사(Colposcopy)와 쉴러 검사로 확진한다.

● **질암 병기**

Stage 0 상피내 종양

Stage 1 질벽에 국한

Stage II 질조직하부(Subvaginal tissue)를 포함하나 골반벽까지 퍼지지 않음

Stage III 골반벽까지 퍼짐

Stage IV 진골반 이상으로 퍼진 경우 또는 방광이나 직장 점막을 침범한 경우

　　　IVa 진골반 이상, 근접기관으로 전이한 경우(직접 전파)

　　　IVb 원부위로 전이한 경우

● 치료 : I기, II기 수술요법(광범위절제술 및 질상부절제술)을 시행한다. 직장질 또는 방광질 누공이 동반된 4기 질암은 전골반내용적출술(Pelvic exenteration)을 시행한다. 하부 질의 2/3 이상 침범된 I기 및 II기 또는 III내지 IV기인 경우에는 방사선 단독치료를 시행한다. 화학요법은 질암 치료에 효과적이지 않다.

● 예후 : 진단 당시의 임상병기와 종양의 크기가 중요한 예후 인자이다. 초기 단계에는 5년 생존율은 80% 이상이고 II기인 경우 50% 정도이다.

key point

>> 여성 생식기 수술에는 자궁절제술(hysterectomy), 외음절제술(vulvectomy), 난관절제술 (salpingectomy), 난소절제술(oophorectomy) 등이 있다.

>> 방사선요법(radiotherapy)은 방사선을 조사하여 종양조직을 축소 또는 제거하는 치료이다.

>> 화학요법(chemotherapy)은 암세포를 죽이기 위하여 항암제를 투여하는 치료이다.

비판적 사고 훈련

사례

35세인 미혼 여성은 가끔씩 어지러움증이 있으며, 생리양이 많고, 생리통이 심하다고 하였다. 병원을 내원하여 질식초음파 검사를 실시한 결과, 다발성 자궁근종이 있고 가장 큰 근종이 8x9cm으로 발견되었다. 담당의사는 수술을 권유하였으나 이 여성은 당장은 수술하기 어렵고 생각해보고 추후에 결정하고 싶다고 한다.

1 이 여성에게 가장 적합한 수술은 무엇인가?

2 이 여성이 수술을 망설이는 이유는 무엇이라고 추측하는가?

3 자궁근종의 합병증은 무엇인가?

- 여성 생식기 수술의 종류와 방법을 설명한다.
- 여성 생식기 수술을 받은 대상자에게 간호과정을 적용한다.
- 여성 생식기 질환에 대한 화학요법의 종류와 합병증을 설명한다.
- 여성 생식기 질환에 대한 방사선요법이 종류와 합병증을 설명한다.

개요

1 수술요법

- 수술요법은 병소가 있는 부위를 수술적으로 제거하는 치료법으로 주로 약물치료의 효과가 없는 만성감염, 출혈 및 악성종양 등으로 여성의 건강이나 생명을 위협하는 문제가 있을 때 시행한다.
- 생식기 수술은 신체적, 심리적 문제를 내포한다. 시행되는 수술요법은 자궁절제술, 난소수술, 난관수술, 외음수술, 임신 및 중절수술 등이 있다.
  - 수술 시 절제되는 자궁의 지지조직에 대한 이해가 필요하다(자궁의 지지조직은 인대이다).
  - 자궁에 혈액을 공급하는 혈관에 대한 이해가 필요하다.
  - 자궁난관난소의 혈관계에 대한 이해가 필요하다.
  - 림프절에 대한 이해가 필요하다.
  - 주요 부인과 수술에 대한 이해가 필요하다.

2 방사선 요법

- 일반적으로 외부 골반방사선조사 및 강내 방사선조사가 흔히 사용되며, 특수한 경우에는 방사능 활동성 바늘 같은 방법이 사용된다.
- 방사선 치료 시 일반적으로 외부 방사선조사와 강내 근접조사를 병행하는데, 외부 방사선조사는 림프절의 치료와 원발 종양을 축소시키기 위해, 강내 근접조사는 중앙 종양에 추가적으로 방사선조사량을 증가시키기 위해 사용된다.
- 수술 후 방사선치료는 수술 절제 경계부위가 암병터에 근접하거나 암의 침윤이 있는 경우, 골반 림프절 전이가 발견되었을 경우 재발률을 줄이기 위해 시행할 수 있다.
- 전신 마취된 상태에서 방사선요법 기구가 자궁경부 내부와 질에 위치하게 된다. 회복실에서 위치를 확인히기 위하여 X선 촬영을 한다.

- 방사선과 의사에 의해 방사능 물질(radium이나 cesium)을 기구 안으로 넣는다.
- 방사능 물질을 환자의 몸 안에 24~72시간 정도 둔다. 치료는 환자의 질병단계와 방사능에 대한 환자의 반응, 견디는 정도에 따라 다르다.
- 외부 방사선요법으로 림프계를 통한 전이를 막기 위해 골반 외부에서 직접적으로 조사함으로써 보충된다.

③ 화학요법

- 화학요법의 기본은 세포주기를 방해하는 것으로 화학요법제에 알킬화 제제(alkylatingagent), 항생제(antibiotics), 항대사성 제제(antimetabolites), 호르몬제(hormones), 식물성 알칼로이드제제(plant alkaloid agents)가 있다.

- 화학요법제의 종류

종류	약명	투약법	독성, 부작용	적용 질환
알킬화제제	클로람부실 (chlorambucil) lukeran	0.1~0.2mg/kg/일 구강 16mg/m2/일×5일간/매 28일마다 구강 적정용량 WBC 수준에 따른다.	위장장애, 골수억제, 박리성 피부염, 탈모증	난소암 재발암
	메클로치아민 (mechlorethamine) HN2 nitrogen mustard mustargen	4mg/kg을 매 3~4주마다 정맥 6mg/m² 을 4주마다 1일과 8일에 정맥(MOPP) 50ml의 수용성 용액에 10mg 용해한 것을 국소적으로 1주에 3회 도포, 바셀린에 10mg을 섞는다.	오심/구토(투약 30분~2시간에서 나타나 2~8시간 지속), 구내염, 식욕부진, 설사, 골수억제, 탈모증, 성선억압, 발열, 반구진, 발진, 피부의 홍반, 색소침착, 소양증, 두드러기	
	멜파란(melphalan) alkeran, pyenylalanine mustard L-PAM, L-sarcolysin	0.2mg/kg/일×5일간/4~6주마다 구강 6mg/m²/일×5일간/4~6주마다 구강	골수억제, 오심/구토 구내염, 설사, 가끔 피부염, 발진, 탈모증	난소암
	싸이클로포스파미드 (cyclophosphamide) cytoxan, CTX, edoxan	500~1,500/m²/일 3주마다 정맥 50~200mg/m²/일 28일마다 14회, 구강 1.5~3.0mg/kg/일, 1~4주마다, 구강 10~50mg/kg/1일 1~4주마다, 정맥	오심/구토(투약 후 3~12시간에 나타나 8~10시간 지속), 식욕부진, 위장관 불편감, 일시적인 탈모증, 출혈성 방광염	난소 연조직 육종
	잎소파미드 (Isohanmide) 시스플라틴 (cisplamide) Platino, 1, CDDP	1.0~1.2mg/m²/일×5일, 정맥 mesna를 투약 4시간 전, 8시간 후 투여 10~20mg/m²/일×5일, 3주마다, 정맥 50~75m²/일 1~3주마다, 정맥	골수억제, 발광독성, 신독성, 중추신경계 독성 오심/구토, 골수억제, 청력장애, 신독성, 말초신경병증	난소암, 자궁경부암

항암 항생제	닥터노마이신 (dactinomycin) actinomycin-D, act-D, cosmegen	0.25~0.6mg/kg/일×5일, 3~4주마다 정맥 0.3~3.5mg/m²/일×5일, 3~4주마다 정맥	오심/구토 12~24시간 지속, 골수억제, 탈모증, 주사부위 피하에 국소 조직반응, 피부괴사, 점막궤양	난소암 난소생식 세포종 융모상피암
	블레오마이신 (belomycin)	10~20units/m² 매주 정맥 또는 근육 15~20units/m²×3~7일 매주, 정맥	폐섬유증, 고열, 피부반응, 아나필락시스	난소생식 세포종
	독소루비신 (doxorubicin) adriamycin, rubex	6.0~75mg/m²을 3~4주마다 또는 매주 2~5mg/m²을 정맥	오심/구토(투약 1~3시간에 나타나고 24시간 지속), 식욕부진, 설사, 구내염 500mg 이상 투여되면 신독성, 골수억 제, 완전 탈모증, 주사 부위의 자극증 상(미란, 통증, 홍반, 두드러기, 자반증)	자궁경부암 난소암 자궁육종
	미토마이신-C (mitomycin-C)	2mg/m²/일×5일, 정맥 10~20mg/m², 2주마다, 정맥	오심/구토(2~3일간), 식욕부진, 설사, 지연성 골수억제, 신독성, 피로, 무기 력, 허약감	난소암 자궁경부암
항대사성제제	5-fluorouracil 5-fu, adrucil, fluoroplex	300~450mg/m²/일×5일, 28마다, 정맥 1gm/m²/일×4~5일, 28마다, 정맥 2.6gm/m²을 매주 24시간 동안 지속적으로 정맥	오심/구토, 구내염, 식도염, 인후염 설사, 직장염 등의 위장장애, 골수억제, 과색소침착, 피부발진, 피부염, 손톱 변화, 탈모증, 결막자극, 과도한 눈물, 광과민성 흐릿한 시야	
	메스트렉세이트 (mexotraxate) MTX, amethopterin, Folex, *Mexate	20~80mg/m² 구강, 근육 및 정맥	오심/구토, 구내염, 출혈성 장염 설사, 골수억제, 탈모증, 피부발진, 색소과도 침착	임신성 영양막질 환, 융모상피암 난소암
	이미다졸 카복사미아드 (imidazole carboxamiad)	50~250mg/m²/일×5일간, 3~4주, 정맥 373mg/m²을 1일과 15일에 정맥 650~1450mg/m²을 3~4주마다 정맥	심한 오심/구토가(투약 후 1~3시간) 식욕부진, 골수억제, 정맥 자극증상, 발진. 투약 후 1주일 경, 발열, 두통	자궁육종
식물성알카로이드	dacarbazine, DTIC		안면홍조, 근육통을 동반한 감기같은 증상이 7~10일간 지속 드물게 탈모증	
	빈크리스틴 (vincristine) Oncovin, VCR, vincasar, PES	0.4~1.4mg/m² 매 1~4주마다 정맥 0.01~0.03mg/kg/주, 정맥	중추신경 독성(운동실조, 심부건반 사 소실, 마비, 신근육마비(extensor muscle paralysis)), 복통, 변비, 마비 성 장폐색증, 탈모증	난소생식 세포종 자궁육종 자궁경부암
	빈브라스틴 (vinblastin) velban, VLB	5~6mg/m² 매 2주마다, 정맥	오심/구토, 골수억제, 신독성 피부발적	난소암

C 비판적 사고중심 간호실무

자궁절제술을 받은 대상자

① 간호 목표

- 대상자/배우자가 생리적, 심리사회적으로 수술적 상황에 따른 환경변화를 스스로 조절하도록 한다.
- 대상자의 지지체계를 강화함으로써 긍정적 적용을 도모한다
- 대상자/배우자에게 남녀 생식기의 구조와 기능에 대한 정보를 제공한다.
- 자궁절제술과 관련된 지식을 제공한다.
- 자궁절제술을 위한 신체, 심리적 준비 사항을 교육한다.
- 수술 후 회복과정과 회복을 위한 신체, 심리적 대처법에 대해 지도한다.
- 배우자는 대상자의 지지행위와 그 방법에 대해 알려준다.

간호진단 #1	간호진단 #2
수술 후 회복과 관련된 지식부족	**감염의 가능성 : 복식 또는 질식절개, 정체도뇨관과 관련된**
간호사정 : 수술방법 　　　　　대상자의 신체적 호소 　　　　　문화, 종교적 배경, 교육수준, 연령 　　　　　수술에 대한 이해 정도 　　　　　신체변화에 대한 이해 정도 　　　　　암의 존재 여부 　　　　　폐경증상 여부	간호사정 : 관계된 질병명 당뇨, 비만, 급·만성 복통이나 경련 　　　　　활력징후측정 　　　　　Hb, Hct, WBC 측정 　　　　　수술부위 발적, 부종, 압통, 열감, 농성, 분비물 등 　　　　　질분비물 양상, 색깔, 양, 냄새 등 　　　　　정체도뇨관 삽입부위의 발적, 부종, 열감, 압통, 　　　　　농성, 분비물 등
간호중재 : 절개부위 치유는 7~10일이고, 복부근육이 회복되기까지 약 3주가 걸린다고 설명한다. 　　　　　무거운 물건 들기, 힘든 일, 장기간 앉아 있는 것은 피하게 한다. 　　　　　평소보다 늦게 일어나고, 일찍 자며 오전, 오후 1시간씩 누워 있도록 한다. 　　　　　통목욕보다는 샤워를 주로 한다. 　　　　　점상 질출혈은 수술 후 10~14일 사이 하루에 회음패드 2개를 교환하는 것이 정상임을 설명한다. 　　　　　뚜렷한 출혈, 악취가 나는 질분비물 증가가 있을 때 즉각 의사나 병원에 알리도록 한다. 　　　　　환자가 완전히 회복되었다고 느끼려면 3주~3개월간 소요됨을 강조한다. 　　　　　성관계, 질세척 등은 6~8주간 금한다. 　　　　　절개부위 염증 발생과 발열시 병원을 방문한다. 　　　　　신체적 회복을 위해 단백질, Vit.C, 칼슘, 철분의 섭취를 증가한다. 　　　　　에스트로젠 분비상실로 폐경증상이 올 수 있음을 설명한다.	간호중재 : 정규적인 활력징후의 측정과 기록한다. 　　　　　완전 혈구 측정치를 계산한다. 　　　　　무균적으로 수술부위 드레싱을 교환하고 감염의 초기 징후를 관찰한다. 　　　　　회음패드를 교환해주고 질분비물을 관찰하여 색, 양, 냄새 등을 기록한다. 　　　　　매 배변 후에 회음부 간호방법을 교육한다. 　　　　　정체도뇨관 주위를 자주 소독하고, 감염증상을 관찰한다. 　　　　　소변주머니가 방광높이 보다 높지 않도록 한다.
간호평가 : 대상자는 절개부위 치유과정, 완전한 회복시기, 회복기에 실천해야 할 섭생과 병원에 알려야 할 위험상황을 알고 말하였다.	간호평가 : 대상자의 활력징후가 정상범위를 유지하였다. 　　　　　절개부위에 감염징후가 없었다. 　　　　　비뇨기계 감염징후가 없었다.

간호진단 #3	간호진단 #4
안위의 변화 : 동통 복식, 질식, 수술결과와 관련된 간호사정 : 대상자의 불편감 정도 　　　　　　동통의 부위, 특성 　　　　　　지속시간, 진통제 　　　　　　투여와의 관계 간호중재 : 수술 전 수술 결과에 따라 예측되는 동통과 　　　　　　불편감을 설명한다. 　　　　　　24시간 이전에 대상자가 원할 때 진통제를 투약하 　　　　　　고 효과 평가한다. 　　　　　　대상자의 느낌을 표현하게 한다. 　　　　　　기침, 심호흡, 조기 이상을 하기 전 보조약을 투약 　　　　　　한다. 　　　　　　복압의 증가를 막기 위해 낮은 파울러 체위와 앙 　　　　　　와위를 유지한다. 　　　　　　편안하게 지지해 주기 위해 복부수술 부위에 모래 　　　　　　주머니를 올려주거나 복대를 착용시킨다. 　　　　　　관심분산법, 주위집중법 등을 권장한다. 간호평가 : 환자는 동통이 참을 만하다고 표현하였다. 　　　　　　불편감이나 동통이 완화되었다고 표현하였다.	**조직관류의 변화 : 침상안정, 혈전성 정맥염과 관련된** 간호사정 : 관련된 질병명 　　　　　　수술방식 　　　　　　당뇨, 비만, 하지정맥류, 호만씨 징후, 하지의 압통 　　　　　　대상자의 체위, 하지 운동, 조기이상 등 간호중재 : 하지순환을 돕고 정맥 귀환을 돕기위해 적어도 　　　　　　4시간마다 수동적/능동적 하지운동을 시킨다. 　　　　　　조기 이상을 권장한다. 　　　　　　탄력양말을 이용하게 한다. 　　　　　　장기간 앉아 있지 않도록 한다. 2시간미디 10분씩 　　　　　　앙와위를 취하게 한다. 　　　　　　무릎 아래 베개를 고여주지 않는다. 　　　　　　매일 1회씩 호만씨 징후를 체크한다. 간호평가 : 비장근에 압통이나 통증, 호만씨 징후가 나타나지 　　　　　　않았다.
간호진단 #5	간호진단 #6
배뇨양상의 변화 : 정체도뇨관, 도뇨관의 제거, 체액손실 　　　　　　　**가능성, 출혈 등과 관련된** 간호사정 : 섭취, 배설량 도뇨관 제거 후 자연 배뇨양상, 　　　　　　소변량, 잔뇨량 간호중재 : 주의깊고 정확하게 섭취와 배설량을 측정하고 　　　　　　기록한다. 　　　　　　도뇨관 제거 후 소변량을 관찰한다. 　　　　　　8시간 후까지 자연배뇨를 못하면 단순 도뇨한다. 　　　　　　잔뇨량이 60mℓ 이상이면 유치도뇨관을 삽입한다. 　　　　　　소변의 색, 냄새, 투명도와 양을 관찰한다. 간호평가 : 섭취와 배설량의 균형이 유지되었다. 　　　　　　도뇨관없이 자연배뇨를 하였다.	**체액량의 부족 : 체내출혈, 제3공간의 체액(늑막염, 복강액,** 　　　　　　　**뇌척수액)과 관련된** 간호사정 : 섭취/배설량 　　　　　　출혈유무 　　　　　　활력징후 　　　　　　전해질, 혈구검사 　　　　　　시간당 소변량 간호중재 : 정확하게 섭취, 배설량을 측정 기록한다. 　　　　　　활력징후와 혈압측정, 출혈여부를 관찰한다. 　　　　　　전해질, 혈구치를 검사한다. 　　　　　　시간당 소변량이 15~30mℓ 미만일 때 의사에게 　　　　　　보고한다. 간호평가 : 정상범위의 체액과 전해질을 유지하였다. 　　　　　　수술 전 배뇨량으로 회복되었다.

- 자아개념장애 : 자궁절제술, 암진단에 속발되는 생식능력의 실제적 또는 잠재적인 상실과 관련된
- 성기능의 장애 : 변화된 신체상 및 암진단과 관련된
- 슬픔 : 생식기관의 상실, 암진단과 관련된
- 비효율적 극복기전: 생식능력의 실제 혹은 잠재적인 상실 및 암진단과 관련된
- 공포 : 수술, 암진단과 관련된

간호사정 : 관련된 진단명과 수술 범위
  여성생식기 및 수술과 관련된 대상자/배우자의 지식 정도
  대상자/배우자의 교육수준, 종교, 문화사회적 상태
  평상시 대처기전
  대상자/배우자의 신체상/
  자아개념, 평상시 결혼생활, 성생활, 성만족도
  대상의 지지체계, 배우자의 지지정도
  자궁수술에 대한 대상자/배우자의 신체, 심리, 사회적
  반응 및 적응수준

간호중재 : 수술의 필요성, 수술과 관련된 정보를 준다.
  대상자/배우자의 자궁에 대한 오해가 있으면 바른 정보를 주고 필요하면 재강조한다.
  수술 후 신체적, 심리사회적 적응도를 높이기 위해 대처법을 상담, 교육하고 필요하면 재강조한다.
  모든 교육과 상담에는 배우자도 포함한다.
  대상자/배우자의 감정을 표현하도록 기회를 준다.
  의문나는 점을 질문하게 하고 감정이입적 태도로 설명, 상담한다.
  배우자, 가족, 친구, 친지 등 지지체계와의 상호작용으로 정서적 지지를 받도록 한다.
  같은 경험자와의 감정과 경험을 계속적으로 나누면서 대처하는 힘과 적응력을 높일 수 있는 동호회 등과 교류하도록 한다.

간호평가 : 대상자는 신체상의 상실과 변화에 대한 느낌을 이야기하였다.
  대상자/배우자는 스스로가 간호에 참여하고, 수술결과가 성기능, 성만족, 건강, 상실에 미치는 효과에 대해 질문하였다.
  대상자/배우자는 신체, 심리, 사회적 대처를 할 자신감이 있다고 말하였다.

난소난관절제술을 받은 대상자

❶ 간호 목표

- 대상자/배우자는 수술명, 수술과정 및 수술 후 변화된 신체생리를 이해하고, 오해와 공포에서 벗어난다.
- 수술 전후에 긍정적인 수술 반응을 보인다.
- 수술 후 합병증 예방행위의 장점을 알고 잘 이행한다.
- 대상자/배우자는 변화된 신체상에 효과적으로 대처한다.
- 대상자는 합병증이 없는 짧은 회복기간을 거쳐 최상의 건강 수준을 영위한다.
- 퇴원 후 추후 관리가 필요한 대상자는 추후 관리 행위를 잘 이행한다.
- 대상자는 가정, 가족과 지역사회에서 일상의 역할을 수행한다.

간호진단 #1	간호진단 #2
● 자아개념의 장애 : 신체상, 생식능력의 상실. 월경, 배란의 상실과 관련된 ● 성기능의 장애 : 변화된 신체상, 암진단과 관련된 ● 슬픔 : 생식능력의 상실, 암진단과 관련된 간호사정 : 수술과 관련된 질병명 　　　　　마취, 수술방법 　　　　　과거병력, 악성종양의 유무 　　　　　수술과 관련된 대상자, 배우자의 지식 정도 간호중재 : 마취, 수술과정, 수술 전·후 실시되는 처치에 대해 설명한다. 　　　　　수술 전·후에 대상자가 이행해야 할 자가간호행위를 설명하고 시범을 보인다. 　　　　　대상자/배우자의 수술에 대한 느낌, 질문 등을 표현하도록 격려한다. 간호평가 : 대상자/배우자는 수술과 관련된 정보를 알고 있다고 말하였다. 　　　　　수술 후 변화된 신체생리를 말하고, 의문이 있을 때 질문하였다.	● 부적절한 개인의 대처력 : 생식능력의 상실, 변화된 신체상, 암진단과 관련된 ● 불안, 공포 : 마취, 수술 및 수술결과, 생식능력의 상실, 변화된 신체상과 관련된 간호사정 : 심리사회적 반응 정도, 대처기전 수술 후 대상자의 자가간호 내용의 이해 정도 　　　　　배우자의 수술에 대한 태도 및 지지 정도 간호중재 : 대상자의 생식기에 대한 신체상과 수술 후 자신의 신체 생리적 변화를 말하도록 격려한다. 　　　　　퇴원 후 자가간호와 이행해야 할 추후 관리에 대한 정보를 준다. 　　　　　배우자에게 정서적 지지의 중요성을 설명한다. 　　　　　양측 난소절제를 받는 대상자에게 에스트로젠 분비 감소로 올 수 있는 증상, 자가간호법 치료 및 그 대처법을 설명한다. 간호평가 : 상실과 변화된 신체상에 대한 느낌을 말하였다. 　　　　　수술 후 자가간호와 이행해야 할 추후 관리를 알고 있다고 말하였고, 이행하였다. 　　　　　감소된 에스트로젠으로 생기는 변화를 설명하였다. 　　　　　수술 후 결과에 대한 불안이 감소되었다.

자궁 방사선요법을 받는 대상자

방사능 치료 전 준비 간호	방사능 치료 시	방사능 제거 시
● 치료 전 과거의 의학적 문제나 특별한 요구와 관련된 위험요인, 주의사항 등을 평가하기 위해 철저한 의학적 검사를 시행한다. ● 수술실로 이송되기 전 직장 내의 내용물을 제거하기 위해 관장을 시행한다. 처방된 경우 유치도뇨관을 삽입한다. 방사선요법 동안 침상안정이 필요하므로 안정하면서 슬기 있게 할 수 있는 일을 병상으로 가져오도록 한다. ● 방사선요법을 받고 있는 환자에게 안전한 방법을 지도한다. − 방사능 물질만 방사능 성분이 있고 환자나 환자의 분비물은 관련이 없다. − 방사능 물질을 절대 만지지 않도록 한다. − 방사능 물질의 위치가 바뀐 경우에는 즉시 간호사에게 보고하도록 한다. − 주사바늘이나 장치된 기구가 제거되면 방사능 물질은 전혀 남지 않는다. − 방사능 작용의 감시는 특별히 훈련된 사람에 의한다. − 임신한 사람이나 18세 이하의 어린이의 방문을 금한다. − 납으로 된 차단막을 사용하여 환자에게서 나오는 방사능을 감소시킨다. ● 간호사가 항상 대기하고 있음을 알려준다.	● 머리를 15~30도 가량 올린 상태로 침상 안정을 취하도록 한다. 하루에 3~4회 정도 좌우로 체위를 변경한다. ● 환자의 상체를 씻어준다. 꼭 필요한 경우에만 회음부 간호와 침대보를 갈아준다. ● 체내 기구의 위치를 변경시킬 수 있으므로 장 운동을 자극하는 음식은 삼간다. 환자에게 한꺼번에 많이 먹지 말고 조금씩 여러 가지 음식을 먹도록 권한다. ● 유치도뇨관을 자주 살펴서 적절한 배뇨를 확인한다. 방광의 팽창은 심한 방사능 화상을 유발할 수 있다. ● 수분 섭취를 권장하여 감염을 예방한다. 방사능으로 인한 증상이 있는지 관찰한다. ▶ 오심, 구토, 열, 설사, 쥐어짜는 듯한 복통 ● 체내 기구의 위치를 8시간마다 확인하고 출혈과 분비물의 양을 모니터한다(양이 적은 것이 정상이다). ● 환자의 걱정과 두려움을 감소시키기 위해 지지적으로 대한다. 환자를 자주 점검하지만 방사능에 노출을 적게 하기 위해 환자 옆에 머무르는 시간을 짧게 한다. ● 환자의 안위감을 위해 약간의 진정제와 진통제를 투여할 수 있다. ● 간호 시 유의점 : 방사능이 밖으로 유출되는 것을 방지하기 위해 long-handled forceps과 납이 함유된 용기 등은 방사능 주입 후에 방에 두고 나온다.	● 주입기구 제거 전 적절한 양의 마취제를 투여한다. ● 방사선 전문가에 의해 방사능 물질을 제거하고 이송을 위해 안전하게 보관한다. ● 유치도뇨관을 제거하고 주입기구를 제거한다. ● 환자가 침대에서 나오기 전에 세척관장과 질세척을 한다. ● 계속된 침상안정으로 인한 기립성 저혈압이 발생할 수도 있으므로 환자가 일어날 때 도와준다. ● 간호 시 유의점 : 환자와 치료진을 보호하기 위해 방사선 안전수칙을 철저히 준수한다.

1 간호 목표

- 상실과 슬픔, 치료 및 치료 후의 회복에 대한 적절한 도움을 받는다.
- 대상자와 가족들은 역할 조정에 따라 평온한 일상생활을 유지한다.
- 대상자는 편안하게 치료에 임하고 자가간호를 할 수 있다.
- 대상자는 관찰해야 할 부작용과 의사에게 알려야 할 위험증상을 짚어낸다.
- 대상자와 배우자는 적절한 성생활을 영위한다.
- 영적인 요구가 해결되어 마음이 편안하다고 한다.

간호진단 #1	간호진단 #2	간호진단 #3
지식부족 : 질병과정, 관리, 예후, 자가 간호 활동과 관련된 간호사정 : 대상자의 진단명 기존의 치료과정 유무, 재발 여부 현재의 질병 경과 상태 간호중재 : 치료과정, 예측하는 결과, 부작용, 치료 전·후, 치료 중, 퇴원 후 자가간호를 교육한다. 의문점에 대해 재설명한다. 보고해야 할 위험 증상을 교육한다. 간호평가 : 대상자는 치료과정 결과 및 자가간호 등을 알고 있다고 말하였다.	**부적절한 개인 및 가족의 대처 : 신체와 관련된** 간호사정 : 치료받기로 결정한 치료명, 검사 결과, 진단과 치료결정에 대한 대상자와 가족의 심리사회적 반응 간호중재 : 대상자와 가족이 치료 및 간호계획에 참여한다. 신체, 심리사회적 건강요구를 말할 수 있는 분위기를 만들고, 기회를 준다. 심리적 감정, 의문점을 표현할 기회를 주다. 간호평가 : 현재의 상황을 받아들이고 편안하게 치료에 임할 수 있다고 하였다.	- **통증 : 질병 및 치료와 관련된** - **활동제한** - **신체상의 장애** - **역할 수행 변화** - **영양 부족 : 질병 과정, 관리와 관련된** **영적고통/위험성 : 죽음, 동통과 관련된** 간호사정 : 대처양상, 내외적 지지체계, 치료에 따른 결과, 부작용, 대상자 및 가족이 알고 있어야 할 자가간호 등에 대한 지식 정도, 대처양상 대상자의 발생된 부작용, 영양 상태, 배설활동, 수면, 성생활 상태 간호중재 : 통증이 오는 원인, 그 예방법 및 관리법에 대해 교육한다. 안위대책을 도모한다. 장기간 투병에 따른 역할 재조정의 필요성을 알려준다. 좋은 영양상태를 유지하기 위한 식이법을 교육한다. 질병과정, 치료결과에 대해 솔직히 알려준다. 대상자와 가족의 상실 감정, 죽음, 슬픔 등을 솔직히 표현하게 하고 경청해 준다. 영적 요구가 있을 때 영적 지도자(원목)와 연결해 준다. 간호평가 : 안위법을 알고 고통이 덜하다고 하였다. 편안히 쉬고 있다. 가족들이 역할 재분배를 하여 훨씬 수월해졌다고 하였다. 오심, 구토를 잘 관리하고 식사를 잘 하려고 노력하였다. 마음이 편안하다고 말하였다.

부인과 암 치료와 관련된 영양상태의 변화

에스트로겐의 지속적인 자극이나 에스트로겐 과잉상태(unopposed estrogen exposure)에 의해 발생하거나 혹은 악화되는 질환은 아래와 같다. 에스트로겐이 감소함에 따라 갱년기 장애 시 볼 수 있는 증상이 쉽게 출현한다.

● 입맛의 변화

 – 식후 구강간호를 한다.

 – 제철 음식을 공급한다.

 – 붉은고기 대신에 생선이나 닭고기 먹는다.

 – 식욕을 자극하기 위한(쓴, 떫은) 음식을 먹는다.

● 식욕부진

 – 가족이나 친구와 같이 먹는다.

 – 새로운 음식이나 새로운 요리를 한다.

 – 소량씩 자주 준다.

 – 고칼로리 간식을 먹는다.

 – 단백질 음료를 먹는다.

 – 식욕증가를 위해 음식을 먹기 전에 운동을 한다.

 – 배고플 때 먹는다.

● 오심과 구토

 – 맑은 유동 음식을 먹는다.

 – 탄산 음료를 피한다.

 – 달고 지방이 많은 음식은 피한다.

 – 뜨겁거나 따뜻한 음식보다 찬 음식이 좋다.

 – 소량씩 먹는다.

 – 고칼로리, 고단백음식을 먹는다.

 – 토스트나 부드러운 음식을 먹는다.

 – 식사 전에 진토제가 필요하면 사용한다.

● 소화력 감퇴

 – 소량씩 먹는다.

 – 연하고 부드러운 음식을 먹는다.

 – 하루에 3L 수분을 섭취한다.

 – 신 과일, 매운 음식은 피한다.

 – 굉장히 뜨겁거나 굉장히 찬 음식은 피한다.

 – 필요하면 보조 영양제를 첨가한다.

- 장기능 저하, 장염
  - 유동식이나 잘게 부순 음식을 먹는다.
  - 장영양 또는 비경구적 영양이 필요하다.

- 변비
  - 섬유질 많은 음식(신선한 과일과 채소)을 먹는다.
  - 수분섭취를 증가(하루 3,000cc)한다.
  - 자연 설사제 음식(말린 자두, 사과)을 먹는다.
  - 치즈 제품은 피한다.

- 설사
  - 우유제품 피한다.
  - 고섬유, 매운 음식 피한다.
  - 고칼륨 음식 먹는다.
  - 수분섭취를 증가(하루 3,000cc)한다.
  - 카페인과 탄산 음료 피한다.
  - 위장관의 운동을 감소시키기 위해 음식에 견과류를 첨가한다.
  - 고단백질, 고탄수화물 음식을 먹는다.

- 회복기
  - 철분이 많은 음식을 먹는다.
  - 고단백 식품을 먹는다.
  - 고비타민 C, B 복합체 음식을 먹는다.
  - 하루에 6~8컵 수분을 섭취한다.

1 질식자궁절제술 후 배설 간호에 대한 설명으로 옳은 것은?

① 유치도뇨관 제거 후 특별한 중재가 필요하지 않다.

② 방광훈련은 3~4시간 간격으로 24시간 내내 실시한다.

③ 방광훈련 시 잔뇨량이 50ml 이하이면 퇴원이 가능하다

④ 유치도뇨관 제거 후 자연배뇨가 안되면 자주 도뇨를 실시한다.

⑤ 배뇨장애는 질식자궁절제술이 광범위 자궁절제술보다 더 빈번하다.

2 미혼여성이 편측 난소적출술 후 임신 여부에 대하여 질문하였다. 간호사의 설명으로 옳은 것은?

① 배란이 불규칙하므로 임신 가능성이 없다.

② 2달에 한 번씩 배란이 되므로 임신 가능성은 50%이다.

③ 호르몬 분비가 낮아 호르몬 대치요법을 해야 임신이 가능하다.

④ 한쪽 난소에서 분비되는 호르몬이 충분하지 않아 임신 가능성은 없다.

⑤ 한쪽 난소로부터 호르몬이 분비되고 배란이 되므로 임신 가능성이 있다.

3 방사선 조사 시 피부간호로 옳은 것은?

① 조사 부위에 연고를 바르게 한다.

② 피부 청결을 위하여 비누로 조사부위를 닦는다.

③ 피부 보호를 위하여 속옷을 잘 챙겨서 입도록 한다.

④ 치료가 끝날 때까지 조사부위 표시를 지우지 않는다.

⑤ 피부의 표적부위가 잘 보이도록 테이프를 부착한다.

4 화학요법 중 약이 누출되어 조직 내로 유입되어 환자가 통증이 있다고 호소하였다. 이 때 간호사가 가장 먼저 해야 할 일은?

① 의사에게 보고한다.

② 해독제를 주사한다.

③ 수액을 빨리 제거한다.

④ 바늘을 그대로 두고 약물 투여를 멈춘다.

⑤ 통증을 호소하므로 빨리 수액을 제거한다.

5 화학요법의 금기사항이 <u>아닌</u> 것은?

① 임신 초기 여성

② 감염 증상이 있는 여성

③ 방사선 치료를 받는 여성

④ WBC 2000/$\mu\ell$ 이하인 여성

⑤ 외과적 수술 후 2주된 여성

관련정보

1. 여성 생식기 수술과 관련된 조직과 구조

1) 자궁의 지지조직

내부생식기를 정상위치로 유지하기 위해서, 자궁을 지지하는 인대 및 근육의 역할이 중요하다.

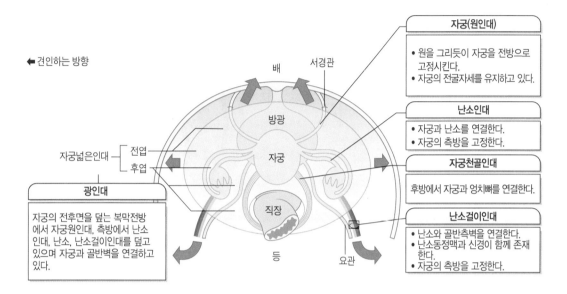

자궁(원인대)
- 원을 그리듯이 자궁을 전방으로 고정시킨다.
- 자궁의 전굴자세를 유지하고 있다.

난소인대
- 자궁과 난소를 연결한다.
- 자궁의 측방을 고정한다.

자궁천골인대
후방에서 자궁과 엉치뼈를 연결한다.

난소걸이인대
- 난소와 골반측벽을 연결한다.
- 난소동정맥과 신경이 함께 존재한다.
- 자궁의 측방을 고정한다.

광인대
자궁의 전후면을 덮는 복막전방에서 자궁원인대, 측방에서 난소인대, 난소, 난소걸이인대를 덮고 있으며 자궁과 골반벽을 연결하고 있다.

◀ 견인하는 방향

배　서경관
방광
자궁넓은인대 — 전엽 / 후엽
자궁
직장
등　요관

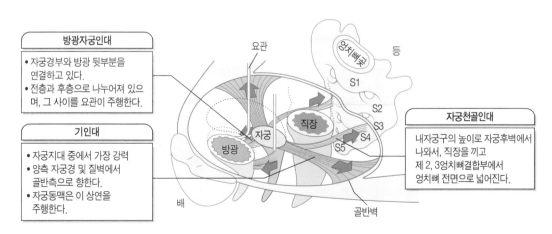

방광자궁인대
- 자궁경부와 방광 뒷부분을 연결하고 있다.
- 전층과 후층으로 나누어져 있으며, 그 사이를 요관이 주행한다.

기인대
- 자궁지대 중에서 가장 강력
- 양측 자궁경 및 질벽에서 골반측으로 향한다.
- 자궁동맥은 이 상연을 주행한다.

자궁천골인대
내자궁구의 높이로 자궁후벽에서 나와서, 직장을 끼고 제 2, 3엉치뼈결합부에서 엉치뼈 전면으로 넓어진다.

요관　엉치뼈곶　등
S1
S2
S3
직장　S4
자궁　S5
방광
배　골반벽

▲ 자궁 지지 인대

2) 혈관의 주행

(1) 혈관의 주행

- 난소에 이르는 동맥은 난소동맥과 자궁동맥의 2종류이다.
- 난소동맥은 복부대동맥에서 직접 분기한다.
- 좌측난소정맥은 좌측신정맥으로 흘러 들어가고, 우측난소정맥은 하대정맥으로 직접 흘러 들어간다.
- 자궁으로의 혈액공급은 주로 내장골(속엉덩)동맥에서 분기한 자궁동맥에 의한다.

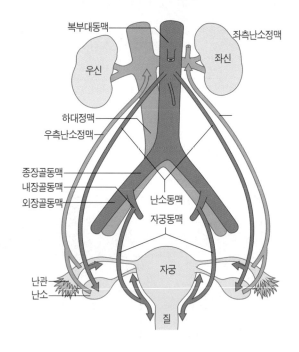

(2) 자궁 · 난관 · 난소의 동맥계

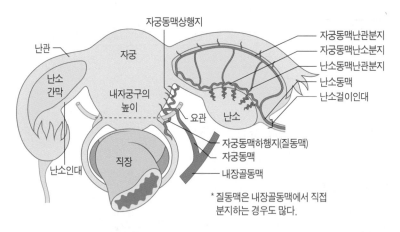

* 질동맥은 내장골동맥에서 직접 분지하는 경우도 많다.

- 자궁동맥은 자궁벽을 따라 상행하여 난관지와 난소지로 분기되고, 난소지는 고유난소인대를 따라 뻗어있다.
- 자궁동맥은 내자궁구의 높이에서 상하로 나뉘며, 상행지는 자궁저분지, 난소분지, 난관분지, 자궁원인대내 동맥으로 분지한다.
- 난소분지와 난관분지는 난소동맥과 결합되어 있다.

3) 요관의 주행

요관은 자궁넓은간막 후벽을 따라서 자궁동정맥 아래를 빠져나가듯이 주행하고, 기인대의 상측을 스쳐서 방광자궁인대를 가로질러(방광자궁인대의 전층과 후층 사이를 지나서) 방광으로 들어간다.

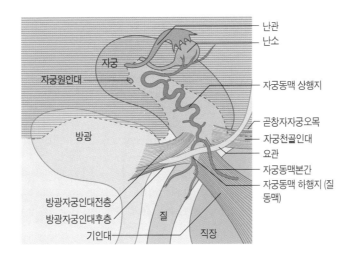

4) 림프의 주행

- 림프의 주행은 자궁내막암이나 난소암 등의 림프행성 전이와 관련하여 중요하다.
- 림프절곽청술에서 중요한 개념은 부대동맥림프절과 골반림프절이다.

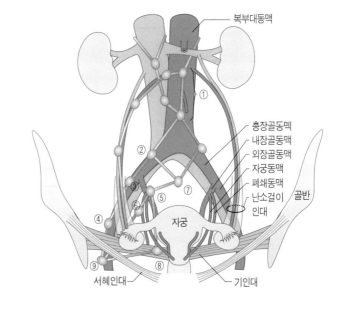

부대동맥림프절

① 요림프절

골반림프절*

② 총장골림프절   ⑥ 폐쇄림프절
③ 외장골림프절   ⑦ 엉치림프절
④ 서혜부위림프절   ⑧ 기인대림프절
⑤ 내장골림프절   ⑨ 서혜부림프절

* 「자궁경부암취급규약 개정 제2판」 및
「자궁내막암 취급규약 개정 제2판」에
준한 것을 게재하고 있다.

2. 생식기 조기암의 림프절 전이

- 조기암에서는 다음과 같은 림프절 전이를 나타낸다.
- 자궁내막암의 부대동맥림프절 곽청에서는 Ⅰa기와 원격전이례에서는 시행하지 않는 것이 공통적이지만, 그 외의 stage에서는 곽청할 것인지 하지 않을 것인지는 시설에 따라서 달라진다.
- 진행암인 경우, 다양한 전이(직접침윤과 림프절전이 등)를 나타낸다.

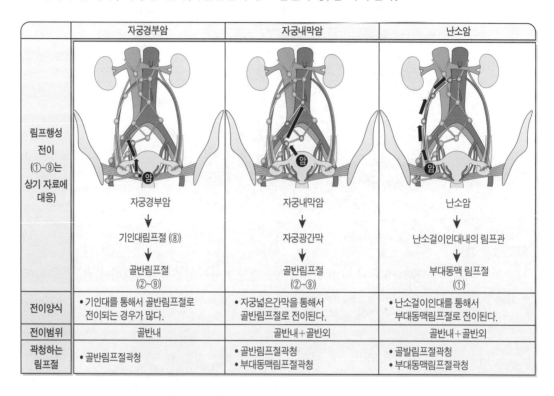

림프행성 전이 (①~⑨는 상기 자료에 대응)	자궁경부암	자궁내막암	난소암
	자궁경부암 ↓ 기인대림프절 (⑧) ↓ 골반림프절 (②~⑨)	자궁내막암 ↓ 자궁광간막 ↓ 골반림프절 (②~⑨)	난소암 ↓ 난소걸이인대내의 림프관 ↓ 부대동맥 림프절 (①)
전이양식	• 기인대를 통해서 골반림프절로 전이되는 경우가 많다.	• 자궁넓은간막을 통해서 골반림프절로 전이된다.	• 난소걸이인대를 통해서 부대동맥림프절로 전이된다.
전이범위	골반내	골반내+골반외	골반내+골반외
곽청하는 림프절	• 골반림프절곽청	• 골반림프절곽청 • 부대동맥림프절곽청	• 골발림프절곽청 • 부대동맥림프절곽청

3. 여성생식기 수술의 종류

1) 자궁근종절제술

- 자궁근종만을 제거하는 수술요법
- 종류
  - 복식자궁근종절제술
  - 복강경하 자궁근종절제술
  - 로봇하 자궁근종절제술
  - 자궁경하 자궁근종절제술
- 수술방법 : 환자의 연령, 출산력, 출산욕구, 근종의 상태 및 크기, 임신여부를 고려하여 결정한다.

2) 자궁절제술

- 부인과 수술 중 가장 많이 하는 수술로 자궁을 수술적으로 제거하는 요법으로 자궁근종, 악성종양, 자궁내막증식증, 자궁선근종, 자궁출혈, 골반염증성 질환, 자궁탈수증 등에 적용한다.
- 종류 : 복부자궁절제술(abdominal hysterectomy, TAH)
  - 질식 자궁절제술(vaginal hysterectomy, VTH)
  - 복강경하 자궁절제술(laproscopic assisted hysterectomy, LAH)
- 근치 자궁절제술(radical hysterectomy)은 자궁경부, 체부, 양쪽 난관과 난소, 질의 일부, 자궁주위 임파선과 인대까지 제거하는 광범위 수술이다.

3) 자궁경부암 수술요법

- 상피내암 : 루프환상투열 절제술, 원추절제술, 냉동요법, 전기소작 등의 보존요법 후 추척 관찰한다.
- Stage Ⅰa1 : 원추절제술, 자궁절제술
- Stage Ⅰa2 : 변형된 근치지궁절제술
- Stage Ⅰb & Ⅱa : 근치적 자궁절제술
- Stage Ⅱb ~ Ⅳ : 방사선요법과 항암화학요법, 면역요법 실시

4) 난소암 수술

- 시험적 개복술 : 적절한 수술방법을 결정하기 위해 시험적 개복술을 통해 수술적 병기를 정한다.
- Stage Ⅰ : low grade, low risk : 자궁절제술과 난소난관절제술을 시행한다
- Stage Ⅰ : high grade, high risk : 자궁절제술과 난소난관절제술과 난소암이 잘 전이하는 대망을 절제(omentectomy)한다.
- 2차 추시 개복술(second look operation) : 수술과 항암화학요법을 끝내고 화학요법의 효과 확인, 잔류 종양의 확인 및 제거, 현재 종양의 조직적 검사를 위해 시행한다.

5) 외음암 수술요법

- 단순외음절제술(simple vulvectomy)은 치구, 대음순, 소음순, 음액을 제거하는 것이다. 음핵에 암이 없으면 보존하기도 한다.

- 근치외음절제술(radical vulvectomy)은 외음 전체, 심부조직, 대퇴 삼각부 조직, 회음 임파절을 떼어내는 수술이며 피부이식이 필요하다. 적응증은 외음의 악성종양, 외음의 파제트병이다.

	술식	주요적응
자궁절제술	질식 단순자궁절제술 (전자궁적출술)	• 자궁근종 • 자궁경부암 0기 등
	복식 단순자궁절제술 (전자궁적출술)	• 자궁근종 • 자궁경부암 0기 • 난소암 등
	변형근치 자궁절제술	• 자궁경부암 Ⅰa기 • 자궁내막암
	근치 자궁절제술	• 자궁경부암Ⅱ기~Ⅲ기 • 자궁내막암
그 밖의 수술	Le Fort수술	• 자궁탈출
	자궁중격절제술	• 자궁기형
	자궁경부원추절제술	• 자궁경부암 0기
	자궁근종절제술	• 자궁근종
	난소낭종절제술	• 양성난소종양

▲ 여성생식기 수술의 종류

Tip 자궁절제술의 종류

- 근치자궁절제술은 절제하는 범위가 넓고 침습도가 높아 합병증의 빈도가 높다.
- 침습도가 낮은 변형근치자궁절제술이 선호된다.

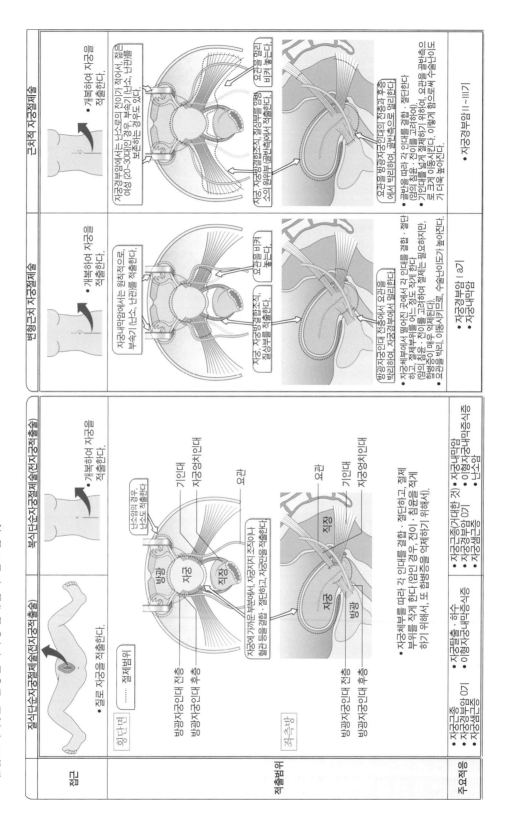

	질식단순자궁절제술(전자궁적출술)	복식단순자궁절제술(전자궁적출술)	변형근치 자궁절제술	근치적 자궁절제술
접근	• 질로 자궁을 적출한다.	• 개복하여 자궁을 적출한다.	• 개복하여 자궁을 적출한다.	• 개복하여 자궁을 적출한다.
작출범위				
주요작용	• 자궁근종 • 자궁경부암 0기 • 자궁샘근증	• 자궁탈출·하수 • 0(형)자궁내막증식증 • 자궁근종(거대한 것) • 자궁경부암 0기 • 자궁경부이형성증	• 자궁내막암 • 0(형)자궁내막증식증 • 난소암	• 자궁경부암Ⅱ~Ⅲ기

4. 방사선 요법

방사선 요법은 외부 방사선 조사 및 강내 방사선 조사가 흔히 사용되며 외부 방사선조사는 림프절의 치료와 원발 종양을 축소시키기 위해, 강내 근접조사는 중앙 종양에 추가적으로 방사선조사량을 증가시키기 위해 사용된다.

수술 후 방사선치료는 수술 절제 경계부위가 암병터에 근접하거나 암의 침윤이 있는 경우, 골반림프절 전이가 발견되었을 경우 재발률을 줄이기 위해 시행할 수 있다.

1) 내적 조사법

자궁경부에 라듐을 삽입하여 골반 양측 벽과 림프절에 투여한다.

전신 마취된 상태에서 방사선요법 기구가 자궁경부 내부와 질에 위치하게 된다. 회복실에서 위치 확인을 위하여 X선 촬영을 한다.

방사선과 의사에 의해 방사능 물질(radium이나 cesium)을 기구 안으로 넣는다.

방사능 물질을 환자의 몸 안에 24~72시간 정도 둔다. 치료는 환자의 질병단계와 방사능에 대한 환자의 반응, 견디는 정도에 따라 다르다.

(1) 내부 방사선 조사 시 간호

내부 방사선 치료는 입원이나 특수 외래에서 실시하며 방사선 안전 요원은 방사선 물질에 대하여 관리하여야 한다. 환자를 간호할 때는 납 앞치마를 꼭 착용한다.

● **삽입 전 간호**
– 배변 감소시키기 위한 저잔여식 제공
– 방광팽만을 예방하기 위한 유치도뇨관을 삽입한다.
– 질입구는 포비돈 요오드(povidone iodine)과 같은 소독액으로 세척한다.
– 삽입 절차에 대하여 설명한다.
– 삽입 후 보호자 면회 제한에 대하여 설명한다.
– 호흡운동, 관절운동, 자세변경 등에 대한 시범을 보인다.
● **삽입 중 간호**
– 전신 마취 하에서 수술 한다.
– 4시간마다 활력증후를 측정한다.
– 2시간마다 심호흡과 관절가동범위 운동을 격려한다.
– 몸을 옆으로 돌리지 않게 한다.
– 침상머리는 15도 가량 올린다.
– 식이는 맑은 미음에서 저잔여식으로 변경한다.
– 매일 3000mL까지 비경구적 또는 경구로 수분을 제공한다.
– 회음부 간호는 하지 않는다.
– 섭취량과 배설량을 측정한다.
– 병실의 어떠한 기구나 시트를 삽입기나 방사선원의 소실을 예방하기 위해 치료가 끝날 때까지 병실에 둔다.
– 정서적 지지를 해준다.

– 내부 방사선원이 제자리에 있는 한 대상자는 방사능이 있는 것으로 간주된다.
● 처치 후 간호
– 부동으로 오는 혈전성 정맥염, 폐색전증, 피부자극, 설사, 경련, 배뇨곤란, 질협착 등과 같은 합병증에 대한 사정을 한다.
– 라듐 제거 후 유치도뇨관을 제거하고 처음 침상에서 일어날 때 도움을 준다.
– 제거하는 날 퇴원하며 치료 후 방사능이 있지 않음을 확신시킨다.

(2) 외적 조사법

외부 방사선 요법으로 큰 전압의 단파는 피부에 흡수되지 않고 피부를 통과하기 때문에 림프계를 통한 전이를 막기 위해 골반 외부에서 직접적으로 조사한다.

● 치료 전 간호
– 기계에 대한 설명을 해준다.
– 방사선 치료사가 차폐막 뒤에 있다고 이야기해준다.
– 몇 분 동안 그대로 체위 유지하도록 한다.
● 치료 중 간호
– 좋은 피부 상태를 유지하기 위하여 자신의 피부를 사정하도록 교육한다.
– 방사선 치료사가 표시해놓은 표시가 지워지지 않도록 한다.
– 피부가 벌겋거나 가려우면 의사의 처방에 따르도록 한다.
– 헐렁한 속옷을 입도록 한다.
– 공기요, 기포 패드, 양피로 된 요를 사용한다.
– 고단백, 부드러운 식이, 비타민을 복용하도록 한다.
– 밝고 깨끗하고 조용한 환경을 유지한다.
– 금기가 아니면 매일 3000ml의 수분을 섭취하도록 한다.
● 치료 후 간호
– 감염 예방과 영양섭취, 합병증 예방에 대한 교육을 해준다.

5. 화학요법

1) 화학요법의 금기사항

- 감염 : 항암제가 면역성을 억제하고 WBC를 감소시키기 때문에 가능한 피한다.
- 외과적 수술 : 수술 후 5~7일간 금한다.
- 간, 신장 부전 : 약물은 간과 신장에서 배설되므로 BUN/creatine, OT/PT를 확인한다.
- 방사선치료 후 3~4주간 금한다.
- 임신 첫개월은 위험률이 높으므로 주의를 요한다.
- 항암제의 골수 억제작용으로 WBC 2000 이하가 되면 용량을 감소시키거나 연기한다.

2) 적응증

- 자궁내막암, 자궁경부암 : 진전된 암과 넓게 확산된 전이에 화학요법 실시 후 외과적 수술을 한다.
- 난소암 : 전자궁절제술, 양측 난관난소절제술과 함께 화학요법을 실시한다.

PART 7

사회문화적
건강문제를 가진
여성간호

한부모 간호

key point

» 한부모(single parent)란 미혼모 보다 포괄적 용어로, 혼인 여부와 관계없이 배우자와의 별거, 이혼, 이별, 입양 등으로 부모 중 한 사람이 아이를 양육하거나 책임지는 경우를 의미한다. 미혼모는 결혼하지 않은 상태로 아기를 낳은 여자를 말하며, 미혼부는 결혼하지 않은 상태로 아기가 있는 남자를 말한다.

» 미혼모 문제는 시대적, 윤리적, 개인적 가치관의 차이에 따라 다르다. 우리 사회에서 미혼모에 대한 사회적 낙인과 부정적 견해로 미혼모로 살기 어려워서 불법적 낙태나 입양을 선택하는 경우가 많다.

» 미혼모는 어린 나이에 임신해서 합병증의 발생 가능성이 높고, 임신 진단이 늦어서 적절한 산전간호를 받지 못하는 등의 건강문제를 가진다.

» 미혼모는 빈곤, 죄책감, 수치심, 소외감 등 사회심리적 위기상황에 처할 수 있다.

비판적 사고 훈련

사례

18세 여고생이 임신 4개월째로 현재 고등학교를 장기 결석 중이다. 간호사인 당신이 분만실 밤번 근무를 하고 있을 때 여성의 전화를 받게 되었다.

"아기를 낳고 싶은데 아무리 생각해도 키울 수가 없어요. 배가 불러오면 미혼모 시설에 들어가서 아기를 낳으려고 해요. 그런데 아기를 낳은 후 아기와 함께 마땅히 갈 곳도 없고 돈도 없어요. 아직 고등학교 졸업도 못했고, 특별한 기술도 없어서 직업을 구할 수가 없어요. 아기는 내가 키우고 싶은데… 그럴 수 없어서 너무 불안해요. 지금 돈이 없어서 산부인과도 못가고 있고, 부모님께 말조차 꺼내보지도 못한 상태이고, 지금 내가 임신한 걸 아무도 몰라요. 남자친구는 내가 낙태한 걸로 알고 있구요. 지금은 헤어지고 연락도 안돼요. 부모님한테 말씀드리지 못한 이유는 저희 집 형편이 어려워서 말을 해도 해결할 방안이 없을 게 뻔하거든요. 정말 이제 죽었으면 좋겠어요. 어찌해야 할까요?"

1 당신은 여학생의 전화를 받고 어떻게 상담을 할지 기술하시오.

2 인터넷에 여학생이 자기 사연을 올렸을 때 댓글로 제시된 내용들이다. 다음의 내용 중 당신과 생각이 같거나 다른 내용이 무엇인지 비교해보시오.

- 안녕하세요. 저하고 나이가 같네요. 먼저 이것을 짚고 넘어가야 되겠네요. 저라면 님처럼 하지 않았을 것 같아요. 남자친구한테 왜 사실을 숨깁니까? 일은 같이 저지르고 왜 혼자 책임지려고 하세요? 아이를 낙태할 돈이 없으면 남자친구한테 말해서 돈이라도 가져오라고 하셨어야죠. 지금이라도 남자친구를 찾아야 합니다.
- 님은 꿈도 없어요? 대학가서 열심히 공부해서 직업을 갖고 사랑하는 사람과 결혼을 하고…? 나는 그런 꿈을 꾸고 있거든요. 남자친구하고 관계할 때 피임은 안하셨나요?
- 제가 제일 화가 나는 것은 학교를 관두고 키운다는 것이에요. 이렇게 미련한 선택은 없다고 생각하거든요.
- 부모님한테 숨기신다고요? 물론 부모님이 걱정할까봐 숨기고 싶겠지요. 또 부모님께 말하면 당연히 화를 낼 거고, 당장 애 지우라고 하시겠죠. 그렇지만 제 생각은 학교를 다녀야 된다고 생각하고, 부모님께 말씀드리고 도움을 받는 것이 ○○님이 살 수 있는 길이라고 생각해요.
- 모든 것이 여유롭지 않다면 낙태를 해야되지 않나요? 지금이라도 낙태하는 곳을 찾아보는 것이 최선이네요.
- 아기는 낳으세요. 그리고 입양 확인하세요. 국내나 해외로 입양할 수 있습니다.
- ○○님이 선택할 수 있는 것은 아무것도 없네요. 도움을 받을 수 있는 미혼모 기관을 찾아보고 일단 상담 받는 것이 우선입니다.

3 여학생과 전화 상담을 할 때 고려해야 하는 상담 원칙은 무엇인가?

4 이런 상황에서 우선적인 문제를 확인하고, 해결방법을 구체적으로 나열하시오.

비판적 사고중심 학습

학습목표

- 원치 않는 임신의 발생 원인을 설명한다.
- 미혼모의 건강문제를 설명한다.
- 미혼모에게 간호과정을 적용한다.

미혼모의 특성

- 대부분 비의도적이고 원치 않는 임신이다.
- 미혼모의 연령대가 10대부터 30대에 이르기까지 다양하다.
- 임신사실을 늦게 인식하고 낙태시기를 놓쳐서 출산한다.
- 성과 피임 지식이 부족하다.
- 10대 미혼모는 재임신 가능성이 높다.
- 흡연, 음주 및 약물 남용의 빈도가 높다.
- 적절한 지지체계가 부족하고, 부모의 보호를 받지 못한 상태에서 임신과 출산을 한다.
- 학력과 직업 활동을 중단하게 되고, 저소득의 불안정한 직업에 종사한다.
- 양육을 선택하는 미혼모가 증가하고 있다.
- 미혼모가 아기를 양육할 경우, 취업하거나 결혼할 때 부정적 편견과 차별을 받는다.

원치 않는 임신 관련 요인

- 성지식 부족과 피임 실패
- 조기 성관계
- 가족의 빈곤, 폭력과 방임
- 낮은 자아정체감
- 개방적 성의식 및 행동

미혼모 예방을 위한 관리

① 성교육 프로그램 실시

- 학교의 의무 성교육 시간 증대
- 연령별, 특성별 프로그램 내용과 방식의 다양화
- 성교육 전문가 심화교육과 기반 확대
- 교사의 성교육 참여 의무화
- 현실적이고 실제적인 성교육을 실시

② 피임교육 강화

- 피임에 대한 정확한 지식제공과 실천 강화교육
- 피임도구를 쉽게 구입할 수 있는 접근성을 높임

③ 성적 자율성에 대한 의식과 교육

- 양성평등적 성의식과 성태도를 갖고 성행동에 대한 책임을 갖도록 교육
- 남녀의 성의식과 행동이 다르다는 것을 인식하고 자신의 의사를 분명히 표현하고 결정할 수 있도록 교육

❶ 산전, 산후 관리

- 적절한 산전관리와 영양섭취
- 흡연, 음주, 약물사용 금지
- 임신으로 인한 신체적 변화에 적응
- 임신건강관리와 출산에 대한 정보제공

❷ 자아개념의 조정상담

- 연령에 맞는 활동에 참여하여 심리적 상처 치유
- 임신으로 인한 정서심리 후유증 치료 프로그램 제공
- 미혼모 자조집단 형성
- 인터넷과 전화를 이용한 상담 실시

❸ 학업지속을 위한 방안

- 임신과 출산으로 인한 휴학 및 복학, 전학 처리 지원
- 쉼터 등 미혼모시설과 지역센터를 이용하여 학업과 직업교육을 받을 수 있도록 지원

❹ 가족과의 효과적인 상호작용

- 부모와 사회가 책임감을 가지고 청소년의 원치 않는 임신을 방지하고 건강한 사회구성원으로 복귀할 수 있도록 관심을 가져야 함
- 10대 부모와 가족상담 프로그램 제공
- 미혼모 가족의 연계방안 모색

1 미혼모 발생을 예방하기 위한 가장 적극적인 방법은?

① 부모의 성교육 강화

② 학교에서 성교육 의무화

③ 인터넷과 전화 상담 강화

④ 정부차원의 거리 캠페인 활성화

⑤ 피임관련 정확한 지식과 실천 강화 교육

2 미혼모에게 나타날 수 있는 건강문제가 <u>아닌</u> 것은?

① 저체중아

② 약물남용

③ 제왕절개 분만

④ 임신성 고혈압

⑤ 철분결핍성 빈혈

3 미혼모의 간호중재로 가장 우선적인 것은?

① 입양관련 정보 제공

② 아기 아빠를 찾도록 돕기

③ 자기 잘못을 뉘우치게 함

④ 미혼모 자조집단을 소개함

⑤ 미혼모의 자립을 위한 정부 지원 소개

정답   1. ⑤ 2. ③ 3. ⑤

관련정보

1. 산과적 간호윤리 : 생명윤리의 4원칙

1) 자율성 존중의 원칙

의료행위에서 대상자의 자율성을 최대한 존중해야 한다는 원칙이다. 대상자의 치료와 간호를 결정할 때 충분한 정보와 설명을 제공한 상태에서 본인의 동의(서)가 있어야 한다.

2) 악행금지의 원칙

의료현장에서 환자의 피해를 막기 위한 기준으로, 의도적으로 적절하지 않은 연구나 치료행위를 통해 환자가 피해를 받는 것을 예방하려는 원칙이다. 많은 사람에게 이익을 가져온다 할지라도 환자 당사자에게 어떠한 해를 끼쳐서는 안된다. 의료행위는 필연적으로 해악의 위험을 동반하지만 의도적 해악을 피하고, 환자의 건강회복과 치유라는 큰 목적을 위해서 시행되어야 한다.

3) 선행 원칙

치료결정이 환자의 가족에게 유익하여야 한다는 원칙이다. 선행은 타인의 고통을 덜어주기 위하여 적극적으로 노력하는 행위를 의미하며, 타인에게 해를 입히지 않도록 배려하는 행위이다.

4) 정의 원칙

정의란 각자에게 각자의 몫을 돌려주는 것으로 적절한 보상과 처벌을 받는 것이다. 모든 결정은 공평해야 하며, 그로 인한 이익의 분배는 정의롭게 이루어져야 한다는 원칙이다.

2. 인공임신중절 관련 법령과 윤리문제

실제로 많은 인공임신중절이 자녀를 원치 않거나 사회경제적인 이유 등으로 인해 시행되고 있다. 현행 모자보건법에서는 인공임신중절의 허용한계를 임신부의 건강이나 태아의 이상 등과 같은 경우로 매우 제한하고 있지만, 형법상 낙태죄를 적용하여 처벌하는 경우는 극히 드문 상황이다. 이러한 법과 현실의 괴리는 인류가 지켜야 할 중요한 가치 중의 하나인 생명의 존엄성뿐만 아니라 법의 권위 또한 지키지 못한 반증이라고 볼 수 있다.

✐ 모자보건법

제14조(인공임신중절허용한계)

1. 의사는 다음 각호의 1에 해당되는 경우에 한하여 본인과 배우자(사실상의 혼인관계에 있는 자를 포함한다. 이하 같다)의 동의를 얻어 인공임신중절수술을 할 수 있다.
   - 본인 또는 배우자가 대통령령이 정하는 우생학적 또는 유전학적 정신장애나 신체질환이 있는 경우
   - 본인 또는 배우자가 대통령령이 정하는 전염성 질환이 있는 경우
   - 강간 또는 준강간에 의하여 임신된 경우
   - 형법상 임신할 수 없는 혈족 또는 인척간에 임신된 경우
   - 임신의 지속이 보건의학적 이유로 모체의 건강을 심히 해하고 있거나 해 할 우려가 있는 경우
2. 제1항의 경우에 배우자의 사망, 실종, 행방불명 기타 부득이한 사유로 인하여 동의를 얻을 수 없는 경우에는 본인의 동의만으로 그 수술을 행할 수 있다.
3. 제1항의 경우에 본인 또는 배우자가 심신장애로 의사표시를 할 수 없을 때에는 그 친권자 또는 후견인의 동의로, 친권자 또는 후견인이 없는 때에는 부양의무자의 동의로 각각 그 동의에 갈음할 수 있다.

✐ 모자보건법 시행령

제15조(인공임신중절수술의 허용한계)

1. 제14조의 규정에 의한 인공임신중절수술은 임신한 날로부터 28주일 이내에 있는 자에 한하여 할 수 있다.
2. 제14조 제1항 제1호의 규정에 의하여 인공임신중절수술을 할 수 있는 우생학적 또는 유전적 정신장애나 신체질환은 다음 각 호와 같다.
   - 유전성 정신분열증
   - 유전성 조울증
   - 유전성 간질증
   - 유전성 정신박약
   - 유전성 운동신경원 질환
   - 혈우병
   - 현저한 범죄경향이 있는 유전성 정신장애
   - 기타 유전성 질환으로서 그 질환이 태아에 미치는 위험성이 현저한 질환
3. 제14조 제1항 제2호의 규정에 의하여 인공임신중절수술을 할 수 있는 전염성질환은 태아에 미치는 위험성이 높은 풍진, 수두, 간염, 후천성면역결핍증 및 전염병 예방법 제2조 제1항의 전염병을 말한다.

3. 미혼모 발생요인별 중재

다음 그림은 미혼모 발생을 초래하는 원인과 과정을 구조화 한 것이다.

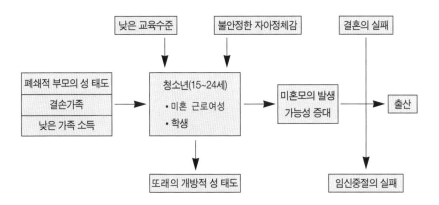

발생요인	세부요인	중재	세부 중재
사회구조적 요인	가치관 혼돈	성 윤리관 정립	사회일반의 성 의식 성교육 실시대상의 범위 확대 자발적인 참여유도
	성 역할 변화 대중매체의 영향	사회적 책임감 형성 매스컴의 기능 강화	사회운동 캠페인 공익광고 청소년 대상 정규 프로그램 확대
	제도적 장치의 미비	제도적 조건 정비	여성관련 행정조직의 강화 관련법률의 정비 여성상담센터의 확충
가족요인	결손가족	가족기능 강화	가족상담제도의 다원화, 전문화 저소득 및 결손가정에 대한 지원 강화
	부모의 폐쇄적 성 태도	부모 성교육	부모교육 강화
	저소득 수준	경제적 지원	
개인적 요인	성지식 결여 (낮은 교육 수준)	청소년 성교육	학교 및 기관 성 교육의 개선 성교육 종합 전담기구의 설치 교사 자질 향상 교육내용 및 방법의 다양화
	자아정체감의 불안정	자아기능 강화	상담 및 청소년 활동 프로그램의 전문화
	대인관계	사회 적응능력 개발	지역사회기관의 기능 활성화 민간단체의 활성화 지역사회기관의 연계통로 결성 및 활성화 지역사회시설의 개방

CHAPTER

02

성폭력 피해 여성 간호

 key point

>> 성폭력은 성을 매개로 상대방의 의사에 반하여 가해지는 성적 행위로 원하지 않은 신체적, 정신적, 언어적 폭력을 포괄한다.

>> 성폭력 피해 유형은 강간, 성추행, 성희롱 등이 있다.

>> 성폭력의 피해 증상은 정서반응, 신체장애, 성적기능 장애, 사회적 기능장애, 가족관계의 변화로 나타날 수 있다.

>> 성폭력 피해 치료의 목적은 원치 않는 임신과 성전파성 질환을 예방하는 것이다.

>> 성폭력 피해 여성에게 적절한 의료조치를 취하고 증거를 확보하며, 추후 지원센터 연계를 통해 심리적 지지를 한다.

비판적 사고 훈련

사례

당신이 분만실 밤번 근무를 하고 있을 때 여성의 전화를 받게 되었다. 아주 작은 목소리로 자기 이야기를 하면서 임신을 예방해주는 약이 있다고 들었는데 어디를 가야 그 약을 구입할 수 있는지를 알려달라는 내용이었다. 다음은 여성의 전화내용을 요약한 것이다.

지방에서 올라와 학교 앞에서 자취를 하고 있는 대학교 신입생인 여성은 학기 초 동아리 신입생 환영회에 참여하여 동아리 선배들과 인사를 하고 친근한 분위기로 술을 많이 마셨다. 여성의 자취집이 환영회 장소와 가까워서 여자 친구 한 명과 남자 선배 한 명이 집에 와서 같이 있게 되었는데, 술에서 깨어보니 여자 친구는 없고 옆에는 선배만 있었으며, 강제로 성폭력을 당한 것을 알게 되었다. 성폭력을 당한 후에 아무 것도 먹을 수도 마실 수도 없었으며 어떤 누구도 만나고 싶지 않았다. 두려워서 학교에 갈 수도 없었다.

1 간호사인 당신은 여성이 말하는 내용에서 어떤 문제를 확인해야 하는가?

2 여성의 문제를 해결하기 위한 중재를 기술하시오.

3 성폭력 피해에서 대처방법을 논의해 보시오.

4 성폭력 예방을 위한 방안을 논의해 보시오.

- 성폭력의 정의와 유형을 설명한다.
- 성폭력이 미치는 영향을 설명한다.
- 성폭력 피해여성에게 간호과정을 적용한다.

성폭력

① 정의와 유형

1) 성폭력

성희롱이나 성추행, 강간 등을 모두 포괄하는 개념으로 성을 매개로 상대방의 의사에 반하여 이루어지는 성적 가해행위를 뜻한다. 성폭력은 성을 매개로 여성에게 가해지는 일련의 강제 및 통제 행위로서 신체적, 정신적, 언어적 폭력을 포괄한다.

2) 성희롱

이성에게 상대편의 의사에 관계없이 성적으로 수치심을 주는 말이나 행동이다. 법률적 정의를 살펴보면, 국가인권위원회법, 남녀공용평등법과 남녀차별금지법에서 "업무와 관련해 성적 언어와 행동 등으로 성적 굴욕감과 혐오감을 느끼게 하거나 고용상 불이익을 주는 행위"라고 말한다.

3) 성추행

직접 성기 삽입을 제외한 신체접촉을 가하여 성적 모욕을 느끼게 하는 행위를 말한다.

4) 강간

성폭행으로 상대방의 동의 없이 강압이나 강요, 사기로 자신의 성기를 타인의 성기, 항문 또는 신체의 어느 부분에나 불법적으로 삽입하는 행위를 의미한다.

- 물리적 폭력, 속임, 협박, 신체적 위협 등을 사용한 경우
- 피해자가 너무 어리거나 술이나 마약으로 무기력하거나 의식이 없거나 정신적 혹은 육체적 손상이 있어서 피해자가 동의를 할 수 없거나 동의가 되지 않는 경우
- 남성 성기, 손가락, 물건을 사용해 구강, 질, 항문으로 삽입한 경우

2 성폭력의 영향

- 성폭행 이후 피해 여성들은 임신, 성전파성 질환, 성폭력에 대한 비난, 다른 사람이나 가족들이 자신의 성폭력 피해 사실을 알게 되는 것 등을 걱정한다.
- 성폭력에 대한 초기 반응으로는 충격, 감각의 마비, 허탈감, 부정 등이 있을 수 있다.
- 일반적으로 피해자는 성폭력이 있고 수주에서 몇 달이 지나야 정상 생활로 돌아올 수 있다.

> **Tip**
>
> ● **강간외상증후군(rape trauma syndrome)**
>
> – 강간 피해 여성에게 나타나는 많은 증상들을 강간외상증후군 이라고 한다. 간호사는 강간 피해 여성을 사정하고 간호를 하기 위해 강간외상증후군에 대해서 알아야 한다. 성폭력 직후 나타나는 혼돈과 장애가 특징이며, 장기간에 걸쳐 진행되는 재조직화의 과정 또한 이에 포함된다. 성폭력을 당한 대부분의 사람들은 강간외상증후군을 경험하게 된다.
>
> – 강간외상증후군의 단계와 반응을 보면 급성기에는 불안, 부인, 증오, 공격심, 위축, 죄책감, 정서적 폭발 등을 보이다가, 만성적일 경우 악몽, 공포, 수면장애, 섭취장애, 소화기장애, 성기능장애, 우울증이나 자존감의 상실을 호소하고 약물을 남용하기도 한다.

3 성폭력 피해 여성의 면담과 검사물 채취

성폭력 피해 여성은 성폭력을 당한 뒤에 목욕, 샤워, 좌욕을 하지 말고, 피해 당시 입었던 의복을 그대로 착용한 상태로 가능한 빨리 의료기관을 방문해서 문진, 신체검사와 증거물 채취, 임신과 성병예방을 위한 치료를 받아야 한다. 추후 검사결과와 부인과적 경과를 관찰하고 정신과 상담 등의 관리 또한 받아야 한다.

1) 성폭력 피해 여성 면담 시 유의사항

- 성폭력 직후 피해자는 심리적 스트레스로 성폭력 당시 상황을 이야기하기를 원치 않을 수 있다. 그러나 정확한 병력을 청취하여 피해를 최소화하고, 법적처벌을 위한 자료로 이를 활용할 수 있어야 한다.
- 의사는 법적인 문제 때문에 문진과 증거를 수집하기 위한 의학적 검사를 시행하기 전 환자에게 동의를 받는다.
- 조용하고 안정적인 환경에서 면담을 진행한다.
- 피해자를 혼자 두지 않고 가족, 친구나 상담자 등 지지가 될 수 있는 사람이 함께 있도록 한다.

2) 성폭력 피해 여성 문진

- 전반적인 과거 병력과 부인과 병력을 확인한다. 성폭력에 의한 임신 위험을 평가하기 위해 마지막 월경일, 피임 여부와 다른 병력이 있는지 확인한다.

- 피해자가 성폭력 이후에 목욕을 했는지, 탐폰을 사용했는지, 소변이나 대변을 보았는지, 이를 닦았는지, 옷을 갈아입었는지 등을 확인한다.
- 성폭력 당시의 상황에 대해 구체적인 진술을 얻는다.
- 피해자의 정서적인 상태를 관찰하고 기록한다.

3) 성폭력 피해 여성의 신체검사와 증거물 채취
- 신체적 손상 중 가장 흔한 형태는 얼굴, 목, 팔 등에 생기는 멍과 찰과상 및 출혈 혹은 통증을 동반한 생식기의 손상이다.
- 흔히 관찰되는 성기 손상은 외음부, 회음부, 질 입구의 홍반과 작은 파열이다.
- 성적 접촉이 있었던 부위(질, 항문, 구강)에서는 모두 검체를 채취하여 임질과 클라미디아에 대한 검사를 시행한다.
- 트리코모나스 검사를 위해 질 검사를 시행한다.
- 임신반응 검사, 매독 검사, B형간염 검사, HIV 검사 등을 시행한다.

④ 법적 절차를 위한 증거수집 방법
- 병원에 성폭력 피해자의 신체검진과 증거물 채취를 위해 제작된 성폭력 응급키트를 활용하는 것이 바람직하다.
- 정액을 확인하기 위해 우드라이트 검사(Wood light test)를 시행한다.
- 운동성이 있는 정자, 정액, 병원균을 확인하기 위해 질 분비물을 채취한다.
- DNA 지문감정과 정액성분을 검사를 위한 질 분비물을 채취한다.
- 가해자의 음모를 채취하기 위해 피해자의 음모를 채취한다.
- 피해자의 손톱 밑에서 긁어낸 부스러기, 깎은 손톱 등을 검사한다.
- 피해자의 타액(침)을 채취한다.

⑤ 성폭력 피해 여성의 치료
성폭력 피해 여성의 치료의 목적은 원치 않는 임신 예방과 성전파성 질환을 예방하는 것이다.

1) 응급 사후 피임약 복용
응급피임약은 국내에서는 의사의 처방이 필요한 전문의약품으로 고용량 호르몬제이다. 아래의 방법들은 성교후 3일(72시간)이내에 시행하면 효과적이다. 응급피임약은 모든 경우 임신이 방지될 수 있는 것이 아니므로 임신진단을 받아 임신여부를 확인해야한다.

(1) 노레보(Norlevo)
0.75mg 레보놀게스트렐(levonorgestrel)을 12시간 간격으로 2회 복용하거나, 1.5mg 을 1회 복용한다.

(2) 엘라원(Ellaone)

울리프리스탈(Ulipristal)은 선택적 프로게스테론 수용체 조절제로 배란 전 투여할 경우 배란억제와 지연으로 착상을 막아 사후 피임 효과를 나타낸다. 성관계 후 5일 이내에 30mg 1정을 1회 복용한다.

2) 성매개감염과 감염 예방

(1) 성매개감염의 예방적 치료

피해자가 이미 성매개감염이 있을 경우, 강간으로 새로 발생한 성매개감염을 감별하기는 어렵다. 많은 피해자들은 병원을 추후 재방문을 하지 않기 때문에 예방적 치료가 필요할 수 있다. 임질, 클라미디아, 트리코모나스, 세균성 질염 관련 예방적 치료가 시행되지 않았을 경우, 피해자는 임신과 성매개감염 검사를 위해 2주 후 재방문히도록 한다.

- 임질 : Ceftriaxone 125mg 근육주사
- 클라미디아 : Azithromycin 1g 1회, Doxycycline 100mg 하루 2회, 1주일 복용
- 트리코모나스, 세균성 질염 : Metronidazole 2g 1회 복용

(2) B형 간염접종

- 질, 구강, 항문 삽입이 있을 경우 접종이 필요함
- B형간염은 성관계 시 HIV보다 20배 감염성이 높음(성폭력에 의한 HIV감염은 매우 낮음(0.1~0.3%))

(3) 파상풍 예방접종

상처가 심할 경우 접종이 필요하며, tetanus 0.5ml 근육주사함

3) 추후 관리

응급조치 이후, 입원을 요하는 중증 손상이 없으면 집에 돌아간다. 신체손상 회복, 임신과 성병예방 치료의 효과를 확인하기 위해서 이후 외래 방문이 필수적이다. 또한, 추후 성폭력 지원센터 등과 연계를 통한 상담 치료가 필요하다.

C 비판적 사고중심 간호실무

1 간호 사정

1) 신체적 증상

- 순환기계 : 홍조, 발한, 열감, 냉감
- 호흡기계 : 한숨, 과호흡, 어지러움
- 비뇨 생식기계 : 빈뇨, 성기능장애, 성적 불안감, 성기 열상, 감염
- 정신계: 주의력 손상, 집중력 약화, 불면증

2) 정서적 증상

- 쇼크, 불신, 부정, 굴욕감, 대인기피증, 자포자기, 공격성 경향, 자살시도
- 죽음에 대한 공포, 분노, 수치, 죄의식, 자책, 복수심, 경계심

3) 성적 증상

- 성불감증, 성적 죄의식, 성적 불안감, 낮은 성적 자아존중감
- 성행위에 대한 혐오감
- 성에 대한 증오와 두려움
- 여러 남자와 성관계를 맺음

4) 사회적 증상

- 직장생활 포기, 학업 중단, 타인과 교류를 싫어하고 피함
- 남자들을 모두 동물처럼 느낌
- 친구와 관계 단절

5) 가족반응

- 부모 : 걱정과 보호, 부끄럽게 여김, 놀라고 당황하나 사태 수습, 술만 마심, 식음전폐
- 시부모 : 관계 끊김
- 배우자 : 이혼, 술이 늘고 거칠게 대함, 생활비를 주지 않음
- 형제 : 더욱 가까워지거나 혹은 대화가 없어짐

2 간호 중재

① 간호사의 성폭력에 대한 가치, 태도, 신념은 피해자 간호에 영향을 미치므로 사전에 점검해야 한다.
② 피해자를 존중하며, 무비판적으로 정서적 지지를 제공한다.
③ 피해자의 이야기를 적극적으로 경청한다.
④ 피해자의 권리를 존중하고 의사결정하도록 돕는다.
⑤ 사생활 보호에 초점을 둔다.

⑥ 감염예방, 임신예방을 우선적으로 고려한다.

⑦ 응급사후피임약을 사건 발생 후 72시간 이내에 복용한다.

⑧ 신체적, 정신적 손상의 증상 및 징후의 객관적 기록과 법적 증거자료를 수집한다.

- 증거물 확보 차원의 사진촬영 필수
- 사실보전 등을 위해 사전 피해자의 동의서 작성
- 16세 미만일 경우 소아과 의사에게 보고, 부모나 보호자의 서명 필요

⑨ 성폭력은 범죄임을 인식시키고, 가해자의 범죄행위에 대한 법적 대응을 돕는다.

⑩ 지역사회 내 성폭력 지원 기관을 안내한다.

여성폭력피해자 원스톱지원센터, 아동성폭력피해자를 위한 해바라기 아동센터, 성폭력전담 의료기관, 성폭력피해자 보호시설, 여성긴급전화 1366 등

⑪ 신체검진과 임상검사를 실시한다.

- 간호사나 여자 직원이 있는 곳에서 실시
- 타박상, 통증, 출혈여부, 기타 신체부위의 외상, 손상 등을 사정
- 골반과 생식기 검사(질 분비물 채취, 정자검사 및 임균배양)
- 임신 가능성이 있는 경우 임신 반응검사 실시
- 피해자의 정서적 상태 사정(피해자 반응, 지남력, 폭력에 대한 감정 등)

⑫ 정서, 심리적 간호를 한다.

- 검진과 상담 시 비밀 보장
- 주위 사람들 교육(강간은 개인의 성적 문제가 아니라 사회적 범죄문제임을 인식시키고, 과잉반응을 삼가도록 하며 피해자를 이해할 수 있도록 도움)

사례

응급실에서 밤번 근무를 하던 간호사는 성폭력 피해자인 여성으로부터 전화를 받았다. 여성은 회사에서 야근을 하던 중 사무실에서 직장 남자 동료로부터 2시간 전에 강간을 당했는데, 지금 외음부에 상처가 있으며 약간의 질 출혈이 있다고 흥분해서 울면서 전화하였다. 여성은 회사에 지금 혼자 있는데 어떻게 해야 할지 모르겠다고 도와달라면서 무섭다고 하였다.

1 여성의 전화를 받은 간호사의 적절한 반응은?

① "지금 그대로 병원으로 오셔야 합니다."

② "일단 옷은 갈아입고 벗은 옷은 가방에 넣어서 오세요."

③ "감염 예방을 위해서 먼저 질 부위를 따뜻한 물로 씻어야 합니다."

④ "보호자에게 연락해서 경찰서에 먼저 신고하는 것이 좋겠습니다."

⑤ "지금 너무 흥분한 상태이니 먼저 안정을 취하고 일단 쉬셔야 합니다."

2 여성이 응급실에 도착했을 때 가장 우선적으로 고려할 사항은?

① 원치 않는 임신의 예방 치료

② 질 출혈의 원인 확인과 치료

③ 성폭력 피해 신고와 법적 조치

④ 성병 예방을 위한 검사와 치료

⑤ 가해자에 대한 정확한 정보 확인

3 여성이 응급실에 도착해서 문진할 때 고려해야 할 것을 모두 고르시오.

① 피임 여부

② 성폭력 발생 시간

③ 마지막 생리 시작일

④ 과거 성병감염 여부

⑤ 성폭력 피해 후 목욕 여부

4 성폭력 피해자 키트를 사용해서 증거물 채취를 하려 할 때, 해당되지 <u>않는</u> 것은?

① 소변

② 타액

③ 음모

⑤ 혈액

④ 머리카락

5 여성이 임신 가능성으로 걱정을 하고 있을 경우 간호사의 가장 적절한 반응은?

① "아무 걱정하지 말고 의료진을 믿고 따르면 됩니다."

② "병원을 다시 방문해서 임신 반응검사를 받아야 합니다."

③ "바로 예방적 응급피임약을 먹으면 절대 임신은 불가능합니다."

④ "임신보다는 성병이나 에이즈 감염 예방과 치료가 우선적입니다."

⑤ "실제로 성폭력으로 임신이 되는 확률이 매우 낮으니 걱정하지 마세요."

1. 성폭력 응급 키트

- 국가에서 성폭력 피해자를 위한 성폭력 증거채취를 위한 키트(강간키트, Rape Kit)를 제작하여 보급하고 있다. 성폭력 증거채취 키트는 단계별로 구성되어 있고, 채취절차에 대한 자세한 설명과 수집에 필요한 봉투와 슬라이드 등 재료가 포함되어 있다. 성폭력 증거채취 키트에 따라서 증거를 채취하면 가치 있는 증거 표본의 양, 질, 보존을 보증할 수 있다.
- 키트에 포함되고 채취해야 할 목록은 다음과 같다.

피해자용 키트에 포함되고 수집해야 할 목록
● 의복, 겉옷, 속옷을 보관/수집할 종이봉투
● 깎은 손톱이나 손톱 밑에서 긁어낸 부스러기
● 뽑은 머리카락(최소한 25)
● 구강 내 면봉채취(2)와 도말 슬라이드(1)
● 머리카락과 음모 빗질용 빗
● 성기부위 면봉채취
● 질내 면봉채취(2)와 도말 슬라이드(2)
● 항문 내 면봉채취(2)와 도말 슬라이드(1)
● 뽑은 음모(최소한 20)
● 혈액샘플(EDTA Tubes(2))
● 타액샘플

- 성폭력 응급 키트는 13단계로 시행한다.

단계	구체적 내용
1	증거채취 및 정보, 증거 제공에 대한 동의서 작성
2	성폭력 피해자 의무기록, 진료기록 및 증거물 수집목록 작성
3	이물질, 겉옷, 속옷(팬티)을 제공된 종이봉투에 각각 나누어 보관, 수집
4	파편, 부스러기 채취(정액, 혈액, 침 등 이물질 부스러기, 손톱 등)
5	성폭력 당시 가해자가 흘린 음모 채취 목적(둔부 음모 빗질 후 증거물 채취)
6	당겨서 음모채취(3~5개 정도의 음모를 다양한 부위로부터 채취)
7	질분비물 채취(질 삽입 시도가 있었을 경우에만 채취, 면봉으로 슬라이드 도말)
8	직장 채취(직장 삽입시도가 있었을 경우에만 채취)
9	구강 채취(구강과 성기의 접촉이 있었을 경우에만 채취)
10	머리 뽑기(범행현장 또는 가해자의 몸에서 발견된 머리카락과 비교)
11	타액 채취(피해자의 것인지 감별하기 위해 모든 경우에서 채취)
12	혈액 채취(blood typing과 DNA workup을 위해)
13	해부 그림(ANATOMICAL DRAWINGS, 기록해야 할 다른 발견 사항)

성폭력 피해자용 응급키트   성폭력 응급 키트 내용물

- 진단 시 유의사항
  ① 조용하고 편안한 느낌을 주는 독립된 공간에서 진료한다.
  ② 가능한 신속히 진찰하고 지연되는 경우에는 지연되는 이유를 설명한다.
  ③ 피해자가 원한다면 믿을만한 사람을 함께 있도록 주선한다.
  ④ 진찰자가 남자 의사일 경우에는 간호사나 상담원 등 여성을 입회시킨다.
  ⑤ 의사는 객관적 자세를 유지하고 무비판적인 태도로 임해야 한다.
  ⑥ 진찰에 앞서 피해자에게 자신을 소개하고 진료과정을 설명한다.
  ⑦ 피해자가 기꺼이 진술할 때까지 미뤄두는 것이 좋으나 증거 소멸을 방지하기 위해 검진을 해야 할 경우에는 충분한 설명으로 납득시킨다.
  ⑧ 법적 조치를 취할 것인지 여부를 결정하도록 도와주고 동의를 얻어 경찰에 연락한다. 당장 고발할 의사가 없다 하더라도 추후 마음이 변할 수도 있으므로 증거를 확보해 두는 것이 바람직하다.
  ⑨ 검진 시에 피해자와 가족으로부터 동의서를 받도록 한다.
  ⑩ 피해자의 나이와 배경에 맞는 용어를 사용한다. 성을 연상시키는 단어는 피하고 진찰 결과 정상일 때도 좋다는 말보다는 건강, 정상 등의 용어를 사용한다.
  ⑪ 매 검사마다 피해자의 두려움을 줄여주기 위하여 설명을 곁들이고, 검사에 필요한 시간이나 통증 유무 등에 대해서도 솔직하게 알려준다.
  ⑫ 교차감염을 예방하기 위하여 한 손은 진찰하고 나머지 한 손은 기구를 다룬다. 진찰자의 손톱은 짧게 하고 불필요한 접촉은 금한다.
  ⑬ 질경은 사용 전 따뜻한 물에 적셔 사용하며 윤활제 바른 것을 사용하여 오염시키지 않도록 한다.
  ⑭ 진찰 후 피해자에게 출혈, 상처, 성병, 임신 등의 문제로 의학적 상담이 필요하다면 피해자에게 솔직하고 조심스럽게 알린다.

MEMO

정답 해설

① 청소년기 성건강 간호

> **사례**

1 HPV 백신은 남성에게 해당이 없다는 잘못된 지식과 더불어, 이를 피임행위 전반으로 확대해서 피임은 여성의 책임이라는 속설을 보여주고 있다. HPV는 남성에게 고환암, 남녀 모두에게 항문암, 생식기 사마귀(곤지름) 등을 야기할 수 있으나 흔히 '자궁경부암 백신'으로 불려지는 제한점과 현재 국내에서 남학생에게 접종을 제공하고 있지 않아 이 학생과 같은 오해가 가능하다. 피임을 한 성별의 책임으로 정해버리는 편중된 생각은 무관심과 지식부족, 무책임하고 배려 없는 성 행동으로 이어질 수 있다.

2 남성, 여성 호르몬이 성 기관의 발달과 여성(또는 남성)으로서의 자기인식을 주도하나, 성 역할은 특정 성(sex)에 대해 행동, 능력 등에 여자다움(또는 여자답지 못함)의 의미를 부여하는 사회적 통념과 가치를 반영하는 젠더 개념이 된다. 젠더에 대한 고정관념은 소극적, 유연하지 못한 성 태도를 갖게끔 하며, 판단적 태도로 이어질 수 있다.
예를 들면 유전자 XX는 여성인데, 그렇기 때문에 양육을 담당한다든가 친절, 순종적 역할을 해야 한다고 결부시키거나, '성에 대해서 어느 정도 무지하고 수동적인 것이 여자다운 행동'이라는 제한적 생각은 오류가 된다.

3 HPV 백신 접종이 무조건적 보호를 해주는 만능 총알(magic bullet)이나 자유로운 성 행동을 허용, 유도하는 방편이 될 것이라는 부모의 막연한 우려와 불안은 HPV 백신에 대한 이해부족과 관계된다. HPV 백신은 HPV 200여종 중 몇 가지 고위험 유형에(또는 백신에 따라서 저위험 유형까지도) 대한 면역력을 갖게 하는 것이지만 기타 성 전파성 감염(STI)이나 임신 가능성에서 보호해주는 것은 아님을 구체적으로 이해해야 한다. 마치 간염 예방접종이 모든 위장관 질환에 대한 면역력을 주지 않으며, 간염 예방접종이 접종 후 음주 선택을 권장하는 것이 아님과 같다.

4 자신의 성(sexuality)에 대한 부정적인 인식을 가지고 있는 경우로, 불안정한 성 정체성은 자아에 대한 부정적 인식, 불만, 자신감 저하에 영향을 줄 수 있다. 이는 성에 대한 회피적 태도, 소극적 성 행동으로 이어질 수 있다. 특히 월경을 '불편하고 귀찮은' 현상으로만 인식하지 않고 생명을 품을 수 있는 능력이자 자신의 생체 리듬, 생식건강의 지표가 될 수 있다는 관점이 필요하다.

② 결혼기 여성 간호

> **사례 1**

1 비판적 사고 중심 간호실무의 간호사정을 참조하시오.

2 결혼기 예비부모에게 적절한 부모교육 내용은 임신의 신체 · 심리적 적응, 구체적인 출산준비, 산욕기 관리, 신생아 양육과 신체 · 심리 · 정신적으로 부모 됨을 준비하는 교육 등이다.

> **사례 2**

1 가족계획을 위해서는 여성의 출산연령과 출산간격 및 자녀 수 등의 바람직한 상태에 대해 알고 있어야 한다.
이상적인 출산연령은 20~25세로 보고 있디. 20세 이전 출산은 생식기의 미성숙과 모성으로서의 정서적 미숙성으로 인해 어머니 역할 획득이 어려울 수 있고, 35세 이후는 태아의 유전형질변화, 난자의 수와 기능저하로 임신능력 감소, 임신 및 출산합병증 증가로 초산은 30세 이전이 좋다.
바람직한 출산 간격은 2~4년이며 여성의 영양문제, 산후 호르몬 불균형문제, 사회경제적 요인 등이 고려되어진다.
임신은 결혼 후 6개월~1년 이후를 권하는데 부부로서 사랑의 결실을 바라는 마음을 가졌을 때가 이상적인 시기이고 가족계획은 부부가 어느 때라도 실시할 수 있으나 보통 약혼시기에 하는 것이 계획임신에 도움이 된다.

2 피하이식제는 3년간 피임효과가 있고 제거 후 바로 임신이 가능하다.
살정제를 사용할 경우 성교 1시간 전에 투여한다.
자궁내 장치 삽입은 임신중절 후에 바로 고려한다.
콘돔은 공기를 제거한 후 남성의 성기를 덮어 씌워야 찢어지는 것을 방지할 수 있다.
경부 캡은 성관계 후 6시간 동안 그대로 둔다.

1 비판적 사고 중심 간호실무의 간호사정을 참조하시오.

2
- 사정 조절 무능력에 대해 표현
- 파트너의 반응에 대해 걱정함
- 불안
- 낮은 자아존중감

3 간호진단: 잠재적인 성기능장애(조루증)와 관련된 성치료에 대한 정보 및 지식 결여

2
- 간호계획
  - 부드럽게 접근하여 수용적인 분위기를 제공한다.
  - 공감을 표현하고, 언어적, 비언어적 위안을 제공한다.
  - 감정을 표현하도록 격려한다.
  - 주의깊게 경청한다.
  - 대상자가 느끼는 정서적 반응은 적절한 것이며 일반적으로 경험하는 것이라고 설명한다.
  - 대상자가 표현하는 감정에 대해 피드백을 제공한다.
  - 적절한 방어기제를 사용하도록 한다.
  - 상황에 대해 실제적인 평가를 하도록 지지한다.
  - 타인에게 방어반응을 하는 것에 대해 충고한다.
  - 아내에게 수용을 표현하도록 조언한다.
  - 아내에게 사랑을 표현하도록 조언한다.
  - 자신의 긴장을 인정하도록 설명한다.
  - 상대자가 갖는 현실적 요구를 설명한다.
  - 성가치, 성기능, 성관계를 확인하도록 격려한다.
  - 불안이 없는 것과 문제가 없는 것과의 차이를 설명한다.
  - 긍정적인 자기-태도를 유지하도록 설명한다.
  - 상호 문제를 해결하도록 격려한다.
  - 이완은 성공적인 성적 반응에 필수적이라고 설명한다.
  - 성적 반응은 정상적으로 다양하다고 설명한다.
  - 사정조절 무능력은 심리적인 원인이 있다고 설명한다.
  - 성치료에 대한 정보를 제공한다.
  - 성치료에 대한 효과와 제한점에 대한 정보를 제공한다.
  - 성치료에 대한 지역사회의 자원에 대한 정보를 제공한다.
  - 가족담당의사와 친구와 성치료에 대해 논의하도록 격려한다.
  - 성치료에 만족한다고 보고한다.

- 간호중재
  - 파트너와 논의를 시도한다.
  - 파트너와 수용감과 사랑의 감정을 공유한다.
  - 성가치, 성기능 성관계에 대해 논의한다.
  - 성반응에 대한 정보와 사정 조절 무능력에 대해 논의한다.
  - 성치료 정보에 관해 논의한다.
  - 가족, 친구와 이전에 성치료를 경험한 친구 등 성치료자의 선택에 대해 논의한다.
  - 성치료자를 선택한다.
  - 성치료자와 예약한다.
- 평가
  - 성치료자 선택에 만족한다고 보고한다.
  - 성치료에 만족한다고 보고한다.
  - 조루증의 치료에 대해 만족한다고 보고한다.
  - 성관계의 향상을 보고한다.

❸ 갱년기 여성 간호

> **사례**

1 갱년기는 폐경을 전후한 40~60세 사이를 의미하며, 생리적 폐경은 50세 전후에 발생한다. 50세 여성은 난소기능의 쇠퇴로 인한 에스트로겐 감소로 불규칙한 월경, 혈관운동증상(홍조, 발한과 야한, 수족냉증, 심계항진 등), 정신신경증상(분노, 초조감, 우울감, 불면, 두통, 현기증 등), 자각신경증상(손발의 저림, 손발의 감각둔화 등)과 운동기관증상(피로감, 어깨결림, 손발의 통증, 요통 등) 등과 같은 갱년기 증상을 호소할 수 있다.

2 우선적으로 대상자가 호르몬 대체요법(HRT)의 절대적 금기사항과 상대적 금기사항에 해당되는지를 확인해야 한다.
- **절대적 금기사항**
  - 에스트로겐 의존성의 악성종양(유방암, 자궁내막암 등)
  - 원인불명의 부정출혈(자궁내막암에 의한 출혈가능성이 있으므로)
  - 혈전성 정맥염, 혈전증
  - 중증 간기능장애
- **상대적 금기사항**
  - 혈전증의 기왕력
  - 자궁 내막암의 기왕력
  - 자궁근종의 기왕력
  - 자궁내막증의 기왕력
  - 중증 고혈압
  - 당뇨병

3 • 지지요법, 상담요법 그리고 식물성 에스트로겐이 함유된 식이요법을 활용할 수 있다.
- 대표적인 식물성 에스트로겐은 리그난과 이소플라보노이드인데, 이들은 장 내에서 박테리아에 의해 에스트로겐으로 전환된다. 리그난과 이소플라보노이드가 많이 함유된 식품으로는 콩과 식품이 있다.

4 호르몬 요법의 가장 흔한 부작용은 질출혈이며, 오심, 구토, 우울감, 유방통과 그 이외에 복부팽만감, 자궁내막암, 유방암 등이 나타날 수 있다.

제 6 장 · 생식기 건강문제를 가진 여성간호

❶ 여성건강사정

사례

1 개인력, 문진, 신체검진, 면담

2 병력조사(인적 자료, 주호소, 현재 건강상태나 병력, 과거 병력, 가족력), 신체검사, 기능적 검사(일상 활동)

3 ① 외음부의 간단한 해부학 그림을 대상자에게 주고 설명해주며 배운 것을 저녁에 수행해 보도록 교육한다.
② 조명을 밝게 하고 한 손은 거울을 잡고 다른 손은 질 주위를 둘러싼 조직을 노출시켜 앉은 자세에서 검진할 수 있다.
③ 대상자는 스스로 체계적으로 치구, 음핵, 요도, 대음순, 회음부와 그 주위와 외음부를 촉진하고, 기형, 궤양, 종기, 사마귀 그리고 색소침착의 변화가 있는지 관찰할 수 있다.
④ 외음부 자가검진은 매달 월경 사이, 만약 외음부 질환이 있었다면 자주 시행해 예방적인 건강관리를 수행하도록 권유한다.

4 ① 손을 씻는다. 모든 필요한 물품을 준비한다.
② 검사 전에 소변을 본다(필요하다면 소변 검사물을 받는다).
③ 대상자를 이완하도록 돕는다. 가슴의 횡격막 부위에 양손을 올려 놓고 깊고 천천히 호흡하도록 한다(코로 숨을 들이마시고 입으로 내쉬도록 한다).
④ 대상자가 원하면 검사에 참여하도록 격려한다. 예를 들면, 대상자가 검사하는 부위를 볼 수 있도록 거울을 준비한다.
⑤ 체위성 저혈압과 같은 문제의 증상을 사정하고 중재한다.
⑥ 따뜻한 물을 이용하여 질경을 따뜻한 상태로 준비한다.
⑦ 대상자에게 질경이 삽입될 때 압박감이 느껴질 수 있음을 교육한다.
⑧ 장갑을 끼고 세포진 검사를 위한 검사물 채취를 돕는다. 검사물 채취 후 장갑을 벗고 손을 씻는다.
⑨ 양손 검진 전에 검진자의 손가락을 물이나 수용성 윤활제를 이용하여 부드럽게 한다.
⑩ 검사를 마친 후 대상자가 앉고 서는 것을 도와준다.
⑪ 회음부의 윤활제를 닦도록 휴지를 제공한다.
⑫ 대상자가 옷을 입는 동안 프라이버시를 유지해준다.

5 세포진검사로 골반검진 시 수거된 경부에서 나온 세포를 검사하여 악성 상태가 잠재성인지 활동성 인지를 결정할 수 있는 검사로 Pap 검사(papanicolaou test)라고 한다.

• 준비단계: 대상자에게 질 세척이나 질을 통한 약물사용을 금지시키고, 검사 전 24~48시간 전에는 성교를 하지 않도록 교육한다. 만약 월경 중이면 검사 시기를 다시 결정한다. 검사를 위한 가장 적절한 시기는 월경주기의 중간 시기다.

• 검사과정:
  − 검사 목적과 질경이 삽입될 때 대상자가 느낄수 있는 감각(통증이 아닌 압력)을 설명한다.
  − 대상자를 쇄석위로 눕도록 한 후 질경을 삽입한다.
  − 세포진 검사를 위한 검사물은 질의 다른 검진 전에 채취하여야 하며, 경관 내 세균검사물은 자궁경부에서 면봉을 이용하여 채취한다.
  − 세포진 검사는 경관 내 검사물 기구를 이용하여 시행된다. 세포 채취 시 두 가지 샘플채취법을 사용할 경우,솔 형태의 채취도구(cytobrush)를 경관 안에 삽입하여 90° 내지 180°를 회전시킨다. 이후 주걱모양 채취도구(spatula)를 이용해 경관의 변형대를 긁어서 세포를 채취한다. 붓 모양의 채취도구(broom)는 삽입하여 360° 회전을 5차례 시행하여 한번에 경관외 및 경관 내 세포를 채취한다. 비정상적인 것으로 보이는 부분이 있다면 질확대경 검사와 함께 생검을 시행한다. 이후 5초 이내에 보존제를 뿌린다.
  − 대상자의 이름과 부위를 적어 슬라이드에 부착한다. 대상자의 이름, 연령, 결혼 상태, 주호소나 검사물 채취 이유 등을 기록한 기록지를 이용하기도 한다.
  − 검사물을 바로 검사실로 보내서 암세포와 같은 특별한 비정상적 소견이 있는지를 포함한 평가 결과지를 받는다.
  − 대상자 의무기록에 검사일자를 기록한다. 검사 결과를 기관지침에 따라 대상자에게 알려준다.

❷ 생식기 구조이상 간호

사례

1 장기간 장사를 하였으며 고령의 다산부로 골반을 지지하는 인대의 손상뿐 아니라 폐경 후 에스트로겐 저하로 인한 인대나 근의 이완 등으로 자궁이 정상위치에서 하방으로 빠진 상태이며 하강의 정도로 볼 때 3도 이상의 자궁탈출 상태임을 알 수 있다.

2 ① ~와 관련된 사회적 소외, 손상 받은 신체상
   - 기능적 변화
   ② ~과 관련된 통증
   - 골반 지지구조의 이완
   ③ ~와 관련된 불안
   - 수술절차와 예후
   ④ ~에 대한 지식부족
   - 질환의 원인과 치료법

3 ① 보존적 치료
   - 경도, 중등도의 탈출증, 향후 분만계획이 있는 경우, 환자가 수술을 기피하는 경우 적용
   - 페서리 : 폐경 후 여성의 경우 호르몬 요법이나 질내 여성호르몬 크림을 4~6주 정도 사용한 후 페서리를 사용
   - 골반근육운동, 생활습관 교정, 바이오피드백 등을 사용
   ② 수술적 치료
   - 손상된 부분을 복원하는 수술
   - 전질벽봉합술(anterior vaginal colporrhapy), 후질벽봉합술(posterior vaginal colporrhapy), 질주위복원술(paravaginal repair)

4 ① 수술 전 간호
   대상자와 배우자에게 수술 전 준비와 처치, 목적, 절차에 대해 충분히 교육한 후 수술 승락서를 받는다.
   - 각종 귀금속과 화장, 속옷, 매니큐어, 렌즈, 의치 등을 제거한다. 간호정보 조사지를 작성하면서 평소 이상 증상과 과거력, 현재 병력, 입원 전 복용약을 확인한다.
   - 수술 전 흡연을 금지하고 목욕은 수술 전날 실시한다.
   - 수술동의서, 수혈동의서를 받은 시간과 내용을 기록하며, 필요시 자가통증조절기(IV-PCA)를 준비하고 정맥주입로를 확보한다.
   - 수술 후 심호흡법, 객담배출법, 운동법을 교육한다.
   - 수술 전 광범위한 장준비(bowel preparation)가 요구된다.
   - 수술부위 압력을 감소, 변으로 인한 수술부위 오염예방을 위해 관장을 시행하며 처방대로 관장을 한다.
   - 수술 전 며칠 전부터 저잔류 식이를 하며 수술 전날 저녁 가볍게 연식 후 금식한다.
   - 수술부위 피부준비는 수술에 따라 수술 전날 밤 치골선부터 항문까지 삭모하고 옆으로는 허벅지 안쪽까지 삭모하고 피부소독을 준비한다.

② 수술 후 간호
- 혈전 예방을 위한 다리운동을 교육한다.
- 심호흡과 기침, 객담 배출을 격려한다.
- 섭취량 및 배설량 확인의 목적과 방법, 금식을 교육한다.
- 전신 마취인 경우 반좌위(semi-fowler's position)를, 척추마취인 경우 앙와위(supine position)를 8시간 유지한다.
- 수술 후 1일에는 질출혈 유무와 출혈 양상을 확인하고, 조기 보행하도록 하며 보행 시 낙상주의 교육과 보호자 동반할 것을 교육한다.

❸ 월경장애 간호

1 월경전증후군의 증상은 월경 일주일 전부터는 반복적인 피곤함, 유방의 팽만감, 아랫배 팽만, 두통, 짜증, 변비, 월경이 끝나면 증상이 없다.
따라서 월경 전의 증상이고, 최소 1개 이상의 증상이 있고, 심리적이거나 행동적인 증상 1개 이상이므로 월경전증후군이다.

2 · 월경전증후군과 관련된 지식부족
   · 월경전 증상과 관련된 비효율적 대처
   · 월경전 증상관리와 관련된 자가간호향상 가능성

3 · 생활양식의 변화로 스트레스를 완화하기 위해 규칙적인 운동 및 이완 기술 사용
   · 복부팽만 증상이 있다면 짠 음식과 과식을 피함
   · 변비가 있다면 충분한 수분과 섬유질 식이 섭취
   · 피로감이 심할 때는 규칙적이고 충분한 수면과 휴식 취함

④ 난임 간호

1
- 남편의 무정자증 진단에 놀라 남편에게 차마 말하지 못함
- 난임 시술에 대한 남편의 비협조
- 여성이 모든 난임 시술이나 진단에 대한 불확실한 정보
- 5년 전 진단 후 혼자서 느꼈을 심리적 문제
- 꿈에서 임신하는 정도의 임신에 대한 간절함
- 체외수정을 준비하고 여성의 월경력, 임신력, 과거력과 신체검진

2
- **신체적**
  수면부족, 영양불균형, 이유없는 두통이나 복통, 설사, 비타민 부족, 월경불순, 월경통, 상상임신, 치료와 관련된 과배란, 과배란 합병증, 검사와 시술과 관련된 통증
- **심리적**
  ① 난임 사실에 대한 부인, 분노, 자존감 저하, 고립, 슬픔
  ② 난임 치료기간 동안의 불안, 우울, 기분장애
- **사회문화적**
  ① 부부관계 : 난임과 관련된 부부의 성생활의 부정적인 영향과 부부관계 악화
  ② 가족문화관계 : 시부모의 아이에 대한 기다림,
  ③ 사회관계 : 주위의 배려심 없는 질문이나, 언행,
  ④ 문화적 관점 : 결혼하면 아이를 기대하는 문화적인 관점, 장손(장자) 중심의 가족문화

3
- 임신과 관련 생식과정에 대한 지식부족
- 치료기간의 지연과 관련된 불안 혹은 슬픔

4 학생이 비판적 사고 중심의 간호실무의 간호중재를 참고하여 간호계획을 수립할 수 있도록 한다.

5
- 진단과정 : 난임이 의심스러운 경우에는 우선 진단적 검사를 통해 난임 인자를 진단한다. 부부의 난임 인자가 특정되면 2차 검사를 하여, 원인을 정밀검사하고, 질환에 따라 치료한다. 진단적 검사는 여성인 경우, 월경력과 산과력, 건강력, 과거력을 사정하고, 기초체온검사, 호르몬부하시험, 혈중호르몬 농도 측정, 클라미디아 검사, 자궁난관조영술, 초음파검사등을 실시하고, 남성의 경우 정액검사를 실시한다.
- 치료적 대안 : 보조생식술, 체외수정 – 배아이식, 난자세포질내 정자주입술 등이 있고, 이러한 보조생식술로도 임신이 되지 않을 경우 비배우자 간 인공수정을 할 수 있다.
- 지지 서비스 : 자조모임, 입양기관, 가족치료 및 심리상담의지지 서비스가 있다.

⑤ 생식기 감염 간호

사례

1
- 주증상은 지속적 백대하이며, 다음과 같은 증상이 있을 수 있다.
  - 외자궁경부가 정상일지라도 경관내막이 비후되고, 백색의 농이보이는 경우
  - 외자궁경부에 다양한 크기의 미란이 있는 경우
  - 경부의 외번증이 있는 경우

2
- 간호문제: 흡연, 음주, 다수의 성파트너, 비정상 질분비물, 경부염의 병력, 생식기 검진과 관리의 소홀함 등
- 간호진단
  - 만성 감염의 결과와 관련된 불안
  - 감염의 전파 및 재감염과 관련된 불안
  - 감염관리와 관련된 지식부족
  - 성전파성 감염 위험을 줄이는 성행위와 관련된 지식부족

3
- 세포학적 검사, 질확대경, 조직 생검 등을 실시하여 초기 자궁경부암과 감별한다.
- 만성 염증성 병소에서 암의 초기증상을 많이 발견할 수 있으므로 만성 염증성 질환을 근치하는 치료를 한다.
  즉, 냉동요법, 전기소작법, 원추절제술, 레이져요법, 환상투열요법 등으로 병변 조직을 파괴시키는 치료를 한다.

⑥ 자궁내막질환 간호

1
- 문진 : 월경통, 골반통, 성교통, 월경 유무
- 골반검진 : 골반압통, 고정된 자궁후굴 및 자궁천골인대 부위 소결절 촉진
- 초음파 : 골반내 종괴 확인
- 복강경 : 자궁내막증의 확진과 병소 파악

2 임신을 원하는지, 증상의 중등도, 자궁내막증의 정도

3
- 다나졸은 심혈관질환, 신질환, 간기능장애가 있는 환자에게는 금기임을 설명한다.
- 치료는 월경이 끝난직 후에 하고 치료기간을 6개월임을 설명한다.
- 부작용으로 쉰 목소리, 체중증가, 체액저류, 여드름, 지루성 피부염, 체모와
- 머리털의 증가, 유방위축, 성욕감퇴, 피로, 오심, 위축성질염, 안면홍조, 근육경련 및 감정의 변화 등이 있음을 설명한다.

❼ 자궁내막암 간호

사례

1 과체중, 폐경, 적은 출산력, 50대 연령

2 • 자궁내막암 진단 및 치료과정에 대한 지식부족
    • 자궁적출 후 성기능 상실에 대한 불안
    • 자궁내막암 예후와 관련된 불안

3 • 자궁절제술로 인한 성기능 변화를 설명한다.
    • 수술 후 성교는 2달 후 시작할 수 있으며 수용성윤활제를 질에 도포한다.
    • 자궁상실에 대한 감정을 표현하도록 한다.
    • 1기 자궁내막암의 생존율과 예후를 설명한다.
    • 자궁내막암의 수술적 치료, 화학요법, 방사선요법을 설명한다.
    • 수술 전 배우자와 함께 자궁절제에 대하여 감정을 나눈다.

4 치료는 수술요법이 원칙이며, 전자궁적출술, 근치자궁절제술, 양측부속기절제술, 골반림프절제술을 한다. 추가치료로 항암화학요법이나 방사선요법을 실시한다.

⑧ 자궁근종 간호

사례

1
- 자궁을 제거하면 여성성을 상실하여 성생활에 문제가 있을 것이라 생각함
- 난소를 제거하면 난소호르몬 분비가 안되어 노화가 빨리 올 것으로 생각함

2
- 건강력 : 여성의 월경양상의 변화(통증 또는 압박 등)를 포함한 월경주기, 불임력, 자연유산력, 가족력
- 근종과 관련된 증상 사정 : 만성골반통, 요통, 출혈로 인한 철 결핍 빈혈
- 복부팽창감, 불임(큰 종양을 동반한), 월경통, 성교통증, 빈뇨, 긴박뇨, 요실금
- 불규칙적인 질 출혈(월경과다), 골반 부위의 중압감

3
① 선별검사
- 단순복부 촉진, 양손검진 : 특징적으로 비대해진 자궁이나 불규칙한 양상의 자궁을 진단한다. 근종의 크기가 큰 경우 복부에서 자궁 촉지가 가능하다.

② 임상검사
- X–선 복부촬영, 초음파검사 : 근종을 진단
- 복강경 검사, 자궁경 검사 : 근종 확진
- 세포진 검사, 자궁내막 생검 : 양성 종양의 유무, 자궁내막증식증, 자궁평활근종 유무 확인

4
① 수술 후 안위변화와 관련된 건강유지 능력저하
- 절재부위 통증완화를 위해 진통제를 투여한다.
- 위생을 증진하기 위해 옷과 시트를 자주 갈아준다
- 절개부위, 드레싱, 질 출혈을 사정하고 출혈이 심하면 보고한다.
- 수분과 전해질의 균형을 유지한다.
- 침상안정으로 인한 혈전정맥염과 정맥울혈을 예방하기 위해서 보행과 적극적 관절범위운동을 권장한다.
- 초기 합병증을 발견하기 위해서 활력징후를 측정한다

② 여성성의 상실과 관련된 우울
- 성생활 관련 고민을 의료인과 편하게 상의할 수 있도록 한다.
- 수술 후 성생활에 관련된 정보를 제공한다.

9 자궁경부암 간호

사례

1 이른 초경연령, 이른 결혼 연령, 많은 산과력

2
- 자궁경부암 수술 후 통증
- 근종과 치료과정과 관련된 불안
- 자궁근치수술 후 출혈위험성
- 침습적 시술과 관련된 감염위험성

3
- 통증의 강도, 양상, 위치를 사정한다.
- 정확하게 섭취량과 배설량을 사정한다.
- 활력징후를 측정한다.
- 치료에 대한 간호계획을 설명한다.
- 감정을 표현하도록 격려한다.
- 침습적 부위에 대한 무균술을 시행한다.

⑩ 난소종양 간호

사례

1 **출산력 1회, 폐경연령 58세**
: 난소암의 위험요인은 미산모, 불임, 이전 유방암, 대장암, 난소암에 대한 가족력 및 배란자체가 난소암에 대한 위험요인이므로 이 여성의 출산력은 1회로 무배란 시기가 다산부에 비해 짧으며 폐경의 평균연령이 만 51세인데, 이 여성은 13세에 초경하여 58세에 폐경을 하였으므로 배란 기간이 길다.

2
- 화학치료에 따른 오심과 구토와 관련된 영양 불균형
- 피로, 쇠약감과 관련된 자가간호결핍
- 암의 진행과 관련된 비효율적 개인 대처
- 안녕상태의 변화와 관련된 사회적 고립

3
- 난소암은 수술적 병기, 세포분화도, 원발성 혹은 재발성 난소암의 유무, 기존치료에 대한 반응, 환자의 수행능력에 따라 치료방법이 달라진다.
- 개복하여 난소암의 병기를 결정(초기 난소암)하거나 최대 종양감축술(진행성 난소암)과 수술 후 복합항암화학요법이 표준 치료법이다.
- 양측 난소난관 절제술과 자궁적출술은 진단과 질병 단계, 종양제거 등을 위해 가장 흔히 시행된다. 초기 난소암이며 출산을 원하는 여성은 병기 IA, grade 1,2인 경우 일측 난관난소절제술을 시행할 수 있다.
- 초기 난소암인 경우는 보조적 항암화학요법으로 paclitaxel과 carboplatin 3~6회 투여가 원칙이지만, 병기 IA, grade 1,2에서는 생략할 수 있으며, 진행성 난소암인 경우는 항암화학요법은 6~8회 투여한다.
- 보통 방사선 치료는 효과가 없다.

4 **수용**
질병을 수용하는 단계이므로 남은 생애를 자신이 원하는 대로 마무리 할 수 있도록 즉, 가족과의 시간을 보내고 가족들의 간호를 받을 수 있도록 하는 중재가 필요하고, 추후 호스피스 간호도 필요할 것이다.
: 난소암의 여성은 Kubler-Ross가 서술한 슬픔의 5단계를 경험하므로 각 단계별 지지가 필요한데, 1단계는 부정(Denial), 2단계는 분노(Anger), 3단계는 타협(Bargaining), 4단계는 절망,우울(Depression), 5단계는 수용(Acceptance)으로 위 사례 여성은 수용단계로 볼 수 있다.

⑪ 외음 · 질종양 간호

> **사례**

1 • 5단계가 나타날 수 있다.
  ① 1단계 : 부정 ② 2단계 : 분노 ③ 3단계 : 타협 ④ 4단계 : 우울 ⑤ 5단계 : 수용

2 • 발생원인
  • 치료 방법 및 예후
  • 수술 후 자가 관리
  • 전이 유무
  • 수술 부위 크기, 치유기간 등

3 • 소양증
  • 외음부 종괴
  • 병력에 나타나 있지 않으나 외음부 상피내 종양, 또는 인유두종바이러스 감염 여부를 파악한다.
  • 낮은 사회 경제적 지위
  • 당뇨, 고혈압, 비만, 흡연
  • 외음부의 비종양성 질환 병력
  • 인유두종 바이러스
  • 외음부 상피내 종양 등

4 • 조직검사로 확인, 병기에 따라 근치적국소절제술, 근치적 외음절제술 시행한다.
  • 화학요법 및 방사선요법도 실시한다.
  • 병기에 따른 수술은
  ① 광범위국소절제와 서혜부림프절절제술 – I, II, III기 외음암
  ② 근치적외음절제술과 화학요법– 진행된 병기가 III, IV기 외음암
  ③ 림프절침범 시에 추가적 골반방사선치료. 재발 시에는 2차적 절제술 시행 후 방사선 치료

⑫ 생식기 수술, 방사선 화학요법 간호

사례

1 미혼이므로 자궁근종절제술이 좋으나 근종의 종류, 환자의 상태에 따라 수술방법이 달라질 수 있다.

2 • 미혼으로 근종절제술 또는 자궁적출술등 수술 후 임신에 대한 걱정
   • 미혼으로 자궁관련 수술을 한다는 생각 등

3 자궁근종의 불충분한 혈액공급과 여러 가지 요인에 의해 이차 변성 초래
   ① 초자성 변성
   ② 석회화 변성
   ③ 지방변성
   ④ 낭포성 변성
   ⑤ 육종성 변성
   ⑥ 감염
   ⑦ 괴사

제 7 장 │ 사회문화적 건강문제를 가진 여성간호

① 한부모 간호

사례

1. 상담 전화를 한 여학생의 정서 심리적 상태를 먼저 공감하면서 지지하여 자신이 직면한 구체적 문제들을 점검할 수 있도록 하고 그와 관련된 결정과 해결방안을 찾는 데 필요한 자원이나 시설 등 실제적 정보를 제공해준다.

2. 원치 않는 임신과 출산과 관련되어 다양한 선택을 할 수 있다.
   그러나 책임 있는 성행동과 성적 자기결정권에 대한 인식이 필요하다.

3. 성상담자는 대상자의 성 건강문제 대해서 긍정적 시각과 자연스러운 태도로 상담하고, 현재 직면한 임신과 관련된 문제들을 표현하도록 격려하고 잘 경청하면서, 대상자 스스로 문제들에 대해서 결정하고 해결방안을 찾는데 도움이 되는 정보들은 솔직하고 구체적으로 제시해야 한다.

4. ① 직면한 문제들은 다음과 같다.
   - 정기 산전건강관리가 안되고 의료기관 방문하지 않음
   - 영양 불균형, 자신과 태아 건강 문제 가능성
   - 학업 복귀와 취업, 경제의 어려움
   - 지지체계의 부족 : 남자친구와 연락도 안 되고 가족의 빈곤
   - 성지식 부족과 피임 실패
   - 임신, 출산, 양육에 대한 지식부족 가능성, 등

   ② 해결방안으로 다음을 고려해 볼 수 있다.
   - 산전, 산후 관리: 적절한 영양섭취, 임신 신체변화 적응과 분만 진통 정보제공
   - 미혼모관련 시설, 상담기관, 자조집단 등 안내와 참여지원
   - 학업지속을 위한 휴학, 복학, 전학 처리 정보 지원
   - 가족과 연계할 수 있는 방안 강구
   - 재임신 방지를 위한 성교육 등

② 성폭력 피해 여성 간호

사례

1 성폭력 피해 후 경과된 시간을 먼저 확인해야 한다.
: 응급피임약은 성폭력 피해후 12시간 늦어도 72시간 지나기 전에 복용해야 효과가 있다.

2 • 임신위험을 확인하기 위해서 마지막 월경일, 피임여부, 다른 병력을 확인한다.
• 성폭력 피해 후 72시간이 경과하지 않았다면, 응급피임약을 바로 복용한다.
• 성폭력 피해 후 72시간이 경과했다면, 추후 임신반응검사를 시행한다.

3 • 성폭력 피해 여성은 성폭력 이후 씻거나 옷을 갈아입지 않고 그대로 가능한 빨리 의료기관을 방문해서 문진, 신체검사와 증거물 채취, 임신과 성병예방을 위한 치료, 추후 검사결과 확인과 부인과적 경과를 관찰하고 정신과 상담 등 추후 관리를 받아야 한다.
• 성폭력 피해를 받았을 때 신속하게 신고하고 지원기관을 이용한다.
: 통합지원센터(원스톱지원센터, 해바라기 여성 아동센터), 성폭력상담소, 여성긴급전화(1366), 보호시설(성폭력피해자 보호시설, 쉼터), 장애인상담 및 보호시설 등

4 • 피해자 대상 예방 교육과 가해자 대상 재발 방지 교육
• 주변인과 목격자 중심 교육
: 폭력을 목격했을 때 방관하지 말고 가해자를 막고, 피해자를 지원하는 주변사람들과 목격자의 역할과 책임의 중요성에 대한 교육
• 2차 피해를 예방하기 위해서 성폭력이 발생했을 때 전문기관에 신고해야 함
• 성폭력으로부터 안전한 사회적 환경 조성
: 차이와 다양성을 존중하고, 정의롭고 평등한 가족과 사회